La fille du Oui

Amour pour tous les miens

Jésus

Livre 1

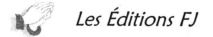 Les Éditions FJ

Photographie à l'endos du livre :
La *Fille du Oui* en prière dans un centre marial.

ISBN 2-9807574-0-3

Dépôt légal – Bibliothèque nationale du Québec, 2002
Dépôt légal – Bibliothèque nationale du Canada, 2002

IMPRIMÉ AU CANADA

En témoignage de respect et d'obéissance envers le décret du Souverain Pontife Urbain VIII, nous déclarons n'attribuer aux faits exprimés dans ce livre que la foi que mérite tout témoignage humain.

Nous déclarons également que les jugements exprimés n'entendent pas anticiper ceux de notre sainte Mère l'Église à qui l'auteure se soumet dévotement.

Distribution :

Éditions Saint-Raphaël
C.P. 492 Sherbrooke, Québec, Canada, J1H 5K2

Tél. : (819) 822-3979   Téléc. : (819) 823-0322
Sans frais : 1-866-399-2233
Courriel : raphael@abacom.com

REMERCIEMENTS

À tous ceux qui ont participé à cette oeuvre de Dieu, Dieu dit sa grande joie de voir ce livre terminé. Que tout en vous soit rempli de sa reconnaissance! Des fruits d'amour vous seront donnés en abondance. Ils seront pour chacun de vous multiplication des grâces que je donnerai à tous mes enfants. Soyez en moi, mes amours. Je suis l'Infini. Merci à vous, mes doux enfants : *Nathalie, Nicole, Raymond, Jean-Claude, Micheline, Robert, Agathe, Monique, Francine* et toi, ma douce *enfant du oui à Jésus*, de qui j'ai fait la signataire de ce livre.

Merci à tous mes enfants qui ont aidé à la correction de ce premier livre, en particulier à vous les principaux qui y avez contribué par vos prières. Merci à vous, mes bien-aimés qui lirez ces lignes d'amour, vous qui êtes à moi, Dieu d'amour. Comme je vous aime!

Dieu trois fois saint. Amen.

PRÉFACE 1

« Voici que je me tiens à la porte et je frappe. » (Ap 3, 20)

Cette parole est pour nous une invitation à la vigilance. Tauler, un vieil auteur spirituel, commentait ainsi ce texte de l'Apocalypse : *« Le plus souvent, on ne l'entend pas parce qu'on est rarement chez soi. »*

Il nous appartient donc de réapprendre le chemin de notre propre coeur, pour y retrouver cette présence amoureuse qui est paix, amour, douceur, joie, tendresse; autant de mots pour traduire les dons de l'Esprit.

Hélas! ne sommes-nous pas trop oublieux de cette merveilleuse réalité? Une présence nous habite qui nous appelle à *« renaître »*, comme il fut dit à Nicodème. (Jn 3, 3)

Renaître, nous laisser devenir par Lui, qui ne demande que notre accueil, notre oui tout pauvre. Car n'est-il pas *« le Dieu qui pardonne, guérit, rachète, couronne d'amour et de tendresse »*? (Ps 103)

Nous sommes tous appelés à devenir de vivants témoins de ce Dieu qui nous habite. Ne sommes-nous pas trop oublieux de notre vocation?

Le Seigneur, lui, n'oublie pas. C'est pourquoi, en ce temps qui est le nôtre, il suscite tant de témoins profondément saisis par Lui, qui viennent nous rappeler l'essentiel de l'Évangile.

Une femme de chez nous, témoin privilégiée, nous livre son expérience du Seigneur à travers des pages à saveur évangélique. Puissions-nous reconnaître avec elle ce Dieu qui nous invite constamment à partir, comme Abraham, *« vers ce pays que je te montrerai »*. (Gn 12, 1)

P. Réginald Tardif C.ss.r.

PRÉFACE 2

C'est dans mon sacerdoce que je laisse parler mon coeur. Cette enfant est en relation avec moi pour accomplir la Volonté de Dieu.

J'ai fait, moi, ce que mon coeur m'a inspiré. J'assiste cette enfant afin que sa spiritualité soit à l'écoute de Dieu et non des hommes. J'ai rôle, en tant que prêtre, de la soutenir afin que son coeur soit lié à Celui qui s'est donné pour le monde.

Elle se présente à moi en enfant sincère et vraie. Je suis auprès d'elle parce que je crois que Dieu le veut ainsi. C'est dans ma sincérité que je témoigne que cette enfant, nommée Francine, est voulue de Dieu.

Je suis accompagnateur afin que son âme soit celle que Dieu attend de cette enfant. Tout prêtre se doit aux âmes que Dieu lui confie.

Clément Provencher, prêtre

NOTICE

Pour vous réunir dans son amour, la Trinité vous parle de la fille de son choix.

La *"Fille du Oui à Jésus"* écrit en Dieu, pour Dieu, avec Dieu. Elle est issue d'une famille catholique observant nos lois d'amour. Nous, la Trinité, lui avons déversé des grâces d'amour. Elle est respectueuse envers son prochain. Elle s'est mariée à Maurice, l'homme que nous avons nous-mêmes choisi pour elle. Elle a trois enfants qu'elle a élevé dans l'amour.

À plusieurs reprises, nous lui avons manifesté notre Présence à la communion. Elle en a ressenti les bienfaits. Cela était notre Volonté. Elle a eu des visions dans ses rêves sans savoir ce que ces rêves signifiaient. Ces manifestations ont été voulues par nous pour l'accomplissement de notre oeuvre d'amour.

En 1998, Marie, votre Mère, la couvrit de son amour maternel en lui manifestant sa présence par des odeurs de roses et de fleurs du jardin de son Coeur. Et cela, à plusieurs reprises.

Sa soif de connaître Jésus Amour lui fait découvrir l'amour de Dieu le Père et l'amour de Dieu le Saint-Esprit. Elle se laisse envahir par notre Présence qui se manifeste dans ses prières. Quand elle prie, elle a des extases d'amour qu'elle ne peut expliquer, car elle est incapable de saisir notre Volonté. Tout son être est dans la joie et, même si elle ressent cette joie, une peine s'installe en elle lui donnant une soif d'amour d'aider Jésus crucifié.

Tout son être s'abandonne dans notre Volonté. Elle apprend à vivre dans la Divine Volonté. Pour que toutes ses actions portent des fruits d'amour, elle se donne à nous, la Trinité. Elle vit en Jésus, agit en Jésus et apprend à s'abandonner dans son amour.

Depuis janvier 2001, par le Saint-Esprit qui la couvre de sa Présence, elle entend avec discernement les voix de Jésus, de Marie et de son ange. Elle reçoit des leçons d'amour de Marie qui lui montre à obéir à notre Volonté. Jésus lui demande d'écrire; elle obéit sans savoir où cela la mènera. Tout en elle s'abandonne dans la Divine Volonté. Elle est habitée par nous, la Trinité.

Nous lui montrons qu'elle est en nous, que nous sommes en elle, et que vous, qui êtes en nous, vous êtes aussi en elle. Dans notre Volonté, elle entend les voix de certains de nos enfants qui sont en elle. C'est nous qui le voulons. Toute sa personne n'est qu'obéissance à notre Volonté.

Vous, mes enfants, par la *Fille du Oui*, sachez que nous vous aimons. Cette enfant a prononcé son *oui* à l'Amour. Elle a pleuré sur ses manquements et sur vos manquements envers nous, la Trinité, et envers Marie votre Mère. C'est nous qui avons fait d'elle ce qu'elle est pour vous faire connaître notre Volonté.

Par cette enfant, nous écrivons des enseignements d'amour qui vous préparent à la venue de Jésus parmi vous, en vous. Elle a crié très fort vers nous afin que vienne le retour de Jésus pour ce monde. Nous avons entendu son cri qui venait de son *oui* à l'Amour.

Mes enfants, nous avons préparé cette enfant pour ce moment, avant même qu'elle soit dans le sein de sa mère terrestre. Tout d'elle est notre oeuvre. Mes doux enfants, apprenez que vous êtes notre oeuvre. Par votre *oui*, nous voulons faire de vous des enfants d'amour pour l'Amour. Mes enfants, nous vous aimons. Nous, la Trinité, nous vous demandons si vous voulez vivre en Dieu par votre propre *oui* à l'Amour. Apprenez et comprenez que vous êtes aimés de nous.

Va, ma fille, cela est déjà accompli dans la Divine Volonté. Mon enfant, tout est pour eux dans la Volonté de Dieu Trinitaire. Amen.

AVERTISSEMENT

C'est à la demande de Jésus (qui m'a été manifestée par l'intermédiaire de la *Fille du Oui*) que j'écris les lignes qui suivent.

J'ai fait la connaissance de la *Fille du Oui* il y a environ trois mois. À la suite de diverses péripéties, il m'a été demandé de présider à la correction, la mise en page et l'impression du présent livre (compte tenu, je présume, de mon expérience en ces domaines et de ma disponibilité). C'est après avoir demandé et reçu plusieurs "confirmations" de la part du Seigneur que j'ai accepté cette responsabilité.

Tel que mentionné ailleurs dans ce livre, ces textes ont été dictés mot à mot à la *Fille du Oui* (par locutions intérieures) par Jésus principalement, et aussi par Dieu le Père, l'Esprit Saint, la Vierge Marie, etc. Les mots que la *Fille du Oui* reçoit, elle les écrits elle-même directement sur papier ou les enregistre sur cassette au fur et à mesure qu'elle les reçoit. Ils sont ensuite mis sur ordinateur par elle-même ou par des bénévoles. Par la suite, ces textes me sont transmis.

Selon la Volonté de Jésus, j'ai pour fonction de suggérer des améliorations dans la phraséologie et le choix des termes (en coopération avec les autres membres de l'équipe). Ces suggestions sont obligatoirement soumises aux "auteurs" (Jésus, Dieu le Père, etc.) par l'intermédiaire de la *fille du Oui*, pour approbation. Ces suggestions ne sont pas automatiquement acceptées, veuillez m'en croire.

Comme on pourra l'observer, le "style" de ces écrits est assez particulier, pour ne pas dire déroutant, au début surtout. Après un long et pénible cheminement intérieur, j'ai fini par comprendre clairement que les "voix célestes" ont choisi de s'adresser à la *Fille du Oui* dans son langage bien à elle (très simple et correspondant à sa formation scolaire sommaire). On ne devra donc pas se surprendre de certains mots ou tournures de phrases non conformes aux usages académiques courants.

Nous nous sommes efforcés (nous, les membres de l'équipe) de respecter ce "style" particulier (fort beau au bout du compte) en ne suggérant dans la plupart des cas que des améliorations relatives à la clarté des textes. Très souvent, il nous fallait demander à la *Fille du Oui* des éclaircissements sur certaines expressions, ce qu'elle nous donnait avec beaucoup de verve et de conviction. Parfois aussi, les "auteurs" (Jésus, Dieu le Père, etc.) donnaient eux-mêmes les explications par la bouche de la *Fille du Oui*. D'où les nombreux renvois explicatifs.

Je termine en soulignant que "travailler" avec la *Fille du Oui* est très comblant, vu sa simplicité, son humilité, sa douceur et l'amour du Seigneur qui rayonne de toute sa personne. Je tiens à signaler aussi que sa formation scolaire limitée ne brime aucunement la belle vivacité d'esprit dont le Seigneur l'a dotée.

Un membre de l'équipe

PROLOGUE

Amour pour tous les miens.

Mes bien-aimés, je vous aime. Aimez l'Amour. Comme l'amour de votre Dieu est bon pour chacun de vous! Tout mon Être est tendu vers vous, mes enfants. Soyez en moi, faites tout en moi.

Pourquoi ces écrits, alors qu'il y en a tant d'autres? Mes enfants, c'est pour vous dire que mon Coeur est grand ouvert pour chacun de vous. Tant que mon Sang s'écoulera, il y aura des écrits qui vous rappelleront mon amour pour chacun de vous. Je vous aime, mes enfants d'amour. Je suis Jésus en chacun de vous. Amen.

* * * * * *

Mes enfants qui lisez ce livre, je vous bénis. Je dépose en vous mon Esprit d'amour afin que vous sachiez que je me fais présent en chacun de vous par la *Fille du Oui*. Je vous aime, mes enfants. Grande est ma joie quand je vois ne fût-ce qu'un seul enfant à mon écoute.

Mes enfants, quand vous lisez ces lignes, vous accomplissez un acte d'amour dans ma Volonté, vous remplissez mon intérieur de votre présence pour ma gloire. C'est par votre *oui* à l'Amour que vous êtes en moi. Par moi, vous êtes dans tous mes enfants. Pour chaque mot que vous lirez, des grâces d'abandon vous seront accordées, à vous et à tous mes enfants dans la Volonté du Père.

Mes enfants, soyez des êtres de lumière; guidez mes enfants vers la lumière qui brille en vous. Je suis l'Amour de votre tout. Vous êtes en moi, mes enfants. Je vous aime. L'Amour vous bénit. Amen. Jésus, votre Sauveur.

Une âme amoureuse se donne
par amour pour l'Amour.

Mes enfants, vous qui lisez ces lignes, je vous incite à le faire dans la foi et dans l'abandon à l'amour d'un Dieu pour tous ses enfants.

Mes enfants, je suis Jésus Amour. Je me suis donné sur la croix pour chacun de vous. Vous êtes mes choisis. Un monde de noirceur prend racine; le mal s'est introduit en vous. Vous êtes en train de vous détruire totalement.

Mes enfants, venez à moi. Je crie dans vos déserts. Quand un seul d'entre vous crie vers moi, je pars à sa recherche, je prends son âme dans mes mains et je la place sur mon Coeur ouvert pour l'amener à mon Père du Ciel.

Oui, mes enfants, j'ai entendu le cri déchirant de ma sainte fille qui criait de tous ses poumons : « *Père, je t'en prie, envoie ton Fils, notre Jésus, sur la terre. Nous voulons sa venue tout de suite, nous avons trop mal, nous n'en pouvons plus que ça se passe comme ça. Je t'aime Papa, entends ta petite fille qui crie vers toi.* »

Mes enfants, je n'ai pu résister à ce cri de détresse. Elle vous portait tous en elle, mes enfants. Ce cri, elle l'a fait dans la Divine Volonté. J'ai crié à mon Père : « *Père, regarde ces enfants, ils me supplient d'aller vers eux.* » Ma venue est pour bientôt. Mon Père a dit *oui* à l'Amour. Personne ne peut prononcer son *oui* sans que l'Amour ne réagisse.

Nous, la Trinité, nous avons exulté de joie à ce cri prononcé avec tellement d'abandon. Elle l'a sorti avec tout l'amour d'une enfant envers son Père qui sait ce qu'il a à faire. J'ai préparé son âme, son coeur et son corps à cet abandon. C'est avec ce *oui* à l'Amour que moi, Dieu le Père, j'ai prononcé mon fiat d'amour.

Son mari (Maurice), dans l'épreuve de son coeur, a prononcé son *oui* dans un tel abandon à l'Amour que tout en lui est devenu amour. À l'instant où moi, Jésus, lui ai montré le *oui* de ma fille, leur *oui* commun est devenu un *oui* d'amour dans l'Amour et pour l'Amour. Seul, moi, Jésus, pouvais remplir ces êtres de mon amour.

L'amour est venu habiter Maurice à l'hôpital et cet amour naissant a été le plus bel abandon que l'Amour a reçu d'un être d'amour. Dès l'instant de son offrande d'amour à l'Amour, il est devenu tellement amour que son coeur s'est ouvert pour laisser passer l'amour.

C'est dans cet amour qu'a vécu l'âme de Maurice et qu'elle vit pour l'éternité. Maurice a connu l'Amour. L'Amour est venu rendre visite à l'amour et l'amour de l'Amour s'est donné à la vie. Ma Vie éternelle est devenue sa vie.

Telle est ma puissance. Je suis l'unique amour de chacun de vous. Je vous aime, mes enfants, vous qui lisez l'Amour. Venez à moi. Moi, l'Amour, je suis en chacun de vous. Jésus Amour. Amen.

* * * * * * *

Je suis la Divine Volonté; par votre oui à l'Amour, vous accomplissez notre Vouloir.

Mes enfants, ces écrits vous montrent la puissance de tout mon Être. Tout ce qui est en moi est hors du temps. Je suis l'Alpha et l'Oméga. Je contiens tout. Cette enfant est en moi; elle vit en moi depuis toujours. Tout ce qu'elle vit se passe en moi. C'est moi qui lui fais écrire ce qu'elle a vécu dans ses visions.

Je suis omniprésent. Je vis en vous, je connais tout de vous, même les événements que vous avez vécus alors que, maintenant, vous ne vous en souvenez plus. Moi, Dieu, qui connais tout, je lui rappelle les dates exactes où cela s'est produit. Va, ma fille, tout vient de moi. C'est pour la gloire de votre Père que vous vivez, mes enfants. Je vous aime. Jésus Amour.

Un cri dans la nuit.

Fille du Oui (dans la Divine Volonté)[1] *:* Dans la nuit, un cri entendu dans mon rêve me réveille. Je suis en larmes. Cette voix et ces mots ! Tout est si réel ! Je me vois dans une vaste étendue de terre semblable à un champ de culture; pas de hauts plants. Au centre, une petite clôture blanche et, au milieu, une croix. Je pleure devant cette croix.

J'entends un cri très fort, une voix d'homme d'une très grande tristesse. Ces mots, je ne les ai jamais oubliés. Ma fille Caroline les a transcrits et mis dans ma Bible. Cette voix criait : « *Je crie ma douleur au-dessus des toits, mais personne ne la comprend tant elle est immense.* »

* * * * * * *

Mon amour, je t'aime. Je suis en toi; toi, tu es en moi. Comme je t'aime ! Je suis en toi, ma bien-aimée. Ce cri que tu as entendu, il était de moi, ton Amoureux. J'ai crié en toi ma détresse. J'ai crié si fort que tu m'as entendu. Ces mots ont été gravés dans ton coeur. Ils s'y sont imprimés, ma bien-aimée, pour te faire découvrir tout mon amour pour toi et pour tous mes enfants.

Oui, mes enfants, j'ai crié si fort ma détresse que tout mon être en a été ébranlé. Un grand tremblement s'est fait sentir en chacun de vous; personne n'a compris ce cri de détresse. Il était d'une telle tristesse que je me suis mis à pleurer tant qu'il n'a pas été entendu de chacun de vous.

Oh ! mes enfants chéris, pourquoi tant d'indifférence envers moi, Jésus crucifié? Je suis mort pour chacun de vous. Aimez-moi, mes enfants. Je crie encore en vous. Aimez celui qui s'est donné pour vous donner la vie, la vie qui ne finit pas. Je vous aime. Amen.

---

1. Explication donnée par Jésus : « *Ma fille entend ces mots en elle.* »

2 – 1ᵉʳ novembre 1985   **Jésus**

Ce que tu as vu, c'est ma Volonté.

Jésus : Ce rêve, ma fille, te fit voir ce que nous, la Divine Volonté, nous avons voulu te faire vivre en nous, la Trinité. Tout se passe en toi par nous. Nous seuls sommes le Vouloir, non vous, mes enfants. Tout vient de nous. Je suis Jésus, celui qui est en toi; toi, ma fille, tu es en moi. Ton rêve est notre Vouloir. Écris ce rêve que moi seul connais, ma fille.

Fille du Oui (dans la Divine Volonté) : Je sors de ma maison, je traverse la clôture de bois blanche. Mon père, décédé en 1979, est avec moi. Nous sommes pressés, il faut aller quelque part, je ne sais où. Tout se précipite, c'est très sombre, ce n'est plus le jour. Je regarde le ciel; il n'y en a plus. C'est comme si l'univers s'était déchaîné. Il y a des nuages rouges : du jamais vu. C'est difficile à décrire. Ces nuages se déplacent très vite. D'autres, de couleurs jaune, orange et rouge (les couleurs de feu), vont dans le sens inverse. J'ai l'impression que je vis une catastrophe. La terre s'ouvre, je suis sur le bord d'un gouffre. La terre se rétrécit et je ne vois plus autour de moi, c'est trop sombre.

Soudain, je me retrouve avec des gens sur le bord de la mer. Ce qui reste de la terre est très peu. Je cours vers la mer pour aller chercher des gens rescapés. Je tends la main pour aider une personne à sortir de l'eau : c'est mon frère! J'ai beaucoup de peine. Je constate que nous ne sommes pas nombreux sur la rive.

Je me réveille. C'était tellement réel que je me souviens de tout, surtout du ciel, si je peux l'appeler ainsi.

* * * * * * *

Jésus : Ma fille, cette vision décrit la fin de ce monde sans amour, ce monde des ténèbres. Tout est là maintenant. Par ma sainte Volonté, tu as vu ce temps qui s'achève. Ce ciel de couleur est ma sainte Volonté. Tout sera perturbé : les saisons seront changées, les arbres, les plantes, les cours d'eau et les eaux seront recouverts par mes mers. La terre s'ouvrira, il y aura des lamentations, des pleurs dramatiques. On voudra se cacher. Rien ne pourra arrêter ce qui vient. Nul ne pourra être à l'abri que s'il vient à moi, Jésus Amour. Je vous guiderai vers ma sainte terre.

Tu as vu ce qui va se passer. Ces couleurs, c'est le feu de la purification. Cette terre ouverte, c'est l'enfer. Ces pleurs, ces cris, ces peurs, ce sont ceux des enfants qui auront refusé de venir à moi. L'eau, c'est la terre qui sera renouvelée par ma sainte Volonté.

Peu, oui, très peu seront sauvés[2]. Les tristesses, ce sont tes pleurs sur ceux qui refusent d'écouter ma sainte voix en eux. La rive, ce sont ceux qui choisissent de venir à moi. Ta main tendue, c'est moi, ma fille, qui les amène à mon Père du Ciel. C'est ma sainte Volonté en eux qui les fait avancer vers la Terre Promise.

Ma fille que j'aime, imprime ces rêves. Ils sont lumière. Je t'aime. Va, ne t'inquiète pas. Tu seras aidée pour ton orthographe. Amen.

3 – An 2000, printemps   Jésus miséricordieux

Quand vous serez en moi, vous découvrirez ma Présence.

Jésus : Ma fille, vois ta présence en moi. Je suis si amoureux de toi! Oh! mes enfants, comme je vous aime! Je me languis de vous, mes bien-aimés. Ma fille, écris ce rêve.

Fille du Oui (dans la Divine Volonté) : Moi, je suis en présence de Jésus. Ces mots me sont dictés par Jésus (qui me remémore un rêve passé)[3].

Jésus : Ma fille, je t'aime, toi qui te donnes. Dans ton rêve, tu es assise dans une pièce, tu joues « à savoir qui aura à prendre la parole ». Tu es en face de personnes qui t'écoutent.

---

2. Explication donnée par Jésus : « *Ceux qui diront oui à ma Volonté seront sauvés.* »

Elles entendent tes mots qui parlent de moi, mais elles ne veulent pas y prêter attention. Tu es triste pour elles, non pour toi. Tu restes calme.

Tu changes de pièce. Il y a là des personnes qui aiment t'entendre, mais elles ne mettent pas en pratique tes paroles. Tu les aides, mais elles ne font pas d'effort; tu n'insistes pas. Tu les aides à faire leurs travaux qui consistent à faire rentrer un objet dans leur armoire. Mes enfants sont tristes; ils ne comprennent pas pourquoi tu vas à un autre endroit.

Il y a plusieurs personnes sur une estrade. C'est haut. Tu te trouves parmi elles. Elles sont heureuses ensemble. Vous attendez que la cérémonie commence. Une belle dame, que tu vois de dos, est sur le bord de la balustrade. Elle est très élégante dans sa posture; tout d'elle te semble pur. Sa robe est blanche, très blanche. Trois rubans attachés à sa robe pendent en avant d'elle et descendent jusqu'à l'étage du bas.

---

3.   À un questionnement concernant le récit de ce rêve (et d'autres), Jésus, par la bouche de la « Fille du Oui », nous a dit ce qui suit :

Ces récits, mes enfants, décrivent des visions qui vous apportent des lumières sur mes desseins d'amour pour vous. En vous, je vis. En vous, j'existe. Vous faites partie de moi. Aucun de vous n'existe en dehors de moi. Tout ce que vous faites ou dites extérieurement ou intérieurement, moi, Jésus, je le sais. Je suis la Vie de votre vie. Moi, qui suis en chacun de vous, je ressens ce qui est bon en vous, de même que ce qui n'est pas bon. Je sais tout de vous. Si vous me donnez tout, moi, qui suis en vous, je vous donne des grâces d'amour afin que vous deveniez amour. Je suis l'Amour. L'Amour est en vous.

Je vous fais connaître ce qui est en cette enfant. Elle a vécu ces rêves dans le passé. Pour vous, mes enfants, j'ai voulu lui remémorer ces visions, afin de vous faire part de mes agissements d'amour envers vous. Vous lisez ce que moi je lui ai dicté. Vous êtes témoins de ce qu'elle a vécu dans un laps de temps choisi par nous, la Divinité. Tout en nous est Lumière. Tout en nous est Vie. Voyez, mes enfants, combien je vous aime. À chacun de vous, je veux montrer que seuls ceux qui se donnent à l'Amour deviennent amour par la Trinité d'amour.

Je suis Jésus tout-puissant. Je lui ai fait vivre ces rêves, ces visions, en y mêlant son vécu. Venez, mes enfants, participer à ces instants d'amour qui vont vous donner des grâces d'amour. Je vous aime tendrement mes enfants. Amen.

Jésus, JE SUIS.

Des gens sont en bas; ils attendent que la belle dame parle. Parmi eux, se trouvent trois hommes qui semblent être des gens importants; ils font partie de la cérémonie. Mais tu sais qu'ils ne sont pas bons, car ils veulent faire basculer la belle dame en tirant sur les rubans attachés à sa robe. Ils prennent les rubans et tirent. La dame déjoue leur complot et les rubans sont détachés sans qu'un seul mouvement de sa part ne soit perçu. Ils sont chassés de la cérémonie.

Vous êtes très heureux, vous êtes dans la joie quand la cérémonie commence. Tu te réveilles le coeur joyeux en te disant : « Elle était si belle, même si je n'ai pu la voir de face; sa présence me comblait de joie. »

Je t'aime, ma fille, d'écrire ce que je te dicte avec un tel abandon à l'Amour. Écris ces mots pour mes enfants : « *Mes amours, tout cela est pour vous faire grandir. Tout en moi est amour. Mes enfants, ces mots sont pour chacun de vous. Mes enfants chéris, je vous aime. Aimez-moi, je suis l'Amour. L'Amour vous aime.* »

* * * * * *

Jésus : Mon enfant, moi, ton Jésus Amour, je te dis que ce rêve était une vision. Ce sont les enfants ancrés dans leurs occupations. Ils s'aperçoivent du changement autour d'eux et ferment les yeux. Malgré les avertissements continuels par ma sainte Maman, votre Maman, ils ne veulent pas voir. Beaucoup vont voir ma Mère dans ses lieux saints. Certains découvrent l'abandon dans leur coeur. Peu en profitent. Ils retournent dans leurs habitudes.

Mes enfants, c'est votre Maman qui est auprès de vous. Vous la voyez en vous par mes grâces. Elle est là; vous êtes auprès d'elle dans vos prières.

Le Malin, le perfide Satan, ce vil ennemi, fait tout pour vous empêcher de prier, jusqu'à vous montrer que le mal existe[4] et que vous ne pouvez rien contre son pouvoir. Il se croit le plus fort et croit détenir ce pouvoir.

Mais ma sainte Mère, votre douce Maman, se sert de vos prières pour déjouer ses manoeuvres. Elle répand en vous des grâces d'amour. Tout est maintenant en place pour ma venue.

Je vous aime, moi, Jésus Amour, pour votre abandon dans l'Amour. Mes enfants, aimez-vous les uns les autres. Votre Jésus Amour vient vous dire que votre amour réchauffe son Coeur, ce Coeur de miséricorde pour chacun de vous. Je vous le dis : « *Qui croit en moi a la vie éternelle.* » Je t'aime, ma fille. Amen.

4 – 1er janvier 2001   Jésus – Esprit Saint – Marie

Le Saint-Esprit te bénit.

Jésus : Moi, ton Jésus, je te dis d'écrire. La première fois que tu as entendu la voix de ta Maman Marie, c'était le soir où tes mains ont suinté. Par notre Volonté, cette huile, avec laquelle tu t'es bénie, s'est répandue sur toute la surface de tes mains. Cette huile abondante désignait notre Vouloir. Nous, la Divine Volonté, par cette onction, nous t'avons ointe de notre Présence en toi.

Dans la nuit, tu as entendu la douce voix de ta Maman et ta joie a été très grande. Avec timidité, tu as ouvert ta lampe et constaté que tes mains étaient encore couvertes de notre huile.

Esprit Saint : Ma fille, c'était notre Vouloir de te manifester notre Présence en toi. Je t'aime. Écris, ma fille, afin de démontrer à mes enfants chéris que leur Jésus les aime et que je t'ai choisie pour leur faire connaître l'amour que j'ai pour eux. Ce que tu écris par moi, c'est l'explication de cette manifestation dans tes mains le jour où Marie, ta Maman, te parla pour la première fois.

---

4.   Explication donnée par Jésus : « Il en est arrivé à prôner le mal partout. Il vous le montre, tels les avortements et la sexualité, qui font de vous des enfants esclaves. Et combien d'autres choses, mes enfants. Vous réalisez que le mal existe, car Satan ne se cache plus. Il se montre à la face du monde, il rit de vous, il vous sait dans ses filets. »

* * * * * * *

Fille du Oui (dans la Divine Volonté) : Je ne puis exactement la décrire. Elle est présente en moi depuis ma tendre enfance. Elle m'a guidée sans trop que je sache comment. Ma douce Maman est avec moi depuis toujours. Je l'aime. Je suis à Marie.

Marie : « Ta tendre Maman te parle. Ma fille, je suis la Maman de la Divine Volonté. Tout en moi est obéissance à la Volonté de Dieu. Sois comme ta Maman. C'est la Divine Volonté qui veut que tu puisses entendre ma voix depuis le soir où tes mains ont suinté. Cette huile, voulue par Dieu, t'a bénie. C'est par cette onction que l'Esprit Saint a mis en toi la voix de ta Maman Marie. »

Esprit Saint : Tout est dans la Divine Volonté. Quand, dans la nuit, ta Maman t'a dit doucement d'ouvrir ta lampe et de regarder tes mains, c'était pour te manifester la présence de notre Vouloir en toi. C'est moi, l'Esprit Saint, qui te dévoile ces choses pour te dire que je suis en toi. Tu es ma petite fille que j'aime. La voix de Marie est présente en toi.

C'est ma Volonté de te faire entendre aussi ceux qui te parlent. C'est notre Vouloir. Tu as été choisie par nous, ma fille; tu es notre fille de la Divine Volonté pour la gloire de Dieu. Jésus te parle pour la sauvegarde du monde en péril. Tu t'es donnée pour nous, en nous. Je t'aime, ma fille. Reste en nous. Le Saint-Esprit te bénit. Amen.

* * * * * * *

Des mots d'amour pour vous.

Jésus : Cet écrit[5] que tu veux garder pour la récitation du rosaire et qui concerne les mystères douloureux, donne-le à mes enfants. Il est aussi pour eux. Je t'ai montré et fait entendre ces scènes. Tu sais, tout doit être publié afin que

---

5. Voir ci-après, 14 janvier 2001.

chaque enfant soit en moi. Vois-tu, ma douceur, il y a des âmes qui seront sauvées par les grâces qui se rattachent à ces mots d'amour. C'est un bouquet d'amour que je leur offre, afin qu'elles soient toutes dans mon jardin d'amour. Je t'aime, ma douceur. Donne, ma bien-aimée, donne. Je t'aime. Amen.

5 – 14 janvier 2001   Jésus

Ma Passion est pour vous. L'Amour s'est offert à Dieu le Père en vous prenant.

L'*Agonie de Jésus à Gethsémani*. Je me retire au Jardin des Oliviers avec Pierre, Jean et Jacques. Je m'éloigne un peu d'eux. Je prie « *Père, pardonne-leur, ils ne savent pas ce qu'ils font.* » Pierre, tu dors, tu n'as pas veillé avec moi. Prie pour ne pas tomber en tentation. Mes enfants, ceux qui ne prient pas tombent dans les pièges du démon; il les incite à la colère contre leurs frères. Vous êtes des pantins entre ses mains. Vous qui priez, c'est vous que l'ange m'a montrés pour me consoler. Priez, mes enfants, car la chair est faible.

La *Flagellation*. Je suis devant Pilate. Il donne l'ordre à ses soldats de me flageller. Satan les excite. Leur colère est tellement grande! Ils me couvrent de coups. Mes enfants, ce sont vos colères, vos actes contre votre prochain que je subis. Ne savez-vous pas qu'à chaque fois que vous portez des coups contre ceux à qui vous souhaitez du mal, tel un boomerang, cela vous revient? C'est votre tribut. Soyez douceur, soyez exemple.

Le *Couronnement d'épines*. Ils sont fatigués de me flageller. Ils fabriquent une couronne avec des roseaux d'épines. Avec des bâtons, ils m'enfoncent cette couronne sur la tête jusqu'aux os. Mes enfants, vos paroles de colère contre votre prochain sont comme l'écho de l'enfer qui résonne en vous, mes enfants coléreux. Ceux qui subissent votre colère s'éloignent de vous pour ne pas poursuivre votre conversation orageuse. Vous qui êtes dans ce champ d'action, vous entendez ces cris. Donnez-moi ces enfants. Ils sont en moi; moi, je suis en eux. Je vous aime, mes enfants. Faites silence en vous en venant à moi.

Le *Portement de la Croix*. Luisa Piccarreta regarde par la fenêtre.[6] Il y a du bruit. C'est moi qui passe. Je porte ma croix. Nos regards se rencontrent : regards de compassion et d'amour. Oh! ces regards de colère qui harcèlent votre prochain jusqu'à vouloir l'écraser pour le dominer! Mes enfants, regardez-vous avec compassion et amour.

Le *Crucifiement*. Entends les coups de marteau frappés sur les clous que l'on enfonce dans ma chair. Mes enfants, ce sont les cris des enfants en colère qui retentissent des voûtes de l'enfer pour vous troubler. Mes enfants, soyez doux afin que vos cris retentissent jusqu'au Ciel.

* * * * * *

Mon Agonie et vous.

Mon enfant, tu es en ma Présence. Je suis en toi. Garde ces mots en toi et écris-les sur ces feuilles. Ils marqueront le coeur de mes enfants choisis, afin qu'ils sachent ce qu'ils me font.

Je suis au Jardin des Oliviers, à Gethsémani. C'est le soir de mon Agonie. Tout en moi est souffrance. Ma fille, reste avec moi, j'ai si mal! J'entends des cris au loin. On vient me chercher. Mes apôtres se sont endormis; ils ne sont pas restés en prière avec moi. Ma fille, la chair est si faible sans la prière. La prière fait obstacle à la faiblesse du mal. Tout en moi crie : « *Père, pardonne-leur, ils ne savent pas que leur faiblesse les rend si vulnérables.* »

Je t'aime, ma fille, d'être avec moi. Oh! combien sont ici à prier avec moi! Je suis consolé par eux. Vous, mes enfants, voyez comme vos prières m'aident à passer ces instants si douloureux. Vous serez avec moi au Paradis, mes enfants.

---

6. Allusion à ce que vécut la mystique Luisa Piccarreta à l'âge de 13 ans à la maison paternelle.

Mes enfants d'amour, restez avec moi. Je souffre. Tous ces gens qui sont autour de moi me veulent du mal. Ils m'insultent. Ils sont si violents. Ils me frappent de leurs poings. Ils sont déchaînés. Ils me veulent tellement de mal. Ils veulent me détruire. Non seulement moi, mais tous ceux qui sont en moi: vous, mes enfants.

L'enfer s'est rassemblé pour nous détruire, vous et moi. Je me montre fort pour vous. Je ne veux pas qu'on vous détruise; ils sont si pervers; ils sont d'une haine implacable. Mes enfants, venez, vous qui avez peur d'eux; moi, je vous protège! Je leur présente mon Être entier afin qu'ils assouvissent leur haine.

Oh! mes enfants, comme est grand votre amour pour moi, vous qui m'aimez malgré toutes les blessures qui me défigurent! J'ai le corps si douloureux! Je me tiens debout pour qu'ils ne vous écrasent pas par leurs gestes haineux déchaînés contre moi et vous, mon Église. Je vous aime! Aimez-moi, moi qui m'offre continuellement pour vous protéger de leurs coups de fouets qui flagellent mon Corps mystique.

Mes enfants chéris, voici venir le moment de ma Royauté. Tous ne savent pas combien est grande ma puissance. Ce monde est un monde d'ignorance. Vous qui vivez dans ce monde où tout n'est qu'apparence, vous ne voyez donc pas que tout est pour moi, Jésus, le Roi des rois?

Je suis venu en ce monde pour reprendre ce qui m'appartient: mon Royaume. Mes enfants, vous êtes mon Royaume. Quand ils ont placé ma couronne d'épines, c'était votre couronne formée de vos souffrances; ils l'ont trempée dans les plaies de ma tête, afin que chaque enfant qui m'offre ses souffrances soit un témoin d'amour pour moi dans ce monde. Oui, mes enfants de souffrance, vous qui criez à mon Père: « *Papa, nous en avons assez de vivre sans l'Amour. Que ton règne vienne, que ta Volonté soit faite.* »

Mes enfants, je vous aime, moi, l'Amour. Donnez-moi votre *oui* à l'Amour. Votre Roi a gagné votre place dans ce Royaume qui s'est fait par son propre Sang.

Mes amours, que de fois je vous vois en souffrance. Je suis avec vous. Je me suis fait scélérat pour vous. La honte et le déshonneur ne sont qu'apparence. Mes enfants, ne soyez pas honteux, je vous veux en moi. Je suis venu pour le pire d'entre vous. Je vous veux tous avec moi, qui que vous soyez. Donnez-moi vos manquements, vos soucis; moi, Jésus, je vais les mettre en croix; ainsi, je pourrai les porter avec la croix qui est sur mon épaule depuis si longtemps.

Mes enfants, j'ai entendu vos supplications; j'ai passé si près de vous. Je vous ai regardés et j'ai vu vos larmes. Je les ai prises et mélangées avec les miennes car, mes chéris, tout est en moi. Vous, mes enfants, vous composiez ce cortège d'enfants morts par leurs péchés.

Je vous aime. Aimez celui qui porte vos péchés qui forment ma croix. Moi, je suis en chacun de vous. Je suis en vous, vous qui me blasphémez. J'entends ces jurons que vous m'adressez; je les endure sans un seul mot pour me défendre. Vous êtes si faibles que vous risqueriez de tomber et de ne plus vous relever. Je suis en vous, mes faibles enfants. Je vous tiens tous en moi. J'ai cette force qui vous manque.

Mes enfants, moi qui vous aime tant, voulez-vous m'aimer? J'ai tant d'amour pour vous. Voici venir des gens vers moi. Ils me saisissent sans faire attention à mes souffrances. Je suis si faible qu'ils sont obligés de me traîner sur la croix. Ils me déposent durement, moi, le faible de la terre, qui suis sans force. Mes enfants, ce sont vos faiblesses que je porte. Je ne peux vous demander d'être forts alors que vous êtes par terre. C'est ma force d'amour qui va vous relever. Je vous aime.

Oh! mes enfants, des clous me fixent à cette croix. Ô croix douloureuse, quand finiras-tu de me meurtrir! Mes mains sont fixées à la croix d'amour. Mes enfants, vos fautes emprisonnent vos vies. Ne laissez pas vos manquements vous fixer à vos croix. Donnez-moi vos faiblesses, je les fixerai à ma croix pour vous libérer de vos clous. Je vous aime, mes enfants.

Oui, ma fille, ils ont fixé mes pieds avec des clous si durs qu'ils ont traversé ma chair. Les clous, je les ai sentis. Ils étaient en moi, dans ma chair. Je les ai bénis.

Mes enfants, regardez combien votre chair est meurtrie par vos faiblesses qui vous empêchent de venir en moi. Je suis celui qui veut enlever les clous qui blessent votre chair, qui vous rendent si vulnérables devant ceux qui vous meurtrissent. Je suis le seul qui peut vous aider à supporter ces douleurs.

Ne vous laissez plus frapper par ceux qui vous veulent du mal sans venir chercher ma force qui vous rendra plus forts dans vos blessures. Je suis l'Amour qui vous habite. Venez à moi, vous qui êtes si faibles. Venez à moi, donnez-moi vos faiblesses. Moi, Jésus, en échange, je vous donnerai des forces qui sauront faire obstacle à vos manquements de faiblesse. Ces faiblesses, ce sont vos péchés qui vous ont rendus vulnérables à la faiblesse humaine, celle de toujours blesser l'autre qui vous blesse. Je vous aime, mes enfants.

Mes chers enfants que j'aime tant, je suis fixé à une énorme croix qu'ils mettent en terre. Moi, Jésus le Crucifié, je suis monté sur la croix pour vous montrer que la croix est vie en vous. Porter vos croix purifie vos péchés que vous seuls avez faits. Vous ne pouvez ignorer vos croix. Vous les avez fixées à vos vies par vos faiblesses et vos manquements.

Oh! mes enfants, comme je vous suis reconnaissant de me vouloir en vous. Je me meus en vous, moi, le Vivant. Je suis la Vie. Je vous l'ai donnée pour prendre vos fautes, afin que vous ayez la vie éternelle. Venez, mes enfants. Voici la mort qui vient nous prendre, elle veut nous emmener dans sa vie mortelle où le mal est éternel.

J'ai dit à mon Père du Ciel: «*Père, pourquoi m'as-tu abandonné?*» Ce sont vos cris qui sont sortis de moi. Mes enfants si faibles, vous avez eu si peur; vous avez crié à pleins poumons : « Non, nous ne voulons pas, mais comment, sans l'Amour, peut-on dire non à la mort ? »

Moi, j'ai vu la mort et j'ai refusé de faiblir. Avec tout mon Être d'amour, j'ai dit à mon Père, « *Père que ta Volonté soit faite, non la mienne.* » Oui, mes enfants, ce cri vous a sauvés. En nous, nous avons dit *oui* à l'Amour. Tout pour vous est devenu amour.

Mes enfants chéris, à vous de crier votre délivrance en vous. Moi, Jésus, je vais vous aider. Criez-la et je vais la porter à mon Père du Ciel.

Vous, qui êtes si faibles, donnez-moi vos faiblesses. Oui, je les renforcerai par ma puissance d'amour. Ma fille, je t'aime et te veux en moi. Jésus crucifié par amour, pour l'Amour, en l'Amour.

6 – 14 janvier 2001   L'Esprit Saint

Vos compagnons : vos anges gardiens.

Esprit Saint : Cet écrit est dicté par moi. Je suis en chacun de vous. Cela est pour vous aider à comprendre ma Volonté. Tous ceux qui vivent sur la terre ont, comme compagnon céleste, un ange qui les accompagne tout au long de leur séjour terrestre. Témoigne, ma fille, écris sous ma mouvance.

Fille du Oui (dans la Divine Volonté) : Le lendemain, après une journée de prières et d'adoration devant le Saint Sacrement, et de louanges à notre sainte Mère Marie, je me suis laissée aller dans une donation à la Divine Volonté.

Une voix inconnue de moi se fit entendre en mon intérieur. Cette voix douce et résonnante prononça : *Amistica.* L'Esprit Saint m'inspira et je dis : « *C'est toi, mon ange ?* » La voix me répondit : « *Oui, je suis ton ange gardien, c'est mon nom.* » Je lui dis : « *Merci, comme il est beau ton nom !* » Pour me rassurer, il me proposa de demander à ma soeur de bien lui prononcer ce mot *Amistica.* Il me dit : « *Cela va te faire réaliser ma présence.* » Je lui demandai de m'expliquer davantage.

Il me répète de demander. Je n'ai pas insisté. J'aime sa voix et, depuis ce temps, je l'entends.

Merci, Jésus Amour, Père éternel. Comme vos voies sont grandes! Je vous aime. Merci Esprit Saint de m'aider à écrire ce récit de ma vie en Dieu.

7 – 14 janvier 2001   Jésus

Ne servir qu'un seul Amour.

Je t'aime, aime-moi, mon amour. Tout ne peut servir qu'un seul Amour: le mien dans toute sa beauté, sa splendeur. Oh! si tous me revenaient, tout serait d'une telle splendeur que tout me réjouirait de contentement! Je t'aime, ma petite brebis. Va, je t'aime. Amen.

8 – 21 janvier 2001   L'Esprit Saint

Chemin vers ma Nouvelle Terre.

Fille du Oui (dans la Divine Volonté): Vous, mes frères et soeurs, j'écris sous la mouvance de l'Esprit Saint. Je me réveille la nuit et je pleure. Dans mon coeur, je sens la douce présence de Marie. Je lui dis: «C'est toi, Marie, ma douce Maman? Tu veux que je prie?» Une voix féminine très douce se fait entendre en moi: «*Ma petite fille chérie, je t'aime, sois docile. Mes enfants ont tant besoin de prières. Je t'aime. J'aime tant mes enfants qui sont en toi. Prie pour eux. Je te bénis, signe-toi: Père, Fils et Esprit Saint.*»

Je fais mon signe de la croix et je commence à prier, mais le sommeil m'empêche de poursuivre. Sans m'en rendre compte, je m'endors.

Je rêve: Je suis avec ma famille dans une église; d'autres personnes sont avec nous. J'ai l'impression que nous ne formons qu'une seule famille et, pourtant, nous n'avons pas les mêmes parents.

Dans un autre temps, je parle avec un jeune enfant qui a besoin d'aide. Je lui parle de Dieu. Des gens sont exaspérés par mes paroles d'amour pour Dieu. Je ne me préoccupe pas de leurs commentaires acerbes.

Ensuite, je me vois avec le groupe de personnes qui était avec moi dans l'église. Je marche avec eux sur une route. Sur notre chemin, je vois des maisons qui brûlent; je ne vois pas de feu, seulement de la fumée. À mesure que nous avançons, nous voyons d'autres maisons en fumée. Il n'y a personne à l'extérieur de ces maisons : bizarre!

Notre groupe a augmenté. Je m'attarde à regarder, mais vite je rejoins le groupe avec une grande facilité; j'ai l'impression d'avancer sur des roulettes bien que je n'aie rien. Je marche avec le groupe. Il y a des personnes en avant et en arrière; nous sommes nombreux. C'est très agréable. Personne ne parle. Nous sommes en paix avec nous-mêmes. C'est comme si nous étions tous à l'unisson.

Soudain, j'entends un enfant qui pleure; je sors du groupe et je me dirige vers lui. C'est un bébé. Je le prends car personne n'est avec lui; je l'emmène avec moi et des personnes du groupe s'en occupent.

En chemin, des autos spacieuses et luxueuses interrompent notre marche. Nous nous arrêtons et nous les regardons passer. Les gens dans les voitures sont anxieux, apeurés. Nous les regardons passer sans rien dire. Nous savons qu'il leur arrivera un malheur.

Nous poursuivons notre chemin. En route, nous sommes arrêtés par une grande étendue d'eau; nous devons traverser. Nous avançons sans nous inquiéter et nous trouvons des embarcations pour traverser. C'est dans la joie que nous passons de l'autre côté. Nous nous retrouvons dans une terre aride où pas un arbre ou une plante ne poussent. Pourtant, nous ne nous inquiétons pas, nous poursuivons toujours. Il n'y a plus de route. Nous savons qu'il faut avancer; c'est comme si, dans notre coeur, nous savions où aller. Devant nous, il y a une crevasse. Nous continuons car nous avons confiance que, quelque part, il y a un passage.

À mon réveil, avant même d'ouvrir les yeux, je dis : «Marie, je t'aime; Jésus d'amour, je t'adore.»

* * * * * * *

Là où je t'envoie,
fais connaître ma Volonté.

Maman Marie réveille sa fille en pleurs. «*Maman, tu veux que je prie pour mes frères et soeurs?*» – «*Oui, ma fille, prie pour eux, ils ont tant besoin de tes prières. Donne-toi, donne, ma fille, nous avons besoin de tes prières, tout en nous est prière. Donne-toi, ma fille. Je te bénis au nom du Père, du Fils, du Saint-Esprit.*»

Jésus : Par ma puissance de paix, tu tombes en repos en nous et tu vois notre Volonté. Tu es en nous, tu te donnes à nous. Beaucoup d'enfants dans la détresse ont besoin de tes prières. Prie pour eux, mon enfant. Donne-toi, donne ce que nous te donnons; d'autres enfants comme toi recevront de toi ce que nous te donnons par tes *oui* d'abandon. Tu donneras à mes enfants l'amour que nous te donnons.

Tu rencontreras des ombrages de résistance, tu passeras ton chemin. Tu découvriras des noirceurs si immondes envers moi, l'Amour. Toi, ma fille dans ma Volonté, tu passeras à travers eux pour l'Amour. Plusieurs te suivront; ils sont à mon écoute. Tu es la voix qui se fait entendre à eux par moi, avec moi, pour moi.

Merci, ma fille, de les conduire vers ma Nouvelle Terre. Je suis en toi; toi en moi, Jésus Amour. Amen. N'aie pas peur de ces mots, je suis la Puissance. Je suis toi; toi, tu es moi en moi, Jésus, Roi des rois. Tout est en moi. Amen.

9 – 24 janvier 2001   L'Esprit Saint

Petite brebis, je te couvre du manteau de l'Amour.

Fille du Oui (dans la Divine Volonté) : Moi, j'écris sous la mouvance de l'Esprit Saint. Ce rêve est la Volonté du Père en moi, petite fille de son choix, et ce, avant même que la voix de Jésus, mon Dieu, et les voix de la Trinité se fassent entendre en moi.

Je ne suis rien. Je ne suis qu'un simple instrument d'amour. Je suis ce que Dieu le Père, mon bon Papa d'amour, veut que je sois : un stylo, une voix, une personne dans sa Volonté. Mes frères et soeurs, je suis en Jésus; je vis en lui. Tout est pour lui. Mon *oui* est un *oui* d'amour.

La perte de mon mari, Maurice, est un don de joie pour Dieu, mon Père. Cette souffrance, je la lui donne. C'est par amour que je consens à vivre en sa présence continuelle avec sa voix divine. Je suis ce que Dieu permet que je sois. J'aime la vie en Dieu, mon tendre et unique Bien et Amour, Dieu. Tout vient de lui. « Oui, Amour, je suis à toi. »

$$* \quad * \quad * \quad * \quad * \quad * \quad *$$

La Sainte Trinité : Ma fille, écris ce que tu as vu et entendu la nuit où tu as été en notre Présence, avec Dieu le Père, Dieu le Fils, Dieu le Saint-Esprit et Marie, ta sainte Mère.

Fille du Oui (dans la Divine Volonté) : J'étais dans un total abandon à la Divine Volonté. La nuit, je me suis réveillée en pleurs après avoir fait un rêve. J'avais vu une image de ma fille en pleurs. En état d'extase, je me suis mise à prononcer sans arrêt le mot « Dieu » sur les grains de mon chapelet.

Dieu manifesta sa Présence en moi. Une grande joie m'envahit. J'étais dans une euphorie de bonheur. Une douleur à la poitrine me fit réaliser que, dans la joie, je vivais la Présence de mon Dieu. La mort aurait pu venir me chercher, je ne lui aurais pas résisté tant sa Présence était grande, indéfinissable. Des larmes de joie se joignirent à mon état d'extase. Soudain, cela fut interrompu.

Pour me consoler, Jésus, Fils de Dieu le Père, se manifesta à moi pour me montrer son amour. Une joie tout aussi grande m'entoura et m'enveloppa entièrement, tant en mon intérieur qu'en mon extérieur. Quelle joie ce fut pour moi! Je ne puis la décrire; cela était trop profond dans tout mon être. Sans m'en rendre compte, j'avais prononcé le nom de «Jésus» sur les grains de mon chapelet. Tout s'arrêta. Mon visage était couvert de larmes de bonheur.

L'état d'extase fit place à une vision. Je voyais un tout petit mouton, tout blanc, attendant qu'on vienne le prendre pour le tondre. Soudain, il reçut une toison sur son dos. Il releva la tête et aperçut un plus gros mouton à sa droite. Une voix lui disait: *« Je te couvre ma petite brebis du manteau de l'amour. Deviens l'amour. »* Puis, la voix me dit: *« Regarde-moi. »* Très haut au-dessus de moi, je vis le visage de mon Dieu, Agneau béni, qui se penchait sur moi, la petite brebis. Je le voyais dans toute sa beauté. Les yeux de l'Amour me regardaient et je frémissais de joie.

Ma vision continua. J'étais en retrait près d'un enclos où des brebis paissaient de l'herbe. Elles se tenaient prêtes pour sortir de l'enclos. Maman Marie, la Mère de Jésus, notre Mère, me demanda de venir à elle. Je m'avançai avec timidité. J'étais là à la regarder; c'était une très belle dame! Ma vue était embrouillée par un nuage blanc; c'était la Volonté de Dieu.

Marie prononça ces mots: *« Ma fille, tu as mission de rassembler le troupeau de mon saint Fils pour son avènement. Tu es celle que la Divine Volonté a choisie par ton oui à l'Amour. Tu es en mon Fils. Un dessein d'amour t'est demandé. Donne, ma fille, donne. Tu vois ces petites brebis: elles attendent l'Amour. D'autres, mon enfant, ont aussi reçu la même mission que tu vas accomplir dans la Divine Volonté. Mon enfant, ta Maman est près de toi. Je t'aime. »*

Il me sembla que cette vision n'avait duré qu'un court instant mais j'ai réalisé qu'il s'était passé trois heures. Je suis la fille que Dieu veut bien que je sois. Mes frères et soeurs, paix, amour, pour vous qui lirez cet écrit inspiré par l'Esprit Saint qui guide sa petite fille à mettre cette vision sur papier. Je suis tout à vous en Jésus, par Jésus, pour Jésus. Amoureuse de Jésus, je vous aime. Amen.

10 – 24 janvier 2001 — L'Esprit Saint

En toi, j'ai mis ma Présence.

Tout vient de l'Esprit Saint qui forme la Trinité. Tout ce que vous pensez, tout ce que vous dites, la moindre action, la plus simple, devient grande; elle se transforme par mon amour. Rien n'est laissé de côté, tout devient pur. Une action impure, tel un mensonge que l'on regrette et qui m'est offert, devient pure et salvatrice par la confession. Vous devenez purs par la seule action qu'est l'amour.

L'Amour englobe tout. Je suis Essence d'amour. L'Amour vous imprègne, tels des buvards. Vous vous laissez absorber par mon Essence. Je suis le Tout de l'Amour.

Tous ceux qui demandent reçoivent sans limites, car je suis sans limites. Vous devenez moi par ma seule Présence en vous et autour de vous. Même ceux qui ne demandent pas reçoivent mon amour, mais ils n'en profitent pas, ou si peu. Comme c'est dommage! Tant de grâces d'amour perdues, gaspillées, tels des flocons qui s'envolent sans être retenus. L'amour, mon amour, est ainsi incompris.

Mes enfants, je vous aime tant! Soyez à mon écoute. Je vous parle. Cette petite voix à l'intérieur de vous, c'est moi, le mendiant de l'amour. Je vous aime.

11 – 3 février 2001   **Jésus Amour – La Trinité**

Mes enfants sont à l'école de l'Amour.

Fille du Oui (dans la Divine Volonté) : Je veux changer ce texte; je le trouve trop long. Je ne puis permettre que les gens le trouvent trop ennuyant. Jésus me dit d'écrire ce que j'ai voulu faire. J'obéis. « *Ma fille, cet écrit t'a été donné par l'Esprit Saint. Ne trouves-tu pas ça normal de l'écrire tel qu'il t'a été dicté? Va, obéis! C'est ma Volonté. Je t'aime.* »

Moi, j'écris sous la mouvance de l'Esprit Saint : « *Ce rêve reflétait ce que tu vivais dans ton intérieur; il te faisait voir ma Volonté en toi. Je vis en toi, je déverse en toi des grâces d'abandon. C'est ton oui qui a fait de toi l'enfant de notre Volonté. Tu as vu ce qui se passe en toi quand nous y faisons notre Volonté.* »

Je me réveille, il est 6h25. Je ferme mes yeux. Tout est présent en moi. Je vois Maurice (mon mari). Je le suis, il prend un chemin autre que le mien et part sans moi. «Maurice, attends-moi.» Il revient. Je suis en sécurité quand il est près de moi.

Je suis en classe avec des gens inconnus. J'entends des chants et des mélodies. C'est si beau! Je me réjouis de les entendre.

Moi, je suis près d'une femme plutôt âgée qui joue d'un instrument. C'est très joli. Derrière moi, un chant très beau se fait entendre; comme c'est beau! Quelle belle voix elle a! Je me retourne. C'est une dame âgée avec un instrument sur son visage. Je me retourne encore. Ça se poursuit. Soudain, une fille joue une musique aiguë. Une autre personne pénètre dans la salle. «Il faut que cela cesse, dit-elle.» Je suis déçue de sa visite. Je ne voudrais pas que cela cesse.

Cette même dame chante encore. Comme c'est beau, très beau! Je me retourne et, à ma grande joie, elle est très jeune, elle a à peine quatre ans. C'est comme si j'étais cette enfant. Tout à coup, je me vois partir à la vitesse de l'éclair vers le haut de la pièce.

Je vois de haut en bas un bras avançant vers moi. J'entends : « *Viens, viens.* » Je suis comme attirée. J'écoute la voix. Avec effort, je réussis à m'avancer. L'index de la main fait un signe de croix sur mon front en disant : « *Je te bénis.* » Le bras disparaît. J'entends encore la voix qui me dit : « *Avance, viens.* » Le même bras avance et, avec l'index de la main, fait un signe de croix sur mes lèvres en disant : « *Je te bénis, mon enfant.* »

À cet instant, je vois la profondeur de mon intérieur. Tout est si immense. C'est comme si je voyais l'univers en moi. Le bras semble disparaître et un autre apparaître beaucoup plus loin. Il me dit : « *Viens, viens plus près* »; sa voix était si forte et si douce en même temps. Dans un grand abandon, j'avance, car il m'attire à lui. L'index de la main fait une croix sur mon coeur en disant : « *Je te bénis, ma fille de la Divine Volonté* » et, à l'instant même, tout explose. C'est comme si j'étais des millions de particules dans l'espace. Tout est terminé. Je me réveille et j'ai mal à la poitrine.

La Trinité : Mon enfant, tu es à nous, la Trinité. Nous t'avons ointe par l'Amour. Ton *oui* à l'Amour t'a fait nous. Tu es nous, en nous, enfant de la Divine Volonté. Dis-nous, mon enfant, aimes-tu l'Amour? – « Oui. » – Je t'aime, mon enfant. Aime-nous. Amen.

* * * * * * *

Jésus : Ma fille, ce texte est pour mes enfants qui sont à l'école de l'Amour. Ceux qui n'ont pas prononcé leur *oui* à l'Amour doivent écouter ma voix. Mes enseignements te sont donnés pour eux par ma voix. Cette dame qui te parle, c'est Maman Marie. Cela te plaît? Elle est en toi, tu es son enfant. Les chants que tu as entendus, c'est pour t'apprendre que tu es notre porte-voix. Tu dois donner ce que tu reçois à mes enfants choisis afin qu'ils sachent qu'ils sont des enfants de la Divine Volonté. Donne, ma fille, donne ce que tu as. Aime l'Amour, l'Amour t'aime. Amen.

12 – 8 février 2001   **Jésus**

La sainte messe eucharistique.

Moi, Jésus tout-puissant, je te dis, écris. Bien que tu ne sois qu'une petite paroissienne, je te demande d'écrire pour le bien de l'Église de Jésus, mort et ressuscité.

Mes enfants, venez à la messe. Tout en moi se languit de vous combler d'amour. Je vous y attends pour vous donner les forces nécessaires afin que vous puissiez accomplir vos travaux quotidiens. Oui, mes enfants, je suis à l'église pour vous donner une nourriture d'amour.

Venez me voir, mes enfants. Je suis présent dans le tabernacle. Moi seul peux vous combler des grâces qui sont nécessaires à vos vies. Je suis la Vie qui est présente à chacune des messes dites par mes saints prêtres.

Mes églises sont des endroits de rassemblement pour mes enfants d'amour. Comprenez que tout doit s'accomplir dans l'amour pour moi. Vous verrez que seule ma puissance d'amour pourra vous faire revivre en amour, mes enfants.

Parmi tout ce qui a été écrit par mes apôtres et mes disciples et tout ce que vous avez reçu à travers les messages de mes saints martyrs et de mes âmes choisies, rien n'est plus véridique et plus mystique que les écrits relatifs à ma sainte messe eucharistique. Soyez des enfants de lumière. Tout ce qui provient de l'Esprit Saint ne doit pas laisser de doute en vos coeurs. Seul mon amour vaincra votre léthargie.

Tous ces écrits ont été faits pour vous apporter des lumières afin que vous sachiez que nous, la Sainte Trinité, nous avons accompli pour chaque enfant le plus grand, le plus beau des mystères. Ce mystère, mes enfants, est la Vie qui vous a été donnée pour vous apporter un bonheur éternel. Je suis, moi, Jésus, en union avec chacun de vous.

Oui, mes enfants, à chaque fois qu'une messe est célébrée, moi, le Fils de Dieu, je m'offre au Père avec tous vos péchés pour vous purifier. Je viens vous apporter les grâces que mon Père vous donne par cette Nourriture céleste. C'est moi, l'Amour qui vous nourrit de mon Corps et qui vous rend purs par mon Sang. Tous ceux qui me prennent reçoivent en eux l'Amour céleste qui les rend enfants de Dieu. Le Saint-Esprit les couvre afin qu'ils soient en union avec nous, la Sainte Trinité.

Mes enfants, quand vous communiez, vous êtes en présence de mon Être qui est l'Amour. L'Amour contient tout. Je suis avec chaque enfant du monde entier. Par ce sacrement, vous êtes en moi avec tous vos frères et sœurs pour vous offrir à l'Amour. L'Amour vous prend, il vous couvre de son Être pour faire de vous des enfants d'amour.

Mes enfants, je vous ai portés, moi, avant même que vous soyez dans le ventre de votre mère. Quand vous venez me prendre dans la sainte Eucharistie, moi, je vous reprends en moi. Vous avez toujours été en moi. Par ce geste d'amour, vous acceptez d'être en moi. C'est votre propre choix de venir m'habiter. Oh! petits enfants, quand comprendrez-vous mon amour éternel pour chacun de vous?

Soyez fidèles, mes enfants, à ma Présence dans mon église; c'est moi qui vous nourris. Lisez ma sainte Bible dans Luc, Matthieu, Marc, Jean et Paul. Ces lettres de feu, c'est moi qui les ai dictées; tout ce qui est humain s'envole et tout ce qui est de moi reste à jamais. Ne doutez pas, mes chers petits enfants tant chéris. La Nourriture eucharistique n'est pas distribuée pour les chiens, mais pour les enfants de mon Église sainte et mystique.

Grande est ma maison que vous habitez; aucune personne n'y est mise de côté; tous, vous avez une place de prédilection. Venez tous vous asseoir à ma table où mon Corps et mon Sang vous sont offerts. Mon Corps est le Temple où mon Père a mis toutes ses complaisances et où tout est de lui; rien n'est en dehors de lui. Là où je suis est mon Père. Là où est mon Corps et mon Sang, l'Amour englobe tout. L'Amour est moi, l'Amour est mon Père, l'Amour est l'Esprit Saint, l'Amour est nous, la Sainte Trinité.

Chaque dimanche est un jour de fête. Pourquoi doutez-vous? Aurais-je fait des erreurs qui m'empêcheraient de vous rassembler, mes enfants? Ne suis-je pas omnipotent? Beaucoup d'entre vous croyez que le dimanche, le jour du Seigneur, a perdu son intensité d'amour. C'est à travers les difficultés de vos journées que mon Père veut vous avoir auprès de lui. Il veut vous donner la Nourriture céleste afin que vous obteniez les grâces nécessaires pour vivre vos jours de la semaine.

Mes enfants, je vous aime. La messe, le dimanche, est un rendez-vous de joie, un rendez-vous où il est bon de venir à notre banquet d'amour. Mes enfants, il est pour vous nécessaire de venir combler vos vies terrestres de cette joie céleste qui n'est réservée qu'à nous, au Ciel. C'est une petite partie du Ciel que nous vous offrons le dimanche à la messe. Vous, mes enfants, vous rejetez notre joie de vous combler. Moi, Jésus, je suis venu m'offrir sur l'autel de la croix afin que vous receviez l'amour du Père.

Mes enfants, réalisez-vous combien il est bon de recevoir les délices du Père? Je suis Jésus vivant dans la sainte hostie que mon Père a voulue pour vous. Petits enfants d'amour, laissez-moi vous nourrir de mon Être d'amour. Tout deviendra amour pour vous.

Ah! mes petits enfants, l'Amour vous invite et vous osez décliner l'invitation? Vous tous qui recevez vos enfants à vos fêtes d'anniversaire, que feriez-vous s'ils doutaient de votre repas et de votre service et, qu'à la table, ils critiquaient votre nourriture? Après tant de temps passé à préparer cette nourriture avec amour, laquelle n'est pourtant que pour votre corps, pensez que ma Nourriture est celle de Jésus, Fils de Dieu, celle qui non seulement vous nourrit, mais qui abreuve votre soif d'amour qui manque tant à vos vies.

Mes enfants, soyez tels que je vous ai faits: des êtres en train de devenir divins par ma Présence en vous. Soyez vigilants. La chair est si faible et le Malin si rusé. Il attend une chute, une faiblesse pour vous prendre dans ses filets trompeurs. Ne vous laissez pas aveugler par votre orgueil. Trop ont perdu leur âme à partir d'un peu de doute. Ils ont douté de ma parole qui est Vérité. Venez à moi, vous qui avez faim et je vous nourrirai de mon Pain de vie cher à mon Coeur.

La messe, mes enfants, est une source de nourriture qui remplit vos vies de grâces. Venez vous fortifier. Amen.

13 – 11 février 2001   Maman Marie

Marie nous bénit.

Ma bien-aimée petite fille, comme je t'aime, moi, ta Maman du Ciel. Je sais que tu cherches cet écrit. Ne t'en fais pas, je vais te le redire. Moi, ta Maman, j'ai de la mémoire, ne t'inquiète pas.

Le soir, quand tu t'es couchée, je t'ai dit bonsoir. Tu étais heureuse. Le matin, dès ton réveil, tu chantais des louanges à ma sainte personne. Je t'ai dit que je t'aimais. J'ai déposé un baiser sur ton front, tes joues et tes lèvres. Tu as sursauté tant tu étais intimidée par ce baiser. Je t'ai dit doucement que le temps n'existe pas pour nous. Je suis une maman : toute maman aime embrasser ses petits bébés.

C'est ainsi, mes enfants, que je vous aime tous. Vous êtes pour moi des tout petits bébés. Vous êtes mes enfants. Je t'ai aussi dit que vous, mes enfants, quand vous pleurez sur vos souffrances, moi, votre Maman, je vous prends dans mes bras et je vous serre sur mon Coeur.

Oh! mes enfants, vous qui lisez ces mots, comme je voudrais, à ce moment même, vous serrer sur mon Coeur qui vous aime. Mes petits chéris, aimez votre Maman, celle qui vous tend les bras. Venez vous réfugier en moi. Mes enfants, mon Coeur est en chacun de vous. Vous, qui aimez mon saint Fils, demeurez tous en nous.

Et vous qui ne recherchez que le plaisir en dehors de nous, pensez qu'une maman qui aime ses enfants n'a qu'un désir : le bien de ses enfants. Venez en moi : votre Maman vous veut en sécurité en elle.

Je vous aime, mes petits enfants. Je vous embrasse tendrement. Je suis votre Maman du Ciel. Je suis toujours à vos côtés. Maman Marie vous bénit *au nom du Père, votre Père, du Fils, votre Frère, et du Saint-Esprit, votre Force. Amen.*

* * * * * * *

Ma fille, écris le texte original du premier message que je t'ai fait retrouver.[7]

Abandon dans la Divine Volonté.

Fille du Oui (dans la Divine Volonté) : Maman Marie nous bénit et dit : «Je vous couvre de mon amour maternel. Mes petits enfants chéris, je vous embrasse tendrement sur le front, les joues et les lèvres (je me sens mal à l'aise par ce baiser sur les lèvres).

«Ne sais-tu pas que le temps n'existe pas au Paradis? Quand je vous embrasse, je vous tiens dans mes bras et je dépose tendrement sur vos petites lèvres pulpeuses un petit baiser. Quand vous avez de la peine et que vous pleurez, je vous berce dans mes bras et, quand vous arrêtez vos pleurs et me souriez, je suis heureuse.

«Oh! mes enfants, comme je vous aime! Si vous saviez tout l'amour que j'ai pour vous, vous en resteriez ébahis.

«Aujourd'hui est une journée très spéciale; toutes les églises de la terre sont ouvertes pour vous recevoir. Mes enfants, venez-y. Nous avons préparé une table avec la plus belle nappe, des fleurs, des chandelles. Il y a de la nourriture

---

7. *Jésus :* Tout est dans l'Amour. L'Amour est vivant. Je suis la Vie. Dans la Divine Volonté, il y a mouvement d'amour. L'amour est en mouvement. Vous trouverez ce texte écrit dans l'Amour. Tout est mouvance. Je suis en celle qui vit en moi. Ma Mère est dans la Divine Volonté. Elle est vie en moi. Tout est en moi. Rien n'est inerte dans ma nature. Tout est dans la mouvance. Ce qui a été écrit est dans le mouvement d'amour. Ça vit, l'amour, ça bouge l'amour. C'est pourquoi ce texte est différent du premier.

pour vous; elle est simple et, surtout, elle vous donnera la santé, la joie et la paix.

«Mes enfants, vous êtes tous invités. Mais combien de mes enfants ne viendront pas! Leur place restera vide et personne ne la prendra car, un jour, quand ils se décideront, ils viendront et trouveront leur place. Mon Coeur de Mère est triste par leur absence. Je les aime tant.

«Mes enfants, je vous aime, je vous aime, je vous aime! Signe-toi, ma fille: *Père, il est ton Amour; Fils, tu es dans son Coeur; Esprit Saint, il t'entoure de sa force. Amen.*»

14 – 13 février 2001   Maman du Ciel

Combien de mes enfants sont sur le point de périr dans le feu de la perdition!

Ma fille, je t'aime. Moi, ta Maman du Ciel, je te fais écrire pour tes frères et soeurs que tu aimes. Mon Coeur de Mère est bien triste de voir mes enfants s'éloigner de mon Fils Jésus. Ne savent-ils pas qu'il leur a tout donné sans rien demander?

Sois attentive, ma fille! Beaucoup de mes enfants ont quitté les sacrements pour conquérir une vie de loisirs, de luxure ou autres, les conduisant vers la perte de leur âme.

Mes petits enfants, ne soyez pas engourdis dans vos habitudes. Sortez vite de cette vie. Satan, mon ennemi, a pouvoir sur ce monde. Il aime vous tourmenter pour ensuite faire de vous des esclaves, afin de faire périr votre âme à jamais dans le feu éternel. Trop de mes enfants font à leur tête; ils ne s'occupent pas de nos avertissements. Soyez ouverts à nos appels. Nous vous aimons. Ne cédez pas à vos habitudes; c'est difficile, mais pensez à l'avenir. C'est si long l'éternité.

Je ne vous demande pas de faire des moines, bien que mon Coeur en serait ravi. Je vous demande si peu. Allez à la messe chaque dimanche et, si possible, plus souvent. La confession est un moyen de venir à bout de vos mauvaises habitudes; des grâces y sont rattachées. Vois-tu, ma fille, beaucoup ont peur de la confession, car ils trouvent cela trop difficile pour eux.

Ils croient aussi que cela mettra un frein à leurs loisirs. Dis-leur, ma fille, ce que nous voulons, mon Fils et moi : leur donner les grâces nécessaires à leur bien-être. Ça ne pourra que les rendre plus heureux dans ce monde où il y a tant de violence et de meurtres contre les êtres innocents.

Ma fille, je les aime tant. Il faut qu'ils sachent que tout est possible avec un peu d'effort de leur part. Nous demandons si peu et ils peuvent tellement obtenir.

Va, ma fille, ne crains pas s'ils ne comprennent pas. Mon Coeur de Mère brillera sur eux tant que la Lumière ne brillera pas en eux. J'ai tant versé de larmes que mon Coeur ne peut cesser d'espérer leur bonheur. Je les aime tous, ils sont mes enfants chéris. Je t'aime, ma fille. Signe-toi.

15 – 18 février 2001   **Jésus**

Groupes de lumière qui couvrent la terre.

Ma fille bien-aimée, dis à ton groupe de prières combien je les aime tous. Mes enfants, j'ai un amour de prédilection pour chacun de vous. Vos prières sauvent beaucoup d'âmes. Vous êtes comme une lanterne. Vue du Ciel, cette lumière s'agrandit et va rejoindre les autres lumières formées par d'autres groupes de lumière qui couvrent toute la terre.

Je fais descendre des grâces sur tous mes enfants de la terre; c'est comme une pluie. Mais certains de mes enfants, et ils sont si nombreux, se sont imperméabilisés. Moi, l'Amour, j'attends une faille en eux afin d'y laisser passer mes grâces. Ils ne peuvent pas empêcher mon amour de passer; c'est ma lumière qui s'infiltre partout à l'infini.

Mes enfants chéris, soyez vigilants. Mon ennemi rage de vous voir en prière. Continuez, mes enfants. Aimez-moi, faites-moi aimer, j'ai besoin de vos prières. Merci, ma petite brebis, pour ta journée entière de prières. Quand tu te trouves seule chez toi, offre-moi souvent tes journées, elles deviendront des journées entières de prières.

Je t'aime tellement, ma petite brebis. Écris ce que je te dis et lis-le-leur. Je les aime, je vous aime. Mes choisis, je vous aime d'un si grand amour que vous en resterez ébahis. Je vous bénis : *Père, Fils, Esprit Saint. Amen.*

16 – 21 février 2001   **Jésus Amour**

Le Mal a voulu la détruire.

Mes enfants, c'est moi, Jésus, qui vis en ma « Fille du Oui ». C'est moi qui lui fais écrire cette vision pour qu'elle soit lue par tous mes enfants qui s'offrent à moi. Je suis la Puissance. Je sais ce qui est bon pour vous, afin que vous soyez en moi.

La nuit où ma fille se réveilla en présence de Satan, mon infernal ennemi, elle m'offrit sa souffrance en acceptant cette attaque. Par son acceptation à tout me remettre, je remportai une victoire sur mon ennemi. Moi, qui connais ma bien-aimée, je connaissais son amour pour moi. Elle souffrit cette agression pour me donner la victoire sur le Mal. Le Malin a voulu s'introduire en elle afin de la détruire et de lui enlever l'amour que je lui donnais. Cette attaque devint ma victoire.

C'est avec une rage folle qu'il voulut la détruire. Il avait connaissance de son amour pour moi, son Dieu. Il s'acharna à lui montrer qu'il était maître sur mes enfants. Moi, l'Amour, je lui ai donné des forces pour qu'elle se fonde en moi.

Il entreprit de lui manifester son ignoble présence en la harcelant. Tout d'elle était en moi. Seule la présence de Satan fut pour elle un instant de souffrance. Cet être immonde s'acharna contre elle. Il voulait lui montrer combien son amour pour Dieu était inutile. Elle refusa de se montrer à son Dieu d'amour en état de faiblesse.

Tout d'elle était en moi. Elle se donna à son Dieu d'amour. Tout en elle souffrit d'amour pour son Papa d'amour. Elle souffrit dans son être à cause de l'amour qu'elle ressentait pour son Papa d'amour. En elle, tout fut victorieux, car c'est en nous qu'elle habite.

Moi, l'Amour, j'aime cette enfant bénie pour son obéissance à la Volonté Divine. Tout en elle s'abandonne en nous. L'Amour a vaincu le Mal le soir où j'ai permis à Satan de se présenter à cette enfant d'amour.

Mes enfants, quand le Malin se présente à vous, remettez-le-moi. Tout mot impur, toute haine, toute peur, toute colère, donnez-les-moi. Je suis Jésus victorieux de Satan. Aucun de vous ne peut vaincre le Mal. Moi seul, qui suis la Toute–Puissance, peux lui rendre son mal. En moi, venez. Je suis le Maître du monde.

Le mal qui habite le Mal fait de lui un être où il n'y a pas d'échappatoire. Tout en lui est douleur. Il est le mal incarné. Vous, mes enfants, vous êtes en moi; vous êtes donc amour. L'amour est vous. Le mal ne peut venir en vous que si vous l'acceptez, car vous n'êtes pas le mal. Si l'Amour est en vous et que vous êtes amour, vous êtes victorieux du Mal qui veut s'introduire en vous. C'est par l'Amour que vous êtes victorieux du Mal. Laissez-vous prendre par l'Amour, afin que tout ce qui n'est pas moi soit mis hors de vous.

Je vous aime. Donnez-moi votre tout. Le Mal n'est pas en vous, il s'y introduit; il ne peut vous habiter à moins que vous ne l'acceptiez. Moi, l'Amour, je vous demande de tout me donner afin que rien en vous ne soit en mal d'amour[8]. Je vous aime. Aimez celui qui vous veut en amour.

* * * * * * *

---

8. Le mal d'amour, c'est quand vous ne vous comprenez plus. Le mal vous habite, vous êtes malheureux. Vous, qui êtes l'amour, êtes malheureux. Vous, l'amour, avez mal.

Je bénis ces écrits par des grâces d'amour qui vous font abandon.

Moi, ton Amoureux, je te montre ce que tu as vu et vécu dans cette vision (cf. 21 février 2001). Je t'ai amenée à la Vie divine en moi pour mieux te faire voir le futur des âmes déchues en enfer.

Tous ceux qui n'écoutent pas ma voix qui résonne en toi continueront à faire leur volonté sans s'occuper de mes alarmes d'amour. Bien que je crie depuis si longtemps par les voix humaines de mes choisis, beaucoup ne veulent pas comprendre que ce temps s'achève.

Oui, mes enfants, ce temps se termine, il ne reste que quelques minutes. Je dis *quelques minutes* pour vous montrer que le sablier que j'ai retourné se vide. Bientôt, les portes se refermeront et les derniers resteront les derniers, car ils n'auront pas voulu s'occuper de mes avertissements.

Mes enfants, voilà si longtemps que je vous avertis. Vous avancez dans la vie sans entendre mes avertissements. Quand les portes se fermeront, il y aura des gens qui crieront, qui pleureront sur leur sort. Ils se verront prisonniers de leurs fautes pour l'éternité. Ces fautes, ce sont leurs comportements.

Mes enfants, pensez à ceux qui auront péché par leurs mains. Elles leur causeront des douleurs affreuses et elles seront comme des êtres qui les torturent. Cela sera si affreux que je n'ai pas permis que ma fille vive ce spectacle trop dur pour elle. Je l'ai fait sortir de là.

Le Malin l'a poursuivie et l'a tentée pour lui nuire, mais son amour en l'Amour a vaincu le démon. Bien que le Mal voulut l'attaquer en se mettant à trois pour la blesser, je n'ai pas accepté ces assauts envers ma bien-aimée. Je l'ai récompensée de s'être soumise, dans l'Amour, à notre Volonté.

Mes enfants, vous qui prenez connaissance de ces écrits, voyez comme le temps est proche! Je t'aime, ma bien-aimée. Reçois des grâces de ma Volonté pour que tout en toi soit moi. Amen.

17 – 24 février 2001   **Jésus**

Tout est préparé pour que vienne ma venue en vous.

Moi, ton Jésus, je te dis d'écrire ce rêve. C'est moi qui vais te rappeler exactement ce que tu as vu et vécu dans cette vision. Ceci est ma Volonté.

Tu te vois avec des personnes : il y a tes enfants, tes parents, des amis que tu connais et leurs amis que tu ne connais pas.

Vous êtes en prière dans une grande maison. Vous êtes heureux, il y a de l'amour en vous. Tout cela est très agréable. Vous sentez qu'une très grande joie est en vous. Vous pensez que vous seuls la ressentez. Des cris de joie viennent de l'extérieur. Vous sortez. Que de joie vous ressentez de constater que d'autres personnes sont également heureuses !

Un camion s'arrête devant vous; des gants de dentelle en sortent. Vous êtes étonnés car, sur le camion, il y a des gants de baseball.

Dans un autre temps, tu vois des gens autour d'une table : des gens d'affaires et leur président donnent la parole à un jeune homme qui les conseille. Cela rend l'assistance en joie; tout est en joie. Ce jeune homme veut courtiser une jeune fille. Il est très galant et respectueux, et la jeune fille est réservée.

Maintenant, tu es dans une maison avec d'autres personnes, celles qui étaient avec toi dans la grande maison. Vous regardez un calendrier. Une boule descend du ciel pour venir sur une image au bas du calendrier. Il y a un monsieur avec des cheveux blancs. C'est comme si le bas de l'image était animé.

Tu t'es réveillée avec de la joie dans le coeur. Tu m'as dit : «Merci Jésus Amour; nous t'aimons, moi et tous mes frères et soeurs du monde entier, nous qui sommes dans l'océan de ton amour et dans celui de Maman Marie.»

Lors de la journée de prières charismatique, tu as senti l'odeur de la rose.

* * * * * * *

Ma venue dans les coeurs de mes enfants.

Mon enfant que j'aime, que l'Amour qui t'enivre soit tout en toi. Mon tendre amour, savoure cet instant de grâce. Ce rêve est une vision. Ma fille, il décrit le moment de ma venue dans les coeurs de tous mes enfants.

Il décrit l'endroit où vous serez entourés d'amis intimes qui auront eu foi en mes écrits, car proche est cet événement qui sera pour eux un événement heureux; ce sera leur récompense d'avoir cru et prononcé leur *oui*.

Tu es en eux, ma fille. Tu ressens leur joie. Tu es leur joie parce que vous êtes l'Amour, mes enfants. Vous devenez ce que vous êtes. Tous ont reçu l'Amour.

Ces gens d'affaires sont des personnes heureuses de donner de l'amour aux plus petits qu'eux. Ils sont devenus l'amour. Le jeune homme connaît l'amour en lui. Il veut partager son amour avec la jeune fille amoureuse de lui. C'est ce qui va se passer, mes enfants. Tous, vous découvrirez l'amour. Plus de jeux violents : que l'amour. Plus de pleurs : que la joie. Tout est en l'Amour qui vient.

Ce temps est si près, mes enfants. Bien qu'ensemble vous fixiez vos regards sur le calendrier qui fait avancer vos jours, vous n'aurez même pas le temps de penser : il arrivera, il sera. Le Père lui-même insufflera l'Amour en vous par l'Esprit Saint.

C'est avec joie que tu as ressenti l'Amour. La rose est venue par ta Maman te manifester sa présence en toi. Tout au long de ta journée, même si tu étais en présence de gens qui ne comprenaient pas ta joie, tu l'as ressentie si fort intérieurement que tu as reçu l'odeur de rose te faisant sentir notre Présence en toi. Je t'aime. Je t'aime. Amen.

18 – 27 février 2001   **Ton Jésus d'amour**

Mon Coeur s'ouvre à vos demandes.
Vous n'êtes pas toujours à l'écoute de mes grâces.

Ma bien-aimée, je t'ai montré mon Coeur qui aime tous ses enfants. Tous ceux qui me demandent de venir les aider sont représentées par les mains ouvertes que tu as vues dans ton intérieur.

Laisse-moi, ma tendresse, te dire combien tu es précieuse pour moi. En te montrant cela, je tiens à dévoiler à tous mes enfants que je les aime plus que ma propre Vie. Ce Coeur que tu as vu, c'est l'amour que j'ai pour eux. Je t'aime, mon amour. Aime tous mes enfants comme le Coeur que je t'ai montré. Tu fais partie de ce Coeur. Tu es en moi comme ils sont en moi.

Mon enfant, ma petite brebis, les bras qui me supplient de venir à leur aide sont ces enfants qui me font des demandes en oubliant leur âme. Ces enfants me supplient de venir les aider sans penser que moi, Jésus, je veux qu'ils m'aiment. Mon Coeur se déchire d'amour pour eux, mais, que font-ils? Ils demeurent dans leur tumulte sans venir vers moi, leur Sauveur. Je mendie leur amour mais ils ne veulent que biens matériels, futilités, plaisirs du monde.

Mes enfants chéris, je veux votre amour. En retour, je vous comblerai de tout ce dont vous avez besoin pour votre âme qui m'est si chère, ainsi que pour vos besoins corporels et matériels. Avant tout, prenez soin de votre vie spirituelle et le bien matériel viendra par surcroît.

Je vous aime, mes enfants chéris. Ma très tendre petite brebis, continue à m'aimer. C'est moi qui dépose en toi mon amour brûlant de feu de vie qui consume tout ce qui est amour. Mon amour pour vous est un feu ardent. Je vous aime. Va, ma petite brebis d'amour. Je te bénis. Amen.

19 – 28 février 2001 **Jésus**

L'Amour est en chacun de mes enfants.

Je suis en chacun de mes enfants. Je suis l'Amour! Marie et Jésus ne sont qu'un. Je suis l'Amour que tu as cherché et voulu toute ta vie. Je déborde en toi. Aime-moi, aime-moi, ma petite brebis. Je réunirai bientôt mes brebis dans l'enclos. Beaucoup y entreront. Nous serons dans l'allégresse, dans une euphorie de joie.

Je vais bientôt fermer la porte. Ceux qui auront choisi de ne pas y pénétrer n'y entreront jamais. Nous nous détournerons d'eux avec un dernier regard de tristesse. Souvenez-vous que ma voix est tonnerre. Gravez mes mots dans vos coeurs. Je suis justice et bonté; je vous aime.

Je t'aime, ma petite brebis. Prépare-toi aujourd'hui à t'unir à moi, c'est une journée de mortifications. Prie pour tes frères et soeurs. Ces jours qui viennent t'amèneront à me suivre dans ma vie publique. Viens, suis-moi, ma petite brebis. J'ai besoin de ton *oui*. Suis mes instructions, abandonne-toi. Je t'aime. Amen.

20 – 1ᵉʳ mars 2001 **Jésus**

Tout est de moi.

Tout ce qui est de moi n'est que pure vérité. La Volonté du Père est mienne. Je suis omnipotent. Vraie est ma puissance. Tout homme qui n'est pas avec moi est contre la Volonté du Père céleste. Gare à celui qui critique mes lois d'amour. Je suis l'amour du Père, je suis son Fils adoré.

Ma fille, je t'aime. Écris, ma bien-aimée. Tout ce qui vient de moi ne peut que vous faire grandir dans mon amour. Prenez soin de mettre en pratique mes leçons d'amour; cela aura un impact dans vos vies, mes enfants chéris. C'est si simple, rien n'est compliqué. Tout est dans mon Évangile. Lisez-le. Je suis celui qui est, qui était et qui vient. Plusieurs ne se contentent pas de ce que je leur ai donné par ces écrits. Ils inventent leurs propres écrits pour flatter leur perversité, allant jusqu'à renier mes paroles.

Je suis patient, plein d'amour, prêt à leur venir en aide, afin que tout devienne clair en eux. Plus ils s'abandonneront dans mon amour, plus ils auront des grâces qui les aideront à se tourner vers moi. Tout ce que je désire de ces âmes, c'est qu'elles me reviennent sans retenue, vides de toutes attaches qui leur font perdre confiance en mon don d'amour.

Mes bien-aimés, tout ce qui est de moi n'est autre que mon amour pour vous. Je suis celui qui vous aime sans détour. Mon amour est franc, loyal, plein de feu. Je veux vous enflammer sans vous faire mal. Au contraire, je suis douceur.

Tout est d'une simplicité d'enfant. Mes petits, suivez mes pas, ils vous montrent la route à suivre. Demeurez avec moi; vous m'êtes précieux. Si un seul d'entre vous tombe, moi je le relève, je le prends en moi. Quand il redevient plus fort, je le dépose sur mes pistes afin qu'il ne s'éloigne pas de moi.

Quand un de mes enfants trouve que sa vie est compliquée, c'est qu'il ne m'a rien demandé. Il ne vient pas en moi. Comment, moi, pourrais-je l'aider s'il ne me demande rien? C'est à lui seul de vouloir de moi. Il faut qu'il fasse cet effort pour recevoir. Ne soyez pas avares de vos efforts, car celui qui est vrai avec lui-même peut tout faire pour changer sa vie.

Mon amour est si pur. Venez vous plonger dans un bain d'amour vrai. Va, ma petite brebis; ceci est pour ceux qui veulent faire des efforts pour venir à moi qui les aime tant, car tout n'est que pour vous en ce temps de grâces. Je vous aime. Aime-moi, ma fille. Ma bien-aimée, je t'aime. Signe-toi. Amen.

21 – 1er mars 2001   **L'Esprit Saint – Marie**

Vision de Marie et de Jésus
durant mon rosaire.

Fille du Oui (dans la Divine Volonté): Chaque mot a été entendu en moi. L'Esprit Saint m'habite. Louange et gloire à toi, Âme de mon âme.

Devant ma croix glorieuse, je récitais mon rosaire. Aux deux dernières dizaines des mystères glorieux, les yeux fermés, voici ce que j'ai vu.

Je vois Marie vêtue de sa robe blanche, d'une blancheur de neige. Ses mains sont jointes. Elle porte à la prière, tant elle est pieuse. Elle se penche sur moi. Son visage est très doux, bien que je ne puisse percevoir son regard comme on voit une amie proche. C'est comme si je devinais tout. Elle a un regard de tendresse. Ses traits sont doux, très doux. De sa tête, un voile léger pend jusqu'à ses pieds. Sa robe est ample parce qu'elle la porte au buste avec des plis, me faisant sentir qu'elle est enceinte. Elle porte l'Enfant par amour. L'Esprit Saint me révèle qu'elle veut que je sois auprès d'elle, afin de donner aux enfants son précieux trésor : l'Amour.

Marie : Donne, ma fille, donne. Il est pour eux, il est venu en ce monde pour vous apporter l'amour. Recevez l'amour. Je vous aime, mes enfants.

Fille du Oui (dans la Divine Volonté) : Je me sens très bien, très en sécurité avec elle. De bas en haut, je la regarde tout en priant. Dans ma poitrine, une forte sensation de douceur m'envahit. C'est si bon de la voir que tout mon être ressent la tendresse d'une mère envers son enfant.

Je continue à prier. Dans ma prière, j'offre au Père le Corps, le Sang, l'Âme et la Divinité de son Fils Jésus. Pendant que je prononce :

– le Corps : je vois une hostie ;

– le Sang : je vois une goutte de sang tomber dans un calice ;

– l'Âme : je vois une colombe blanche ;

– la Divinité : je vois une boule de lumière étincelante. Tout mon être est en ravissement.

Tout cela s'arrête quand je cesse de prononcer les mots. J'entends la douce voix de ma Maman qui me dit : « *Va, maintenant, fais ton signe de la croix, ma fille, c'est terminé, va.* » C'est avec amour qu'elle ajoute : « *Obéis, mon enfant.* »

Je pleurais tellement de joie que je ne pouvais par moi-même quitter cet état. Ce soir-là, l'Amour m'a visitée. Merci, Jésus, tu es venu me faire voir ta Mère et toi.

22 – 2 mars 2001   **Jésus Amour**

Le bonheur, c'est moi, mes enfants.

Ma petite brebis d'amour, c'est moi, l'Amour, qui te fais écrire pour que mes enfants connaissent tout le bien que je veux pour eux. L'Amour est un Dieu qui aime ses enfants. Je veux vous dire que tout ce qui est amour vient de mon Être d'amour qui, lui, vient de mon Père.

Aimez-moi, non seulement pour sauver votre âme par intérêt, mais par amour. Je vous ai tant donné pour que vous ayez la vie éternelle. L'éternité est en moi. Au Paradis, ce temps d'amour ne se mesure pas, il est perpétuel.

Tout ce qui a de la valeur sur terre est sans importance au Ciel; tout ce qui est bien matériel y est sans valeur. Il ne peut y avoir de bonheur qu'en moi. Je suis celui qui rend toute chose valorisante, car tout n'est qu'amour quand vous acceptez de tout me donner.

Mes enfants, vous avez peur de vous détacher de vos biens mondains, car vous pensez que le bonheur est dans ces choses. Vous vous trompez : tout est ennui pour celui qui est loin de moi. Après un laps de temps, vous êtes toujours à la recherche de quelque chose d'autre qui vous distraira.

Vous êtes comme l'âne qui court après la carotte suspendue à un bout de ficelle que le Malin tient devant vos yeux en vous montrant que le matériel est important. Regardez-vous. Tout vous porte à la consommation. Vos télévisions diffusent sans cesse des annonces. Vous ne pouvez plus circuler sans que vos yeux regardent des affiches de consommation. Vos maisons sont remplies de décorations. Satan est si malin qu'il vous tient en haleine en vous incitant à tout vous procurer. Vos revues de décorations de maisons vous suggèrent beaucoup de biens inutiles.

Vous avez devant vous ce que le Malin veut vous faire voir. Vous vous élancez sans rien atteindre. C'est lui qui tient la carotte au bout de la ficelle. Comme c'est inutile : vous ne la rattrapez jamais. Ce bonheur est ainsi. Il ne peut satisfaire vos besoins; il est trop futile, il est sans lendemain. Le vrai bonheur se trouve à l'intérieur de vous, prêt à jaillir comme une fontaine d'amour qui ne se tarira jamais.

Soyez des enfants d'amour qui n'ont d'autres soucis que de faire connaître l'amour qui se multipliera sans jamais s'arrêter. Il n'y a pas de bonheur sans le vrai amour qu'est le mien. Je suis l'Eucharistie d'amour. Venez vous y nourrir. Je vous aime, je veux votre bonheur et ça, c'est sans fin. Aimez-moi! Je t'aime, ma petite brebis. Amen.

23 – 7 mars 2001 Jésus

Ma douleur de vous savoir hors de moi.

Jésus : Mes enfants, quand le mal est en vous, tout de vous est en souffrance. Ce qui est mal ne peut cohabiter avec moi, vous êtes en moi. Je vous aime, mes enfants.

Satan est le mal, il veut vous retirer de moi. Viens avec moi, ma fille, je vais te montrer où vont ceux qui l'écoutent. Mon amour, écris sous ma mouvance. Moi, ton Dieu Amour, qui connais tout de toi, ma bien-aimée, je t'aime.

Fille du Oui (dans la Divine Volonté) : Je récite les mystères douloureux du rosaire. J'ai les yeux fermés, j'entends la voix intérieure qui me demande d'obéir et de bien regarder. Les yeux fermés, je regarde. Je ne vois rien.

Soudain, la noirceur s'éclaircit au brun pâle qui bouge devant mes yeux fermés. Cela se concrétise. Ce sont des formes humaines en rangées serrées. Elles sont en prière, car leurs mains sont jointes et leur regard est pieux. Elles sont toutes en train de prier avec moi. Je le sens et je dis : «Mais, toutes ces personnes sont avec moi en prière!» La voix me dit : «*Oui, mon enfant, ce sont les saints du Ciel et de la terre dans* la *Divine Volonté. Ils sont tous en moi, Jésus. Continue à regarder, mon enfant bien-aimée.* »

Elles prennent un passage entre les rochers brun pâle et brun foncé. C'est comme un film auquel j'assiste, mais je suis à l'intérieur. Les gens disparaissent et des formes humaines apparaissent dans le cratère du rocher. Elles portent des vêtements de juge avec leur chapeau à forme enroulée autour de leur tête. Les juges ont des tuniques très ornées de plaques de bijoux. Ils sont droits et fermes, ils avancent en maître de la situation en discutant tout bas entre eux. Ils sont quatre. Je crois qu'ils sont sur le point de prendre des décisions. J'ai peur d'eux et de leurs décisions. Ils avancent et s'assoient dans l'entrée d'une cour intérieure très spacieuse.

Des murs intérieurs d'une hauteur de deux étages les entourent. Des gens crient par les fenêtres de forme carrée. En haut, ces fenêtres sont ovales; elles n'ont pas de vitre. Tout est en pierre. Tous ont le regard tourné vers deux grosses portes qui s'ouvrent.

Deux soldats entrent avec un homme qu'ils tiennent par les bras. Il ne peut se tenir debout, il semble abattu, la tête penchée par en avant. Ils le poussent devant eux, il tombe sur ses genoux. C'est si douloureux ce qu'il endure! Il fait tellement pitié! Mon Dieu! c'est Jésus, c'est la scène du jugement devant Caïphe!

La voix me dit : « *Avance, ma fille.* » Je m'abandonne et je vois Jésus portant sur nous tous un regard de compassion. Sans un mot, il jette un regard si doux, si soumis, sur les gens qui crient vers lui « *à mort* ». Je pleure sur lui, sur nous. C'est si douloureux que je supplie Maurice, mon mari décédé que j'entends, de venir me chercher. Puis, je l'entends dire le *Notre Père.* Je reviens à moi. Avec force, je récite la dizaine de chapelet.

Arrivée au deuxième mystère, Jésus me dit : « *Ferme les yeux.* » C'est comme tantôt : la noirceur puis, du brun foncé au brun pâle. Je vois des êtres très gros, comme des lutteurs énormes; presque rien sur leur peau; ils sont affreux à regarder, car leur visage, très difforme, est d'une grande laideur, humaine et animale en même temps. Je marche au milieu d'eux. Je suis avec Jésus qui marche en avant de moi. Je ne le vois pas, mais je sais que c'est Jésus. Il met en moi sa Présence. Je le suis et je n'ai pas peur. Tout en moi vit de lui.

Ces êtres sont en train de se faire du mal en se mordillant avec leurs dents pointues. Ils s'insultent, ils ont beaucoup de haine contre les êtres vivants sur la terre. Ils maudissent leurs enfants qui sont encore vivants ou, le contraire, ce sont des enfants qui maudissent leurs parents encore vivants sur la terre. Ils sont prisonniers de ces êtres laids qui leur font du mal. C'est affreux! Je veux m'en aller. Maurice dit le *Notre Père*. Je reviens à moi, je pleure, je suis en détresse devant ces souffrances. C'est horrible!

À la troisième dizaine, la voix de Jésus m'invite à fermer les yeux. Je suis avec Maurice. J'obéis et la même couleur revient. Ces êtres difformes que je vois sont les mêmes, plus affreux encore. Ils sont assis sur des matelas posés sur le sol; ils sont nus. Je les vois de dos, ils se tortillent, se lamentent avec des sons languissants. Ils sont malveillants entre eux. Ils sont si gluants. Je vois soudain des vers de terre qui sortent de leur peau, des insectes laids, des petits lézards affreux. Ce sont des êtres laids.

« *Sans moi, ton Jésus, tu ne peux, ma bien-aimée, supporter cette douleur qui te fait percevoir combien mes enfants vont souffrir atrocement.* » C'est tellement laid, c'est comme la convoitise du corps dans toute sa laideur. J'entends Maurice qui dit le *Notre Père*. Je suis avec lui, soulagée que cela soit arrêté. C'est tellement laid!

À la quatrième dizaine du chapelet, c'est comme tantôt. Jésus me dit: « *Ferme les yeux, ma fille de mes douleurs.* » Je les ferme et je vois des êtres très laids dans des pièces, ils ont les mêmes formes. Je me promène à travers les pièces. Jésus m'emmène dans une autre pièce. Ces êtres sont affreux, ils mangent quelque chose. Je ne sais quoi. J'approche ou, plutôt, j'avance dans la pièce, et je regarde.

C'est atroce! Ils tiennent par les jambes des enfants petits, très petits. Ils arrachent la peau et la mangent. Un autre prend les jambes et les secoue, la tête en bas comme un yo-yo. D'autres font des atrocités, tellement que je crie: «Pas les enfants, pas les enfants, c'est affreux!» Je pleure sur ces enfants: «Pourquoi ces enfants? Pourquoi?»

Ce sont ceux qu'on jette à la poubelle. Ils sont des enfants que les parents tiennent dans la haine, dans la violence, ne leur montrant pas qu'ils sont amour. Ils maudissent leurs frères et leurs soeurs, ne voulant faire que le mal, car on ne leur a pas montré qu'ils étaient amour. Ces enfants, ce sont les enfants de ce monde! «Oh! mon Jésus, sors-moi vite d'ici.» Maurice dit le *Notre Père*. Je suis si épuisée, j'ai à peine la force de dire ma dizaine. «Oh! mon Jésus d'amour, que faisons-nous? C'est si affreux!»

À la dernière dizaine du chapelet, Jésus dit: «*Ferme les yeux, ma douceur de mes plaies.*» J'obéis et je vois des personnes au pied d'une montagne. Elles la regardent. La montagne se met à bouger. Une tête sort, formée de trois têtes de serpents. Ces serpents sont si affreux! Ils dominent, contrôlent ces gens qui les écoutent comme s'il était normal de se faire dominer par ces serpents. Les gens ne semblent pas avoir peur d'eux, mais je les sens sous leur domination comme des êtres innocents devant le danger. Ces gens sont sous leur pouvoir. Jésus me dit: «*Ces êtres immondes, qui sont sous les ordres de la Bête, gouvernent mes enfants. Mes pauvres petits ne se rendent pas compte de la haine que ces êtres ont contre eux.*»

Voilà qu'à gauche, en bas de cette montagne de serpents, la terre bouge. Elle s'ouvre et il en sort une montagne qui se change en tête de lion très grosse. C'est avec tellement d'orgueil qu'elle tourne sa tête très lentement sur le monde qu'elle regarde avec haine, tellement de haine que je frissonne d'effroi. Elle dégage la mort, la domination, la destruction totale. Elle a les yeux du pouvoir. Ses yeux sont fixés sur chacun de vous. La froideur y règne. La puissance de haine est dans cette bête.

Jésus : « Mes enfants, c'est Satan. Il est l'ange déchu qui vit dans les profondeurs de l'enfer. Il se sait maître de ce lieu. Il veut vous y engouffrer pour détruire la vie en vous. Il est le mal satanique de tout ce qui n'est pas amour. Il est l'incarnation de tout ce qui est vil. Mes enfants, par cet écrit, je vous fais savoir qu'il est là à vous regarder, à vouloir vous prendre pour tuer la vie qui est en vous. Ma fille, je suis ton Dieu d'amour qui t'ai fait écrire pour eux afin qu'ils sachent que le mal veut les tuer à jamais. »

Fille du Oui (dans la Divine Volonté) : Maurice dit le *Notre Père*. Je continue la dizaine avec lui. Par obéissance, j'écris ce que j'ai vu. C'est l'Esprit Saint qui en dicte les mots. Tout est si vrai. Je vous dis : « Mes frères et soeurs, prenez la peine de vous arrêter et pensez que l'enfer existe. C'est affreux. J'ai vu ces choses. Je vous supplie, mes frères et soeurs, dites *oui* à l'Amour. Jésus nous aime. »

24 – 9 mars, 2001   Ton Jésus Amour

Doutes face à ma mission en Jésus.

Fille du Oui (dans la Divine Volonté) : J'étais dans un état de doute face à l'épreuve d'amour que je subissais : la perte de mon mari et son abandon dans son *oui* à l'Amour, mes abandons continuels et la perte de mes sens pour être à l'écoute de la voix intérieure.

Tout cela commençait à me prouver que j'étais en présence continuelle de l'Agir de Jésus. Mais je souffrais de l'absence de Maurice. Je me posais ces questions : Mon abandon était-il total ? Était-ce bien la voix de Jésus ou mon imagination ? Tout ce que j'avais vécu depuis peu, était-ce la Volonté de Dieu ?

J'entendis la voix de Jésus qui me dit de prendre le livre[9] non loin de moi, et de l'ouvrir à la page 40. Avant que je lise,

---

9. Léandre Lachance. « *Pour le bonheur des miens, Mes choisis. Jésus.* » Vol 2, Ed. St-Raphaël, p. 40 : « *Vous êtes à mon école.* »

il me dit : « *Cela te fera grandir.* » Ce que j'ai lu était tout à fait ma réponse. Après la lecture, mon doute disparut. Je rendis grâce à Jésus de me parler. Merci, Jésus, de me faire connaître ton amour pour chacun de nous. Moi, ta fille ignorante, je te demande de me venir en aide, toi qui m'aimes tant.

Jésus : « Mon enfant chérie, ne change aucun mot de ce que je t'ai dit. C'est mon Vouloir de te démontrer mon Agir en toi. Toi, ma petite fille, sois obéissante. Je bénis ceux qui t'aideront à la réalisation de mon oeuvre. Je t'aime. Amen. »

25 – 10 mars 2001   **Jésus**

La Vie triomphe de la mort.

Ma fille, je vais t'aider; appuie-toi sur moi, entre en moi. Je suis toi, tu es moi. Comme je t'aime! Tu me sens en toi. Oh! comme c'est bon d'être ensemble! Je t'aime.

Le soir où tu étais endormie sur le divan, alors que tu gardais tes petites-filles, tu as rêvé que tu voyais ton mari se trouvant en moi, ton Jésus Amour, dans mon Royaume.

Le Malin te fit voir l'image de ton mari et te troubla par ses paroles blessantes. Tu voulais tellement t'approcher. Il se vengea en te repoussant avec haine. Tu n'as pas compris qu'il était le Mal. Tu restas accrochée à cette image. Tu as eu très peur de ses paroles. Tu as aussi voulu protéger ta belle-soeur qui vit seule comme toi. Le Mal voulait aussi lui nuire. Tu l'as ressenti et tu es allée lui porter secours. Tout s'est terminé par un sursaut. Tes enfants sont arrivés.

Arrivée chez toi, tu m'as demandé de te venir en aide; tu avais peur de rester seule chez toi. En prière, à genoux devant ma sainte croix, tu es venue vers moi. Je t'ai dit : « *Ma fille, ferme les yeux et regarde.* » Tu fis ainsi. Tu ne voyais rien, mais tu as gardé les yeux fermés. Je t'ai dit : « *Donne-moi un baiser.* » Tu as dit : « Jésus, je ne vois rien » et tu as déposé un baiser.

J'ai reçu ce baiser avec tellement d'amour. Dans cet abandon, mon Coeur est apparu en ton intérieur. À ta droite, tu as vu mon Coeur rouge d'amour pour tous mes enfants. Mon Coeur s'est tellement réjoui de te voir dans un tel abandon qu'il te fit voir des rayons de bonheur sortant de lui. Oh! quelle joie quand tu as vu mes rayons! Tu as dit : «Oh! c'est le Sacré-Coeur!» Ma fille, je t'aime.

Mes enfants, pour tous ceux qui s'abandonnent à l'Amour, de mon Coeur sortent des flammes d'amour qui se déversent en eux. Par l'Amour, recevez, mes enfants, cet amour que seul un être d'amour peut recevoir, tant il est rempli d'amour. Oui, mes enfants, soyez en l'Amour. Mon Coeur déborde d'amour pour chacun de vous. Donne, donne, ma fille.

Je t'ai montré ma Présence en te faisant voir mon Sacré-Coeur. Toi, ma fille, dans ton abandon à l'Amour, tu as vu en toi mon Coeur. Ces mots que je t'ai dit de prononcer, écris-les; ils aideront tous mes enfants qui ont besoin de moi, Jésus Amour. Mes enfants, je vous aime. Aimez l'Amour.

« Tout ce qui n'est pas de la Divine Volonté : sors de mes pensées! Coeur Sacré de Jésus, j'ai confiance en toi. »

* * * * * * *

Tout en moi est Volonté Divine. Je suis en toi, toi en moi. Ton rêve t'a montré la mort. La mort est venue pour te montrer tout le mal qu'elle voulait accomplir en toi à travers la blessure fraîche de la mort de ton mari. La mort t'a visitée à travers son image et tes blessures. Moi, je t'ai fortifiée. La mort t'a communiqué sa peur de me voir triompher d'elle.

Ma fille, comme tu es bonne de me remettre ton rêve sans révolte, toute soumise à ma Volonté! Je t'aime. Moi, Jésus, je t'ai donné ma Présence en te faisant voir mon Coeur d'amour pour toi.

Donne, ma fille, les mots d'amour qui font obstacle à la méchanceté du Mal. *« Tout ce qui n'est pas de la Divine Volonté : sors de mes pensées! »* Mon enfant, mon Coeur se réjouit de te voir à mon écoute et rayonne par ma puissance de joie. Je t'aime, ma fille. Je te veux en moi.

Maurice t'a dit de prononcer ces mots : « *Coeur Sacré de Jésus, j'ai confiance en toi.* » Oui, ma fille, ces mots sont remplis d'amour. Tout devient amour en l'Amour. Je t'aime, ma bien-aimée *Fille du Oui*. Amen.

26 – 11 mars 2001   **Jésus**

L'Amour soulage leur peine.

Ma fille, je t'aime. Ensemble, ne soyons qu'un, ma bien-aimée épouse spirituelle. Tout pour nous, en nous, amoureusement. L'Amour t'aime. Ma bien-aimée, tout sur la terre est conçu pour l'amour. La Volonté du Père est source d'amour.

Étant éloignés de moi, mes enfants souffrent. Je suis l'Amour qui soulage leur peine. À cause de leur coeur lent à croire, ils subissent des douleurs atroces dans la perte d'un être cher.

La mort n'est pas une étape de la vie sans joie, elle est l'aboutissement de l'âme vers un lieu d'amour; cet endroit, mes enfants, est le purgatoire où il faut que l'âme vive sa purification d'amour. Dans son amour pour son Dieu, quand elle aura accompli son acte d'amour, tout d'elle sera ennobli pour qu'elle puisse venir vers son Dieu qui se languit d'elle. Je lui dirai : « *Viens ma fiancée, ton banquet est ta récompense. Moi, ton Époux, je t'attends pour que tu sois mienne pour l'éternité.* »

Mes enfants, la perte d'un être cher est joie pour celui qui s'envole vers le Ciel. L'âme rentre chez elle où elle doit demeurer pour l'éternité. Il n'y a là que bonheur, joie, allégresse. Tout y rayonne de paix et d'amour.

Ceux qui restent sur la terre doivent accepter que l'être cher s'envole. Demandez-moi la grâce de la paix. Par votre *oui*, vous serez en paix en vous. Votre séparation sera moins douloureuse. Vous découvrirez que l'amour est en vous. Vous serez heureux pour l'être cher qui a trouvé le bonheur éternel.

Cette âme a quitté la terre, vous ne pouvez la voir; un mince filet vous empêche de voir les âmes saintes. Mes enfants, je vous aime. Venez à moi; moi seul peux vous procurer la paix. Amen.

27 – 12 mars 2001   **Jésus**

Je change votre rigueur en douceur.

Ma bien-aimée, toi à qui j'ai permis d'être celle qui écrit pour moi, sois l'instrument de mon amour pour ceux qui veulent être amour.

Tout dans ce monde est rempli d'amertume et de haine. Je suis celui qui est, qui était et qui vient. Je suis source de bonheur, de joie et de paix. Toute volonté humaine est dans la tromperie sans l'Amour. Soyez amour. Je suis celui qui peut changer votre rigueur en douceur. Aimer est joie; faites-en l'expérience.

Beaucoup pensent que tout est émotion. Ils refusent de croire en ma Présence constante en eux. Ils rejettent toute invitation à être à mon écoute venant de leur coeur. Je suis celui qui vous parle. Écoutez ma voix à l'intérieur de vous, car tout est en vous. Ne suis-je pas celui qui vous a donné la vie? N'est-il pas normal que je sois en vous, moi qui suis votre souffle de vie?

Mes enfants, cessez d'étouffer votre vie d'amour, car tout n'est que beauté en vous. Vous ne vivez que pour l'extérieur dans un monde de tromperies. Soyez ce que vous devez être : des êtres d'amour remplis de bonheur, de joie. Je vous veux tels que je vous ai faits.

Regardez les petits enfants. Dès leur naissance, ils crient vers moi de tous leurs poumons : «Papa, je suis à toi, aime-moi.» Ne sourient-ils pas dans leur sommeil? Vous dites : «Ils sourient aux anges!» C'est l'Amour qui les berce, qui leur chante des hymnes à l'amour, mon amour, qu'ils ne refusent pas.

Vous, les parents, vous les empoisonnez avec votre souci de les aider. Vous voulez les protéger en les dominant avec votre amour. Mes enfants, je suis l'Amour. Vous, les parents, vous aimez vos enfants; mais votre amour possessif les étouffe. Moi, l'Amour, je suis le seul qui nourrit l'amour en vous, le vrai amour. Aimez celui qui vous veut du bien. Je n'ai que de l'amour à distribuer et tout le reste vous sera donné par surcroît. Je sais mieux que vous ce dont vous avez besoin, quand et par quel moyen vous devez l'obtenir. Voyez comme j'ai pris soin de Job après son épreuve. Dans l'amour, je lui ai donné plus qu'il lui fallait. N'ayez crainte, quand l'Amour vous prend, il vous fait grandir dans un bonheur éternel.

Toute douleur, toute peine sont sources de bonheur quand l'Amour est en vous. La perte des êtres chers est une étape de vie normale. Vous dites : « *La mort est la seule justice de cette terre...* » Comme votre point de vue est humain! La mort est joie et bonheur pour la personne qui va vers le bonheur éternel.

L'amour est réconfortant pour ceux qui se donnent à l'Amour et se laissent consoler par l'Amour. Leur coeur se laisse bercer, cajoler, aimer. Quelle grande paix d'entendre l'Amour vous dire : « *Je t'aime, je t'aime! N'aie pas peur, il est là, l'être cher.* »

Je ne peux pas punir ou laisser souffrir des êtres qui se sont aimés toute une vie sur terre. J'ouvre un passage du Ciel à la terre afin qu'ils soient toujours ensemble, différemment, très près, plus qu'ils ne l'ont jamais été sur terre.

Que penser des êtres qui se donnent sans détour, sans aucune pensée contre la Volonté de Dieu? Dans la Divine Volonté, mon Père permet que des êtres près de nous communiquent avec vous. Dans votre incrédulité, vous refusez de les entendre. C'est vous seuls qui fermez ce passage de la Volonté Divine. Il n'est pas permis de penser à la mort comme à une rupture définitive. Nous sommes tous dans l'amour. Cet amour n'a pas de frontière, d'espace; tout est relié, soudé par l'amour.

Vous êtes des êtres d'amour, conçus pour l'amour. Soyez ce que vous devez être : des êtres remplis d'amour. À vous seuls de devenir ces êtres. Débarrassez-vous de vos rebuts humains qui font de vous des êtres vides d'amour. Je vous aime si fort que tout mon Être devient en extase de douleur[10] quand vous refusez mon amour. Je vous aime tels que vous êtes avec vos défauts, vos erreurs humaines. Dites *oui*, je vous en supplie. Je pleure d'amour pour vous qui avez peur d'aimer celui qui se meurt d'amour pour vous.

Je vous aime. Venez à moi, vous qui pleurez, et je vous consolerai. Venez à moi, vous qui avez soif, et je vous rassasierai. Venez à moi, vous qui avez faim, et je vous nourrirai de mon amour. Éternel est mon amour. Tendrement et éternellement, je vous aime.

Ma bien-aimée, ma douce aimée de mes douleurs, sois celle qui m'aime pour ceux qui ne m'aiment pas. J'ai tant besoin qu'on m'aime. Aime-moi. Je t'aime, mon amour. Je t'aime, ma douceur. Amen.

28 – 13 mars 2001   Tendrement, Jésus Amour
Soyez à l'écoute de votre coeur.

Ma bien-aimée, beaucoup de mes enfants ne savent pas où chercher l'Amour. Ils ne me cherchent que lorsqu'ils ont des craintes. Oui, mes enfants, tout le jour, vous ne vous arrê-

---

10. Tout en moi est amour. L'amour est mon contenu. Je suis un Être qui se fond dans ce qu'il est. Tout de moi est en état d'amour. Je suis amour. Comprenez, mes enfants, que rien en moi ne peut connaître le mal. Tout en moi est pur. Je suis la Pureté. Quand, à mon Agonie, j'ai vécu la douleur de me voir en état de péchés, c'est mon Être humain qui accepta de vivre tous les péchés du monde passé, présent et futur, comme si je les avais faits moi-même. Ils étaient en moi. Ils ont fait de moi un Être de péchés. Tout ce que je présentais à mon Père était impur. Tout mon Être était dans la douleur de me sentir impur. Je suis tombé dans un état de douleur extrême qui dépasse tout état d'être. Cela se fit par ma Divinité. Je voyais tous ceux qui ne profiteraient pas de mes grâces. Cela fut pour moi une douleur qui dépassa mon état d'être pour faire place à une extase de douleur. Oui, mes enfants, tout ce qui dépasse l'humain dépasse vos conceptions.

tez pas, vous n'êtes pas à mon écoute. Je vous parle par des signes. Des actes d'amour vous sont accordés et vous ne savez pas les apprécier.

Soyez de ceux qui n'ont qu'un seul but : le mien. J'ai si hâte d'être celui que vous recherchez, moi qui vous veux tout entier à mon écoute. Ne soyez pas des incrédules. C'est moi qui suis en vous, qui vous aime d'un si grand amour ! Cet amour est un trésor que seul un Roi d'amour peut vous donner.

Hier, dans ton groupe de prière, j'ai entendu vos demandes, mais si peu écoutent mes mots qui résonnent dans leur coeur. Ma tendre et docile enfant s'est, par obéissance, humiliée dans ma souffrance; elle s'y est associée et vous avez accordé un intérêt futile[11] à cette scène de pleurs. Ses larmes étaient les miennes, n'en doutez pas. Je suis celui qui vit en elle. Elle s'est totalement abandonnée à moi. Je l'aime dans son abandon total dans la Divine Volonté.

Mes enfants chéris, comme j'aimerais que vous soyez à mon écoute ! Vous entendriez mes mots d'amour que je vous réserve à vous seuls, des mots qui vous berceraient. Dans vos moments de tristesse, je vous réconforterais avec des mots de miel.

Je vous aime. Je suis celui qui veut votre abandon dans mon Être tout entier, prisonnier en vous. Mes êtres d'amour, je suis votre seul amour sur cette terre où tout n'est que noirceur. Cette noirceur résulte de votre incrédulité et de votre absence d'amour.

---

11. Ce soir-là, les personnes en prière en ma Présence ont vu cette enfant en pleurs. Elle s'est donnée à moi sans se prévaloir de ce qu'on peut désirer pour satisfaire son envie de se montrer. Elle ne s'est pas préoccupée des souffrances que lui apportait le fait de se montrer en état de faiblesse. Même si cela pouvait nuire à sa personne, elle l'a fait dans l'obéissance, par amour pour moi. Ils ont vu tout cela. Ils ont vu que cette enfant consentait à se donner comme un exemple de piété s'accompagnant de pleurs. Cela engendra chez eux de l'incompréhension par rapport à sa présence, ce soir-là. Ce qui vous semble futile, mes enfants, est parfois préjudice pour vous-mêmes.

Écoutez-moi, je suis tout près de votre coeur. J'attends que vous me laissiez entrer comme votre seul amour, non que je ne veuille plus que vous aimiez votre prochain : c'est moi, votre prochain. Je suis en chacun de vous.

Vous me priez et vous ne me laissez pas gérer vos demandes. Abandonnez-les-moi totalement. Dans cet abandon, ayez confiance que tout s'accomplira. Vous qui priez dans l'invisible pour vos frères et soeurs, même si vous ne voyez pas mon Agir dans les causes désespérées, moi seul agirai en eux.

Remerciez, rendez grâces, ayez la foi que tout s'accomplira comme moi seul je le veux, non comme vous le souhaitez. La Divine Volonté est le Vouloir de mon Père tout-puissant. Sa bonté n'a pas d'égal, sa force n'a pas d'adversaire. Il est le Maître absolu de l'univers.

Mes enfants, soyez mes enfants de ma lumière; elle est ma présence en vous. Je vous aime. Je vous veux parfaits comme je l'ai été dans ma Passion pour mon Père céleste, afin de lui retourner tout ce qui lui est dû : un amour entier, sans retenue, dans un abandon d'amour total. Soyez à l'écoute de votre coeur qui ne doit battre que pour l'Amour. Tout est amour. Vous êtes amour. Nous sommes Amour. Comme tout serait beau !

Je viens pour vous rendre heureux, non pour vous troubler. Je me sers d'instruments que j'utilise comme je le veux. Ne soyez pas des êtres qui ne veulent agir que selon leurs besoins. Ce monde est rempli d'êtres imbus d'eux-mêmes qui se font plaisir, sans savoir que je suis blessé par leurs manquements envers mes égards d'amour.

Ne suis-je pas celui qui est mort pour vous donner la vie éternelle? Est-ce que je n'en vaux pas la peine? Mes bien-aimés, je suis l'Être qui vous a tout donné sans retenue. Soyez à moi, je suis à vous. Venez, les petits de mon Père et je vous donnerai le bonheur, un bonheur qui ne se terminera pas. Amen.

Idées préconçues.

Ma bien-aimée enfant de la Divine Volonté, tout ce qui est écrit a pour but de démontrer à quel point je vous aime. Je suis tout à vous, mes enfants chéris. Je suis l'Être d'amour en qui mon Père a tout mis. Je suis pour chacun de vous ce pourquoi vous êtes nés : pour être des êtres remplis de moi. Vous êtes des vases vides, moi, je suis le contenu.

Je suis votre Tout. Rien de ce que vous voulez ne correspond à ce que je suis. En moi, rien n'est compliqué. Tout est d'une telle simplicité! Certains doutent de ma Présence en eux. Cela leur semble trop simplet. Vous êtes comme les pharisiens qui ne m'ont pas accepté parce que j'étais le fils d'un homme simple, Joseph, mon très doux papa de la terre.

Vous que le monde a tant comblés de biens matériels, vous êtes trop remplis de vos idées préconçues. Ne soyez pas des juges, des analyseurs. Vous êtes mes enfants rebelles que je veux amadouer par mon amour. Mon amour vous rendra plus heureux que vous ne pouvez l'imaginer.

Tout de ce monde est axé sur la recherche excessive de son bien-être. Vous êtes des êtres simples d'amour, des créatures douées de dons cachés. Par vos manques de sincérité envers vous-mêmes, vous n'avez confiance qu'en ce monde qui n'est rien. Ce monde vaut-il la peine qu'on s'y arrête vraiment?

Mes enfants, tout est en vous. Trouvez ce qui vous manque; en vous, vous me trouverez, moi, l'Amour inconditionnel. Je suis si amoureux de chacun de vous! Je suis l'Amour qui est en vous, vous en moi. Je ne cesserai de me répéter. Mes enfants, écoutez ceci : *« Je vous aime, je vous veux à moi afin que vous soyez amour. »*

Vous êtes mon Être en vous, je suis votre être en moi. Ce que je veux vous dire par cela, c'est que vous vivez grâce à ma Vie et que, moi, je ne vis en vous que si vous m'acceptez. Voyez-vous, mes enfants, tout est d'une simplicité parfaite!

C'est ainsi que le Père céleste le veut. Tout est dans la simplicité. Rien ne peut troubler ce qui est fait dans la simplicité. Vous seuls compliquez les choses qui sont amour.

Soyez amour. Je vous en expliquerai les étapes au fur et à mesure, sans pour autant déranger vos vies. Un effort d'amour est un pas dans le bonheur. Venez vers moi et je vous amènerai dans le Paradis où tout est en vous, où l'Amour règne sans trouble, sans remous, où tout est clair.

Mes tendres amours, qu'attendez-vous pour secouer votre poussière? Elle remplit votre vase à ras bord. Je suis et je serai votre Être cher qui n'a qu'un seul but : vous aimer. L'amour est un appel que l'on ne devrait pas ignorer dans un temps où tout est souffrance. Je suis le seul qui peut vous venir en aide dans ce monde de plaisirs éphémères qui vous laissent un goût amer.

Je vous attends. Je suis tout près, si près que si vous vous retourniez, nous nous enlacerions à l'instant. J'ai si hâte que tu te retournes. Chacun de vous est unique et, ce qui est beau en vous, vous est particulier à chacun de vous.

Laissez-vous aimer. Il reste si peu de temps avant ma venue. Tout doit arriver dans un temps déterminé par la Divine Volonté. Ne tardez pas. Je vous veux tous dans mon amour pour vous cueillir comme la rose qu'on garde sur son coeur; elle est si précieuse qu'on n'a qu'une seule envie : la serrer sur son coeur. Je vous aime. Aimez-moi tendrement. Un amour qui attend. Jésus, celui qui vous attend.

Toi, ma bien-aimée, qui te laisses couler dans mon amour, je t'aime. M'aimes-tu? J'embrasse ton coeur qui est attaché, soudé au mien avec Maman, ta douce Maman d'amour, Marie. Je t'aime. Amen.

30 – 14 mars 2001   Jésus

Moi seul suis juge de mes bienfaits.

Ma chère enfant, je prends toutes ces souffrances causées par la perte de ton cher mari Maurice et je les garde pour mieux les changer en bouquets de fleurs. Quand tu arriveras au Paradis céleste, tu seras comme une reine qu'on orne de ces pétales de fleurs. Tu seras ma reine de la douceur qui m'a tout légué par amour pour son prochain. Je t'aime, ma douce brebis. Ton Jésus qui t'aime.

Toi qui veux garder ce message pour toi seule, ma fille, ne suis-je pas l'Amour? Ne puis-je pas montrer à tous mes enfants ce que je réserve à mes chers enfants d'amour qui s'abandonnent totalement? C'est moi, mes enfants, qui suis le seul juge concernant mes bienfaits.

Moi, je suis l'Amour qui donne à ceux qui se donnent. Montre-moi aux autres tel que je suis, sans retenue envers mes enfants que je chéris plus que ma propre Vie. Je t'aime parce que tu es moi par moi. Va, maintenant, mange. Je t'aime, ma douceur, à bientôt. Amen.

31 – 15 mars 2001   **Jésus**

Votre beauté printanière.

Ma fille de la Volonté de mon Père, tu écris pour affirmer que je suis le seul Être qui peut sauver tes frères et soeurs en danger de perdre leur âme. Je mets tout en route pour que ma nouvelle Église soit mise en place.

Mes enfants, ne soyez pas des incrédules. Tout se fera et, bientôt, tout sera fait selon que moi, votre Jésus d'amour, je le veux, pas à votre temps, mais seulement au mien, car je sais mieux que vous quand le moment sera le bon. Tout se prépare lentement et avec précision. Voyez les étapes qui s'amoncellent dans votre coeur lié au mien; la vie est une source de bonheur pour tous ceux qui veulent y entrer.

Voyez comment je prépare les arbres au printemps : après un hiver rude où tout semble mort, tout revit, tout reverdit, alors que rien ne semblait pouvoir prendre des formes de joie pour vos regards. Je suis le Maître de cette nature, moi, le Dieu vivant de votre être qui, pour certains, est sans vie. Laissez-vous naître en moi, votre source de bonheur. Je vous veux prenant racine en moi, bourgeonnant tels des boutons de fleurs qui s'ouvrent au contact de mon amour.

Je vous aime, ne doutez pas de mon amour pour vous, mes bien-aimés. Moi, je suis l'Auteur de la beauté. Que ne donnerais-je pas pour que ma beauté réveille votre beauté printanière qui resplendirait sous les doux rayons du soleil? Je suis le Poète de votre vie intérieure. Venez me voir arroser vos âmes de rayons d'amour puisés dans les flots de l'océan de mon amour. Je suis amoureux, fou de vous, mes amours. Bien que votre amour ne soit pas égal au mien, mes tendresses sans fin se nourrissent de vous savoir miens pour l'éternité.

Que tout soit harmonie dans le flot de mes douceurs arrosées de mes délices. Ne soyez donc pas des ingrats devant tant de preuves d'amour; j'utilise tant de gentillesses. Que me reste-t-il pour vous convaincre que seul l'Amour peut vous séduire ainsi?

Je suis le mendiant de l'amour. Je vous aime. Aimez ce mendiant qui est en guenilles d'amour, prêt à faire d'autres gestes d'amour pour vous séduire. Je reste et resterai toujours près de la porte de votre coeur dans l'espoir que vous m'ouvriez. Je suis votre Amoureux, ouvrez-moi. J'attends depuis si longtemps. Qu'attendez-vous?

Je vous aime. Bien que vous me négligiez, je vais toujours vous attendre; le temps est si précieux. Ce temps, je le retiens grâce à des âmes dévouées par amour qui se languissent de moi. Ce temps, prenez-en conscience, est un temps d'amour. Je vous supplie, aimez-moi. C'est si difficile pour moi qui n'est pas sans prendre conscience que vous souffrez sans l'Amour.

J'aimerais mieux mourir encore une fois sur la croix plutôt que de renoncer à votre amour qui est mon amour. Bien que je sois celui qui veut être tout à vous, je ne puis vous forcer à m'aimer.

Que resterait-il alors du véritable amour? Un amour forcé n'a aucune force, il s'écroule à la moindre secousse. Je vous aime trop pour vous imposer une présence non voulue qui serait une épine dans votre coeur. Réalisez-vous que cette liberté est voulue par l'Amour véritable qui est en souffrance?

J'attends et j'attends. Aimez-moi. Moi, j'attends. Votre Amoureux en attente, Jésus. Signe-toi. Amen.

32 – 15 mars 2001   **Jésus**

À l'élévation, déposez vos souffrances sur l'autel.

Écris, ma bien-aimée. Tous me verront dans leur coeur. Celui qui voudra vivre de mon amour recevra l'amour. Je suis le seul qui peut lui apporter ce qu'il désire : le bonheur parfait sans faille ni tourment.

Venez, mes bien-aimés, je vous appelle à vous consacrer à mon Coeur d'amour. Vous êtes ceux pour qui j'ai souffert sur la croix. Porter une croix est absolument nécessaire pour obtenir la vie éternelle. Certains ont si peur de souffrir. Ils ne s'aperçoivent pas qu'ils vivent des souffrances tout au long de leur vie sans vraiment réaliser qu'ils portent leur propre croix.

Quel gâchis, mes enfants, de ne pas réaliser que cela est nécessaire et inévitable pour expier vos fautes. Vous ne vous rendrez à l'évidence qu'au moment de votre mort. Certains auraient pu sauver des âmes rebelles qui ne veulent pas faire la Volonté de Dieu.

Vous, mes bien-aimés, au moment de l'élévation, offrez à mon Père vos souffrances avec les miennes. Déposez-les sur l'autel. C'est mon Calvaire qui se poursuit. Il est et sera le salut pour vous et pour ceux à qui vous voulez offrir vos souffrances. J'ai tant besoin de vos sacrifices. Ne soyez pas des égoïstes qui n'offrent que pour eux en oubliant les autres.

Offrez avec abandon, sans retenue, avec amour pour moi, qui ai racheté vos fautes. Je les ai portées tout le long du chemin qui me menait à la montagne de ma gloire. Cette gloire était votre bonheur pour un monde meilleur, le mien, celui de mon tendre Père céleste. Tout est pour lui plaire.

Mon sacrifice a été une joie inconcevable pour vous qui ne comprenez pas la valeur de l'amour entre le Père et le Fils qui se sont tout donné, sans avoir d'autre intérêt que celui des créatures du Père, mon Père et votre Père céleste.

Mes enfants, je suis mort pour vous seuls. Les enfants que, dans son amour, mon Père a créés par son souffle d'amour, sont et seront pour l'éternité son bonheur, sa joie, son amour, bien qu'il n'ait pas besoin de vous pour être l'Être suprême. Il est un Tout d'amour dont le seul but est d'aimer, d'aimer, d'aimer.

Mes enfants, ne cherchez pas à analyser ce que je fais à travers mes élus, ils sont simplement des stylos qui glissent sur une feuille blanche. Ces mots sont gravés dans mon Coeur; ils se font voir sur ces pages pour que vos yeux puissent les lire.

Je vous aime, les bénis de mon Père. Soyez à l'écoute de ce qui s'écrit par ces doigts que j'ai bénis. Ils se veulent obéissants à la voix qui se fait entendre à ma bien-aimée, la douceur de mes cris de souffrance. Je l'aime et je veux que personne ne lui fasse de mal. Protégez ce qui m'appartient. Elle est mienne, n'en doutez pas. Vous, mes enfants, c'est vous seuls qui souffrirez à la suite de vos manquements d'amour envers votre prochain à mon écoute.

Laissez-moi vous dire des mots d'amour qui m'étouffent depuis si longtemps à travers les ans, les siècles, les millénaires qui se sont écoulés comme le sable qui coule dans le sablier et qui, bientôt, s'arrêtera.

Quel bonheur sera le mien et le vôtre quand, dans un temps déterminé, nous nous verrons! Je me languis de vous voir, de vous enlacer dans mes bras. Oui, je serai bien en chair et en os comme vous, mes enfants. Ce qui a été écrit par la main de mes choisis est vérité.

Je n'ai que de l'amour à vous donner et cet amour vous nourrira, vous comblera, vous rassasiera plus que vous ne pouvez l'imaginer. Mes enfants, c'est si simple d'aimer. Je suis l'Amour, aimez-moi. Je suis tout en vous, je vous veux tous.

À bientôt. Je vous aime d'un tel amour que seul un être qui est amour peut comprendre. Soyez cet être. À bientôt, mes biens-aimés. Amen.

33 – 15 mars 2001   **Jésus d'amour**

La purification passe par la confession.

Le rosaire est la contemplation d'une suite d'événements survenus dans ma vie publique avec ma très tendre Mère du Ciel. Nous avons vécu nos vies, elle et moi, pour vous, mes enfants, dans la Divine Volonté, dans le seul but de vous faire découvrir la grandeur et la splendeur de la gloire de Dieu mon Père, qui est votre Père par ma naissance sur votre terre.

Mon baptême a été béni par mon Père dans le seul but que vous vous fassiez baptiser, ce qui vous fait enfants du Père, donc frères et soeurs dans ma sainte Église. Je suis mort pour vous dans une agonie extrême pour amener à la mort, avec moi, tous vos péchés. Sur terre, aucun péché ne subsiste si vous vous confessez à un prêtre en demandant pardon pour vos fautes commises envers moi.

Et ma mère l'Église résulte d'une suite d'abandons dans l'amour du prochain.[12] Elle fait partie de mon Être. Elle est faite de vous qui venez me demander de vous rendre purs en

---

12. Mes enfants, je suis l'Amour. Je me donne à vous. J'ai fait naître en vous la vie. Par ma mort et ma résurrection, vous connaissez l'absolution. En vous reconnaissant pécheurs et pour répondre à l'appel de l'Amour qui s'est donné, vous venez à confesse. Je me suis offert à mon Père pour que vous soyez enfants de Dieu. Reconnaissez l'amour de mon Père pour chacun de vous. Il est en tout ce que j'accomplis. Mon Église est le résultat de ma Présence dans tous mes enfants, elle est le fruit de l'offrande de ma Vie pour eux. Chaque pardon est voulu de nous, mon Père et moi. Tous ceux qui se présentent pour obtenir leur pardon, reçoivent notre acceptation. Nous ne refusons pas l'absolution devant le repentir. Ma sainte Église est la mère de tous les enfants du monde qui se donnent à elle. Elle, mon Église, les prend dans son sein en acceptant de leur donner l'absolution.

me donnant votre consentement à l'Amour. Je suis l'Être ultime qui pardonne à travers le prêtre qui entend vos fautes. C'est moi seul qui pardonne vos fautes par ses saintes mains qui vous donnent l'absolution.

Ne craignez pas la confession. C'est mon acte d'abandon qui se poursuit à travers votre acte d'abandon dans mon amour. Je me suis donné à la mort pour vous offrir votre libération. Si je ne m'étais pas abandonné dans l'acte ultime de la mort, vous ne pourriez vous reconnaître comme des enfants qui renoncez à vos péchés. Vos péchés sont la mort de votre âme.[13] Quand vous venez à confesse, c'est que vous vous abandonnez dans mon amour pour être sauvés par moi qui ai pris tous vos péchés en les emmenant à la mort. C'est cet acte d'amour qui vous a sauvé. Chaque fois que l'un de mes enfants se donne avec confiance dans le sacrement de pénitence, je le remplis de grâces d'amour qui le fait avancer dans mon amour.

La Passion est le fruit de mon amour pour l'humanité, si faible dans sa nature. Vous seuls pouvez vous aider en étant des enfants obéissants à l'écoute de ma voix, moi qui ne suis qu'amour. Ma gloire et celle de ma Mère sont unies pour vous montrer le chemin qui mène à mon Père du Ciel, votre Père, vous qu'il a aimés jusqu'à donner son Fils, son unique Amour. Ce don est le fruit du très grand amour que seul ce Père peut avoir. Il est le Tout-Puissant. Sa Vie est éternelle. Il est et il sera. Il n'aura pas de fin. Il n'a pas eu de commencement. Il est omnipotent.

---

13. Je suis la Vie. La Vie est moi. Quand un seul péché salit votre âme, celle-ci est privée de la Vie qui est moi. Je suis la vie de l'âme. Quand l'âme est privée de sa vie qui est moi, elle se meurt sans son Amoureux. Tout enfant est en moi. Il doit vivre de moi. Ne savez-vous pas qu'un seul péché mortel peut le conduire en enfer, puisque son âme est morte. Moi, par ma Présence, je redonne vie à l'âme. Sans moi, vous êtes morts. Moi, je suis la Vie. Toute vie est en moi. Mes enfants, ne savez-vous pas que vous condamnez votre âme à la mort quand vous l'empêchez de vivre avec la Vie. Je suis la Vie. Qui vit en moi est vivant. Vous êtes des morts ambulants sans moi.

Mes bien-aimés de mon Père qui sont et seront pour toute l'éternité, soyez des enfants d'amour avec qui il peut savourer son Oeuvre. Tout est si parfait dans ce qu'il a fait. Rien ne manque à son Oeuvre sinon votre *oui*, ce *oui* que vous seuls pouvez prononcer.

Si Marie est la Mère de votre Jésus, elle est aussi sa Fille bien-aimée en qui il a mis ses complaisances. Nous avons le même Coeur. Un même *oui* a été le but de notre amour, ce *oui* que Dieu seul attendait de nous dans un abandon total à son amour.

Qu'avez-vous à faire, sinon de vous abandonner dans votre assainissement qu'est votre *oui*? Mon *oui* est celui de tout votre être qui est en moi. Je suis celui qui est et sera pour vous votre seul et unique moyen d'accéder à l'amour du Père. Venez en moi et je vous conduirai au Père qui est mon Père.

Je vous aime et vous aimerai d'un tel amour que moi seul puis en supporter les joies, car vous vous écrouleriez sous le poids de tant de bonheur. Je suis celui qui est tout pour vous. Soyez aussi tout pour moi et nous serons bientôt réunis en moi sur la route qui mène au bonheur.

Le sacrement de pénitence est si beau, si puissant! Abandonnez-vous dans l'Amour qui veut vous couvrir de son ombre d'amour. Quand vous vous présentez devant mon prêtre, c'est devant l'Amour que vous vous présentez. Soyez certains que cet acte d'abandon est un acte de renoncement dans la Divine Volonté qui ne veut que votre bien en vous comblant de son amour.

Soyez des êtres d'amour n'ayant d'autre but que de vous enlacer dans un amour sans fond, mon amour qui s'est offert en holocauste pour vous. Je suis l'Agneau immolé, l'Agneau si doux qui a tout présenté avec un léger pincement au Coeur, celui de ne pouvoir vous avoir tous dans son Coeur, car plusieurs se mettront au service du Mal plutôt que de se donner à l'Amour.

L'Amour ne demande que votre amour et non pas de participer aux oeuvres du Mal en dominant le prochain. Mes enfants, qu'attendez-vous pour voir clair? Le Mal est celui qui vous veut du mal, il est le dominateur du mal. Je suis celui qui est la victime de l'Amour. Votre choix est-il celui qui vous permettra d'avoir la Vie en vous, puisque je suis la Vie en vous?

Je vous aime tendrement. Et toi, ma bien-aimée qui ne sais pas ce que tu écris, tu fais confiance dans un tel amour que je me fonds d'amour en toi, et toi en moi. Ma Mère te couvre de sa présence. Je suis sa seule ressource.

Elle est ma Présence en elle, et moi je suis sa Présence en moi[14]. Nous ne formons qu'un seul Coeur. Le mien est tout à elle, le sien est tout à moi. Toi, ma petite, ton coeur s'est fondu dans nos Coeurs. Tu es ce que tu as voulu. Nos coeurs sont unis pour toujours. Ma bien-aimée, sois toujours mienne. Je t'aime. Signe-toi. Amen.

34 – 16 mars 2001 Jésus

Vos vies en souffrance.

Ma fille, ma douceur de mes douleurs, le vendredi est un jour où tous mes enfants ont un amour profond pour moi. Moi qui ai tant souffert sur cette croix, je me languis de découvrir vos élans d'amour pour moi, votre Sauveur.

Ce monde de noirceur manigance pour tout mettre en désordre dans mon Église. Dans mes efforts pour réunir mes troupes pour ma grande gloire parmi vous, rien ne peut arrêter ce que j'ai commencé à l'instant où je fus crucifié sur ma sainte croix d'amour.

Vous, mes petits enfants, mon Coeur a tant saigné pour vous! Je vous couvre de ce Sang si précieux. Je vous laverai malgré toutes vos erreurs humaines. Ne soyez pas des étour-

---

14. Ma Présence, mon amour, est en chacun de ceux qui sont en moi. Je suis la Présence. Qui est en moi vit en moi. Je suis la Présence de ma Mère qui est en moi. Sa présence en moi se fait par ma Présence en elle. Qui est en moi vit de ma Présence. Toi, tu es en moi. Moi, je suis en toi. Toi en moi tu es présence par moi. Ma Présence en toi est de moi. Moi toi, toi en moi, tu es en moi.

dis dans votre laisser-aller devant ma croix. Elle brillera de toutes les grâces que je répandrai par elle sur ce monde.

Vous êtes ceux que j'ai choisis pour recevoir ma gloire qui se répandra sur toute la terre. Tout se fera comme moi je l'aurai voulu. La Volonté de mon Père est aussi ma Volonté. Je suis l'Être suprême qui est Dieu : mon Père, le Fils de Dieu et l'Esprit Saint. Tout doit s'accomplir. Ne doutez pas, même si, pour certains, cela semble improbable.

C'est si pur et si vrai! Ma sainte Parole est vérité, tout est écrit dans ma sainte Bible. Lisez ces passages de Matthieu qui relatent avec une telle précision les événements.[15] Que d'aveugles il y a dans le monde où vous vivez! Ce monde est pourri par son savoir qui empoisonne vos cerveaux, non vos coeurs. Laissez vos coeurs ouverts et vous verrez que ma gloire arrivera au moment que moi seul je connais. N'en doutez pas. Je suis dans le Père, nous sommes un.

Et vous, enfants de ma tendre Mère qui êtes consacrés à son Coeur immaculé, ne soyez pas dans le doute, mais plutôt dans l'espérance que bientôt tout s'accomplira. Vous êtes la lumière de ce monde, le feu qui ne s'éteint jamais, la source qui coule pour abreuver ceux qui ont soif. Donnez ce que vous recevez, pensez à ceux qui se meurent par manque d'amour pour moi.

Je vous aime mes lucioles qui brillez dans la nuit. Je vous veux en moi pour guider ceux qui ne savent pas où se tourner pour connaître ce que sera demain : ma Nouvelle Terre, lieu de délices, de bonheur.

Mes tout petits bébés qui ne savez pas comment vous alimenter dans cet amour nouveau pour vous, allez vous réfugier dans les bras de votre Mère, ma Mère, qui vous enseignera comment on peut savourer l'amour, ce mets nouveau qui est si bon pour vous que, lorsque vous vous y plongerez, sans pour cela vous noyer, vous y reviendrez en toute confiance. Ayez cette espérance en vous, mes enfants. Cela,

---

15. Matthieu : chapitre 24.

mes enfants, vous apportera le bonheur qui est en moi. Telle est ma Présence en vous. Je suis tout pour vous. Soyez tout pour moi. Mes enfants, je vous aime.

Ne soyez pas des avares pour ceux qui ont soif de savoir. À ceux qui vous disent : « *Quel est donc cet Amour qui vous donne cette soif d'amour? Nous ne savons où puiser cette source de bonheur* », dites que c'est moi, Jésus. Mon nom est Jésus. Je sauve votre monde. Chacun est en moi. Pour ceux qui veulent bien venir, je les comblerai de ma Présence en eux. Ils sentiront des transformations que j'ai moi-même préparées pour eux. Ils seront une voix pour d'autres qui, eux, ne savent pas que j'existe.

Je suis en attente de vous, mes enfants. Ne voyez-vous pas que c'est toujours moi, votre Jésus? Ne savez-vous pas me reconnaître? Que vais-je faire avec vous, mes enfants? Je ne sais comment vous attirer pour avoir votre *oui*. Soyez comme des bébés à qui l'on apprend à marcher.

Laissez de côté vos habitudes de tout dominer. Votre vie en souffre. Je souffre, moi, de vos souffrances. Je veux que vous compreniez que je suis votre seule source de bonheur.

Attendez-moi, ne partez pas sur une autre voie; elle ne vous conduira nulle part. Les plaisirs que vous recherchez vous amèneront si loin! Je ne puis vous suivre dans vos états de débauche qui sont mortels pour votre âme. Moi, je peux vous montrer où est votre intérêt qui ne sera que pour votre bien.

Le bien est tout autre; il est savoureux. Moi, le Souffrant, je reste sur ma croix pour dire : « *Père, ne condamne pas ces enfants; c'est pour eux que je suis attaché à cette croix. Je les aime. Pardonne-leur, Père, prends ma souffrance qui soulagera ta peine de voir tes créatures s'enliser dans des plaisirs mortels pour leur âme.* »

Un jour, un autre que moi, qui se sera donné à moi, dira : « Regarde ce Jésus sur la croix, il n'y descendra que pour te dire : *Va vers mon Père du Ciel, il a tant d'amour pour tous qu'il se meurt d'amour pour toi. Aime-le. En échange, il te cou-*

*vrira d'un manteau de grâces qui te donnera un amour
éternel.* »

Sois cet être, toi qui lis mes textes écrits par la main de
ma douceur. Je suis si faible, si fatigué de dicter à mes
enfants! Il me semble infini ce temps d'attente! Je vous aime.
Tant que Dieu, mon Père, n'aura pas fixé l'heure, je resterai
attaché pour toi, mon enfant bien-aimé qui lit, qui m'aime et
qui prie ma Mère. Vite, le temps s'écoule. Bientôt, mon Père
sonnera son heure. Elle est fixée cette heure. Son doigt
appuiera sur ce bouton par lequel tout s'accomplira. Il vous
reste si peu de temps!

Allez! va raconter que tu as vu un homme attaché à la
croix et qui crie : « *Amour, Amour, où est Amour?* » Je meurs
sans connaître mon petit qui est mon amour, mon unique
amour qui est chacun de vous. Je suis patient, si patient!
Comprenez ma détresse.

Ma douce, vis aujourd'hui ma détresse et tu auras ma
Présence en toi. Ensemble, nous pleurerons sur les amours
inconnus de l'Amour. Je t'aime. Ma douceur, aime-moi : « *Oui,
Jésus je t'aime, Jésus je t'aime!* » Signe-toi. Amen.

35 – 17 mars 2001   **Ton Amour, Jésus**

Le samedi, jour de gloire pour ma Mère.

Ma bien-aimée, ce jour est joie. C'est le jour consacré à
ma Mère, ma très tendre Mère, qui a tant souffert à mes côtés
tout au long de mon chemin et qui m'a accompagné au Calvaire.

Je sais, mon enfant, que tu l'as suivie hier soir sur le chemin de la croix. Nous t'avons unie à nos souffrances face à
tant d'indifférence de la part de certains prêtres et de mes
âmes fidèles. Ne sois pas triste aujourd'hui, car ta Maman, ce
matin, à ton réveil, t'a dit qu'elle dépose en toi des joies. Ces
joies sont celles de ton coeur qui s'est offert à nous pour souffrir à chaque fois que nous te le demandons.

Sois bénie, enfant de mon Père qui te chérit d'un amour de prédilection. Ton mari, Maurice, s'est offert par amour pour nous et pour toi. Il s'est laissé aimer d'un amour si fort que cela a dû abréger ses jours sur la terre, non pas qu'il aurait vécu quelques jours de plus, mais seulement quelques heures. Ses souffrances ont été pour toi, sachant que tu devais les subir pour nous, l'Amour.

Je suis le seul qui est l'Amour. Mon amour s'est versé en lui si fort qu'il tomba dans une extase de bonheur. Il a voulu mourir pour ne plus jamais en sortir. J'aime ceux qui s'offrent sans retenue. Maurice était un être sans égal[16]. Il aimait son Jésus sans retenue, d'un amour si fort qu'il a voulu vivre dans cet amour pour l'éternité.

Ton amour, uni au sien, m'a donné des joies si fortes, mes enfants, que je vous ai donné à vous deux des grâces d'amour qui vous unissent encore, même sur cette terre. C'est votre union dans l'Amour qui vous unit. Cette voix est celle de ton aimé, Maurice, qui n'a qu'un seul désir, l'Amour. Il veut, lui avec toi, me donner cet amour qui vous unit.

Ma fille, cet être uni à toi est si beau que je me réjouis de vous voir. Je vous comble de mes grâces. Ceux qui doutent que l'amour peut tout, perdent un bien très précieux. S'ils le connaissaient, ils feraient mer et monde pour l'obtenir. Moi, je suis celui qu'ils cherchent afin d'obtenir l'amour.

Sois joie aujourd'hui. Ma Mère est heureuse de voir sa fille s'unir à son bonheur. Le samedi est jour de fête dans son Coeur. Ce jour lui a été dédié par l'amour de ses enfants pour elle. En ce dernier jour de la semaine, où on célèbre sa gloire dans les cieux et sur cette terre, elle dépose des grâces spéciales même si certains, et même beaucoup, ne lui en rendent pas gloire.

---

16. Après la lecture d'un prêtre qui avait marqué un point d'interrogation au mot "sans égal", Jésus me dit : « Ma fille, tout enfant est pour moi sans égal. Vous êtes tous uniques. »

Vous, mes enfants chéris, si chéris à son Coeur, soyez de ceux qui portent vos frères et soeurs. C'est un message qui vous est remis afin que vous compreniez bien l'importance du samedi, jour de gloire pour ma sainte Mère, Marie, Reine des Coeurs.

Vous êtes mes sources d'où l'amour doit couler pour alimenter ceux qui vivent une sécheresse dans leur coeur. Ma fille des douleurs, je t'aime et j'accepte ta demande d'hier qui sera exaucée dans un temps très court. Ma bien-aimée, sois celle qui attend son Amoureux qui vient à sa demande d'amour. Je t'aime, ma tendre épouse mystique.

Que ceux qui comprennent, comprennent. Ne soyez pas des incrédules. Vous verrez bientôt mes traces d'amour s'imprimer sur son coeur et sur sa personne qui est à moi. (Le téléphone sonne). Non, ne réponds pas, reste avec moi. C'est si bon d'être ensemble. Je t'aime, ma douce aimée de mon Coeur.

Maintenant, ma bien-aimée, va et sois à mon écoute. Mon Être aime te voir accourir à mon appel. Ma voix est un baume d'amour pour toi et pour mes enfants de lumière. Je t'aime, aime-moi. Dis-moi, m'aimes-tu?

– Oui, Jésus d'amour.

– Comme j'aime ces mots! Je les grave dans mon Coeur. Va, signe-toi. Je t'aime. Amen.

36 – 19 mars 2001   Jésus

L'amour contre le mal.

Ma bien-aimée fille, ce qui est arrivé hier à la messe s'accomplira quand tu auras rempli l'Oeuvre de ma Vie en toi.

C'est moi qui te forme. Depuis que tu as prononcé ton *oui*, tu t'es abandonnée dans ma Volonté. J'y ai versé des grâces spéciales qui ont fait de toi ma tendre épouse mystique. Ne crains pas pour ce qui doit s'accomplir, tout est en moi. Je suis celui qui est vie en toi; rien d'impur ne doit être en toi. Je suis ton Tout, tu es toute à moi.

Bien que les apparences ne te portent pas à croire concrètement à ma Présence en toi, j'y suis présent. Ne doute pas de ce qui est en toi. Moi, je ne doute pas de toi. Tu es ma bien-aimée, mon épouse mystique, ce que seul un être de douceur comme toi peut permettre.

Tout doit s'accomplir dans le temps prévu par moi. Ma bien-aimée, je t'aime si fort. J'ai si hâte de te tenir entre mes mains, ces mains qui se sont ouvertes pour te partager ce Sang qui coule présentement en toi. Ne crains pas pour ceux qui liront ces lignes, elles sont écrites pour les purifier. Ce qui est essentiel, ma bien-aimée, c'est de faire ma Volonté.

Je suis celui qui veut le bien, non le mal. Le mal est si présent autour de toi! Tu le sens davantage maintenant que je vis en toi. Tu peux même en percevoir les effets. Tu es si fragile dans ton abandon. Tu souffres pour tes frères et soeurs qui ne connaissent pas le danger qui est autour d'eux. C'est cet abandon dans l'Amour qui leur donnera la force de reconnaître le Mal qui est autour d'eux, dont le but est de les rendre esclaves de sa violence.

Il est si impur, si laid que si mes enfants le voyaient tel qu'il est, ils en mourraient d'épouvante. Mes enfants sont ensorcelés par lui. Sans s'en rendre compte, ils le courtisent chaque jour dans leur vie quotidienne, dans leur environnement, dans les articles que l'on se procure à des prix dérisoires et qui leur camouflent la valeur et la beauté de l'amour.

Ma douceur de mes plaies, sois mienne, sois celle qui est manifestement en moi. Ma bien-aimée, je te forme et te guide dans un seul but: l'Amour, cet Amour qui guérit, qui sauve, qui rend le bien pour le mal. Je suis l'Éternel, le Bien, l'Amour.

Vous, mes enfants que je chéris d'un amour incommensurable, qu'attendez-vous pour stopper vos accès de pourriture qui gâtent ce qui est pur en vous? La pureté vient de ce qui est pur en vous: le meilleur de vous-mêmes.

Mes petits bébés que je chéris, je vous veux tels que vous êtes. Je vous purifierai par mes gouttes de Sang qui jailliront bientôt de ces mains que je bénis d'un amour de purification.

Ma tendre enfant, sois celle qui est mienne pour toujours. Je suis ton être. Viens et je te donnerai la vie qui jaillira en toi pour l'éternité. Je t'aime pour ton *oui*, ma douceur, ma tendre, ma joie. Je t'aime; aime-moi. Je suis ton Jésus d'amour, ma tendre aimée. Signe-toi. Jésus qui t'aime. Ma bien-aimée, reçois ma force, ma pureté. Sois forte, je suis en toi, tu es en moi. Amen.

37 – 19 mars 2001   **Jésus**

Mon amour prend forme en vous.

Ma chère enfant de mon Père, c'est par moi qui suis en toi, qui te dicte quoi écrire et dire au moment choisi par moi. Que tout s'accomplisse! Ne doute pas de mes bienfaits en toi, même si certains ne semblent pas convaincus du prodige qui s'opère en toi quand je te demande d'être à mon écoute. Je suis le seul être parfait. Tout sur cette terre est rempli d'amertume et d'erreurs. Toute personne qui veut goûter à l'amour doit passer par moi.

Vous, mes enfants, qui êtes réunis autour de moi, c'est moi qui vous ai choisis, non pas vous, qui êtes des êtres si fragiles. Vous êtes mes enfants qui doivent se donner dans l'Amour. Cet Amour est moi, Jésus Eucharistie. Ne vous posez pas de questions en ce qui concerne mes Agirs envers vous. Vous êtes mes élus qui avez vous-mêmes choisi de prier, conséquemment aux grâces que je vous donne. Sans mes grâces, vous seriez des temples vides, sans vie, sans moi, votre Jésus qui vous aime.

Je suis votre bien le plus précieux, tel l'or que l'on cache pour ne pas se le faire voler. Moi, mes enfants, je veux être mis sur votre autel. Votre intérieur est l'autel qui m'est le plus précieux. J'irradie dans votre intérieur.

Mais tout en vous est si noir. Vous ne me voyez pas. Je ne puis donc vous montrer combien est grande ma Présence. Moi, je suis la Lumière. Je me montre en vous pour mieux me faire voir de vos proches, mes enfants. Ne soyez pas des lanternes éteintes qui cachent leur trésor.

Je suis l'Être le plus précieux pour vous. Qui pourrait vous révéler votre intérieur, inconnu de vous-mêmes? Moi seul, moi qui habite en vous.[17] Malheur à la personne qui profane votre âme! Elle est mienne. C'est moi qui vous ai créés. Je suis votre Sculpteur qui vous ai formés pour le bien de vos frères. Je suis l'Être de votre être, je suis le Tout. Soyez ce que je veux: des êtres qui s'aiment les uns les autres. Pourquoi vouloir aller vers ce qui ne vous apporte rien? Je suis, moi, la joie et le bonheur. Ne songez même pas à aller ailleurs.

Mes enfants, aimez-vous. Vous êtes des êtres de moi. Moi seul peux comprendre votre être. Vous, vous ne vous connaissez pas, vous êtes tellement embrouillés. Moi seul peux vous dévoiler ce qui est en vous et vous faire connaître ce que moi je suis par rapport à vous. Voyez-vous, mes enfants, ces mots sont pour vous sens dessus dessous. Pour moi, tout est si simple. N'ayez confiance qu'en celui qui vous donne la vie à chaque fois que vous vous nourrissez de moi. Moi je suis votre Nourriture, votre Vie, votre Chemin.

Suivez-moi et je vous emmènerai vers un lieu de prédilection, celui de mon Père. Signez-vous, mes enfants, je vous aime. Je vous bénis, moi, votre Jésus d'amour. Que la paix règne dans vos coeurs! Amen.

---

17. Mes enfants, en vous il y a des contradictions, des jugements, de la violence, des perturbations, des incompréhensions concernant votre propre vie. Vous me dites, mes enfants, que cela ne peut être proclamé, dévoilé. Mes enfants, moi, Jésus, qui suis en vous, je vous révèle votre état d'être qui est en souffrance. Si cela, mes enfants, n'est pas une révélation, comment pouvez-vous en juger puisque vous ne vous connaissez même pas?

Joseph, mon père, modèle d'amour.

Chers enfants, vous tous qui êtes réunis ici ce soir autour de moi, pour recevoir l'Eucharistie de ma sainte Vie consacrée à la Volonté de mon Père céleste, je vous prie de bien vouloir rendre hommage à mon père putatif tendre et pur, saint Joseph, que mon Père du Ciel a choisi pour le remplacer auprès de moi. Nulle personne ne pouvait remplacer mon Père du Ciel.

Mais comme je devais naître d'une femme, mon Père a choisi Joseph, descendant de la lignée de David. Il le remplit de grâces tout au long de sa vie qui le préparait à cette mission. Son être se transformait par ces grâces. Il devint humble, juste, bon, aimable, avenant, franc, honorable. Tout son être fut à l'image d'un père parfait pour son enfant. Il devait être le modèle pour les pères de la terre et un modèle d'époux. Tout de lui resplendissait de la présence de Dieu. Son âme était d'une telle pureté que même le cristal le plus pur ne pouvait l'égaler. Même la rose blanche n'avait pas sa blancheur d'âme.

Mes bien-aimés, vous qui le vénérez ce soir, je vous bénis et vous comble de bienfaits qui feront grandir la pureté de votre âme. Je suis l'Amour qui embellit l'âme qui prie. En ce jour d'anniversaire de mon cher papa de la terre, je vous fais cadeau de ses grâces. Vous, mes bien-aimés, voyez combien je suis heureux de vous voir ce soir. Moi, omnipotent, je puis anticiper vos prières.

Saint Joseph, modèle d'époux, ne chercha qu'à plaire à ma tendre Mère qui l'a suivi dans une obéissance exemplaire. Tendre époux envers sa tendre épouse, il l'a comblée sans retenue. Soyez, mes enfants, parfaits comme saint Joseph. Il est aussi le modèle des familles. C'est dans l'humilité qu'il entreprit de subvenir au bien de sa famille. Il respectait nos besoins. Il était rempli de grâces.

Combien de mariages s'écroulent sans la grâce du sacrement qu'est le mariage dans mon amour? C'est qu'il est très précieux ce contrat qui vous engage l'un envers l'autre. C'est dans une union parfaite en moi que l'Amour s'engage avec vous à faire de cette union un gage d'amour.

Mes bien-aimés époux et épouses, vous qui vous unissez afin d'être un, cette unité n'est possible qu'avec moi. C'est moi qui vous comble de grâces. Ces grâces vous feront grandir et avancer l'un et l'autre, sans pour autant brimer vos vies. C'est dans ce choix que vous vous conférerez un lien d'amour sans retenue. Vous êtes liés par un amour gratuit l'un envers l'autre. Ce qui est sublime, c'est le don de l'amour. Moi seul peux vous le donner.

Soyez unis l'un à l'autre sans, pour autant, vous accaparer de l'autre. Sachez combler vos propres besoins tout en faisant attention à l'autre. Aimez l'autre comme vous vous aimez vous-même.Vous, mes enfants, quand vous devenez un par le sacrement du mariage, vous n'êtes plus deux, vous n'êtes plus que la moitié de l'autre. C'est pourquoi il faut vous respecter et respecter l'autre. Vous formez à vous deux l'ensemble d'un amour. Quand vous faites du mal à l'autre, c'est à vous-même que vous faites du mal. Nuire à l'autre, ce n'est pas s'aimer.

Toute personne qui se respecte, respecte l'autre. Moi qui suis en vous, je déverse en vous des grâces afin que vous vous accomplissiez l'un envers l'autre. Je suis l'Amour qui nourrit l'amour du couple. Vous, les deux époux, qui vous êtes donnés sans retour, je suis votre Amoureux de l'amour, de votre amour qui est notre amour.

Joseph était cet amoureux de Marie, ma Mère. Ils se sont aimés en moi avec une telle pureté de coeur que seul l'Amour peut contenir cette pureté. En eux, vous puiserez les forces de toute une vie. Soyez, mes enfants, des êtres de coeur qui sont tout en moi, votre Jésus d'amour. L'Amour vous aime. Signez-vous, mes enfants. Amen.

Manque d'amour envers l'Amour.

Mon enfant de ma douleur, ce jour qui brille de mon amour en toi est un jour de tristesse pour tes frères et soeurs qui sont loin de moi.

Je suis en détresse quand ceux qui m'aiment ne font pas ce que je leur demande. Je leur donne des grâces d'amour, et, que font-ils avec ce trésor que je dépose en eux? Ils n'écoutent pas leur coeur, ils se tiraillent, ils font des jugements envers leur prochain. Moi, leur Amour qui est en eux, j'en souffre beaucoup. Je suis obligé de me retirer d'eux avec un tel déchirement que, s'ils en prenaient conscience, ils en pleureraient de tristesse. Mon enfant chérie que j'aime, console-moi.

Mes enfants chéris, cessez de dire du mal de vos frères et soeurs. Les journaux et la télévision ne vous montrent que leur côté noir. Vous ne les connaissez pas. Moi, qui suis le Maître d'amour, je connais leur âme. Leur coeur est endurci par la souffrance que ce monde a engendrée en eux.

Ma tendre Mère verse des larmes de sang. Elle verse de l'huile qui peut vous purifier. Mes enfants, allez vers elle, la Mère des Douleurs; elle vous consolera et vous donnera ce qui vous manque : de l'amour qui est en moi. Je suis si uni à elle. Elle est moi.

Ne cherchez pas à analyser ce que vous lisez ou entendez dans ces messages d'amour. C'est un rappel à l'amour, mon amour que j'ai donné à mes enfants qui, chaque jour, me prient de venir à eux depuis le commencement de ce monde, votre monde.

Mes enfants, c'est ainsi que vous me récompensez? par vos cris et vos fausses larmes? Ce que vous voyez, c'est ce que vous êtes. Mes petits, c'est votre manque d'amour envers l'Amour qui a tout chambardé en vous. Vous ne voyez pas ce que moi je fais en vous. Oh! mes amours, tout est en vous. C'est vers cet amour qui vous manque que vous devez aller.

N'allez pas chercher vos consolations dans les fausses écritures de bonne aventure. Ces mots que vous lisez dans les journaux et les revues, ce sont des mots de malheur qui n'ont que des tromperies à vous offrir. La joie est en vous. Vous qui recherchez des réponses à vos peurs telles que : *si la vie était plus belle, si le temps était propice pour un voyage, si je rencontrais le bonheur avec un grand blond, si je devais faire attention car le temps est propice aux accidents, s'il était temps de déménager,* et combien d'autres balivernes, mes enfants, tout ceci n'est fait que d'erreurs. Cherchez à gérer votre propre vie vous tient dans la méfiance de ce que demain sera. Le bonheur, c'est dans la confiance que moi, votre Dieu, je prends soin de vous.

Soyez lumière, mes enfants. Cette lumière brille en vous. Prenez conscience de ce que vous êtes. Vous êtes mes enfants. Je suis la Lumière, la Vérité et la Vie. Je suis celui que vous devez être, moi, l'Être de lumière de vos vies. Je ne vous demande pas d'être holocaustes. Je veux que vous vous aimiez les uns les autres. Est-ce si difficile, mes amours?

Soyez amour et je vous comblerai de joie. Vous vous sentirez tellement en paix, si bien! Oh! petits bébés, je vous aime. Aimez celui qui ne vous veut que du bien. Un petit pas vers moi a une grande signification dans l'amour. Comme on prend la main d'un petit bébé pour l'aider à faire ses premiers pas, le Divin Vouloir veut vous aider à avancer. Moi, je vous ferai avancer. Je vous aime, mes amours, je vous aime.

Toi, ma douceur de mes souffrances, comme je me plais en toi! Sois toujours ma douce brebis qui se laisse tondre par amour pour ses frères et soeurs. Je les aime si fort, jusqu'à en mourir sur la croix à chaque instant! Cette vie que j'offre à mon Père est ma Vie, celle qu'il m'a donnée dans l'Esprit Saint et par l'Esprit Saint. Aime-moi, mon fidèle amour. Signe-toi. Je t'aime. Amen.

40 – 21 mars 2001   **Jésus**

Je suis l'harmonie en vous.

Ma bien-aimée épouse de mes douleurs, le jour béni de mon Père[18] est celui qui doit t'apporter une immense joie et des grâces en abondance, fruits de tes *oui*.

Je suis ton Dieu d'amour en qui tu as mis toutes tes complaisances et à qui tu as donné tous tes biens. Je suis ton être tout entier qui est dans tes veines et tes membres qui seront bientôt ensanglantés par ma Présence. Toi, ma douceur de mes souffrances, je me languis de toi. Tous verront ce que moi j'ai accompli en toi. Tu seras ce que moi je veux.

Je suis celui qui veut les sauver malgré leur incrédulité, leur modernisme. Beaucoup souffriront de ne pas m'avoir tout donné, mais je les consolerai par ton regard rempli d'amour pour ton Dieu. Ô Trinité sainte, tu as jeté un regard sur ce monde en péril et tu as cherché et trouvé celle qui se donne sans retenue par amour pour moi. Je suis le seul qui est l'Amour, moi, votre Jésus d'amour.

Ne cherchez donc pas votre plaisir dans des chants et des rythmes qui engourdissent votre écoute. Ce sont des chants de louanges qui remplissent votre intérieur dont vous avez besoin, non des chants qui produisent en vous des tiraillements vous conduisant à la débauche.

Comme c'est beau des chants d'amour à la Trinité, à la Vierge Marie! Vous qui me donnez tout, cela vous rend douceur et vous rend complaisants envers votre prochain. Je ne vous procurerai que du bien afin que vous vous donniez à vos semblables. La musique est un langage d'amour qui plaît à ceux qui l'écoutent.

Mes enfants, je vous aime; redites-le-moi souvent en chantant. Apprenez de moi que je suis Douceur et Mélodie. Je suis celui qui aime ce que vous aimez dans l'harmonie. La musique m'est si agréable que mes anges du Ciel font sans

---

18. Le jour que mon Père a fixé pour la venue de son Fils en toi.

cesse des harmonies de louanges qui remplissent l'air de chants d'amour. Sans ces harmonies, le Ciel ne serait qu'ennui et platitude, ce qui n'existe pas au Ciel.

Ici, au Ciel, tout est en harmonie d'amour : chants, verdure, arbres, plants de toutes sortes, rochers, montagnes. Les fleurs y sont en abondance. Les cours d'eau, en plein essor de communication avec les arbres qui scintillent dans la rosée du jour. La nuit, ça n'existe pas ici. Tout est lumineux.

Je suis l'Amour qui est en toute chose. Je suis le Créateur de tout bien. Une harmonie de chants sans fin rend l'âme en état d'extase. Tout est en harmonie avec la douceur du temps. Ce temps est sans fin. Aucun mal ne peut être en nous. L'amour est notre seul sens. Ce sens est amour sans fin. Je suis heureux; vous êtes heureux. Tout est dans un tel état d'amour que seul un être d'amour parfait peut le comprendre.

Mes enfants, faites le bien et vous verrez que tout a été préparé pour vous. Ce lieu de délices, c'est pour vous seuls qu'il a été créé. Mon Père, mon Saint-Esprit et moi, nous nous suffisons à nous-mêmes. Nous sommes Essence d'amour. Nous sommes omnipotents.

Mes enfants, soyez des êtres de louanges. Les chants sont si beaux que mon Coeur se gonfle de joie quand ils montent vers nous. Bénis de mon Père, je vous aime. Aimez-moi et je vous donnerai ce qui vous est dû : l'amour, cet amour qui vous donnera le bonheur éternel, votre bonheur.

Mes enfants chéris, comprenez bien : en vous ce bonheur peut exister dès maintenant sur votre terre. Soyez des êtres prévoyants et je vous donnerai les moyens d'atteindre le bonheur du Ciel. Mes enfants, je vous aime; aimez-moi. Je suis votre Tout-Puissant qui peut tout pour vous. Signe-toi, ma bien-aimée douceur de mes plaies. Amen.

Ne soyez pas compliqués.

Ma bien-aimée, joie de mes plaies, ne sois pas surprise que j'associe le mot *joie* au mot *plaies*. J'ai ressenti de la joie en pensant à mes enfants chéris qui découvriraient combien ma joie est grande de voir mes choisis s'extasier devant mes plaies. Leur beauté et leur puissance consolent mes enfants qui souffrent d'être loin de moi.

Je suis si heureux de voir combien est grande ta joie ce matin de voir ces flocons immaculés descendre du ciel. Ils voltigent comme des papillons au gré de la brise qui les caresse. Tout est si beau et si simple quand votre regard s'arrête sur mon Oeuvre. Beaucoup sont plongés dans la torpeur en pensant à leurs travaux de déneigement.

Mes enfants, vous voulez tout avoir, sinon... Pourquoi vouloir tout contrôler? Tout est si clair! Si vous vouliez laisser votre côté obscur et voir votre côté pur!

Regardez les enfants! Comme ils sont heureux de jouer dans la neige! Je sais, mes enfants, que vous devez partir à la hâte le matin pour votre travail. Ce travail, mes enfants, c'est vous seuls qui le voulez ainsi. Vos patrons se sont accaparés de vos *oui* et les ont échangés contre de l'argent. Vous êtes devenus une monnaie d'échange.

Mes enfants, tout pourrait changer dans la simplicité : plus de voiture luxueuse, plus de linge à n'en plus finir, plus de restaurants qui prennent la place du regroupement familial autour d'une table simple, en bonne compagnie. Si tous y mettaient un peu du sien, ce serait la fête. Mes enfants, regardez vos maisons! Comme il est grand le temps qu'il vous faut pour les rendre propres. Elles sont si grandes que vous vous fatiguez seulement qu'à les regarder. Votre souci excessif de propreté vous met souvent en compétition avec vos voisins.

Tout est si compliqué pour vous! Regardez dehors. Aujourd'hui, la neige est immaculée. Tout est si beau, si pur, si simple! N'aimeriez-vous pas vous amuser en la maîtrisant dans les rires, le calme et l'acceptation de cette blancheur qui descend du ciel?

Oh! mes enfants, retrouvez vos coeurs d'enfants et vous y trouverez des joies à l'infini. Ne prenez pas orage[19] à ces mots, je sais ce que je dis. Vous, mes enfants, vous vous êtes enlisés dans votre soi-disant merde blanche que vous seuls avez inventée avec votre stress. Ne cherchez pas ailleurs, tout est en vous.

Moi, mes enfants, l'auteur de cette blancheur, votre Créateur, n'ai-je pas fait des chefs-d'oeuvre en vous créant? Ne suis-je pas capable de faire aussi la même chose avec votre quotidien? C'est moi, votre Dieu d'amour, qui ai tout créé. Toute simplicité est mon oeuvre. Les complications sont issues de vous dans vos désirs excessifs.

Je vous aime, mes enfants. Ne soyez pas étonnés de ce que ce mot *amour* revienne sans cesse. Vous êtes si durs avec vous-mêmes. Moi, je suis obligé de me répéter très souvent. Je vous aime, mes enfants chéris. Aimez-vous simplement. Ne cherchez pas ailleurs pour votre bonheur, tout est en vous. Abandonnez-moi vos soucis, vos besoins, vos manquements. J'en ferai mon affaire.

Je suis le Tout-Puissant. N'ayez pas des idées toutes faites, il s'y glisserait trop d'erreurs. Regardez-vous; vous courez si vite que vous trébuchez sans cesse. Et vous êtes prêts à tout mettre ça sur mon dos. Au lieu de mettre ça sur mon dos, donnez-le-moi et je vous montrerai mon amour pour vous. Aimez-moi mes enfants. Je vous aime, moi. Signe-toi, ma belle enfant de mon Coeur, elle est si belle ton âme. Je t'aime. Amen.

42 – 22 mars 2001   **Jésus**

Soyez des êtres simples.

Mon enfant bien-aimée que j'aime, vois comme le monde moderne a oublié la simplicité. Mes enfants, tout ce que vous

---

19. Ne vous mettez pas en colère.

faites n'a qu'un but : tout vous approprier afin d'avoir un contrôle total sur vous-mêmes, sans penser que tout est en vous. Vous n'avez pas à chercher ailleurs qu'en vous. Tout est là, à l'intérieur de vous. Le bonheur est en vous. Ne vous compliquez donc pas la vie !

Vous êtes des êtres si simples ! Vous cherchez dans les livres des méthodes de bonheur. Les recettes du bonheur sont en vous. Il s'agit de se laisser aimer par votre prochain, sans vous soucier de toujours être performants pour bien paraître. Soyez donc ce que vous êtes : des êtres remplis d'amour. Tout ce qui est compliqué n'a qu'un seul but : embrouiller votre existence. Cette existence peut être si simple, si vous le voulez.

Mes enfants, soyez des êtres d'amour prêts à rendre service aux autres. En échange, les autres vous rendront des actes de reconnaissance en étant simples eux-mêmes. Tout est dans la simplicité.

Depuis des siècles, l'homme se donne des airs de grandeur en voulant paraître meilleur que les autres. Cela, mes enfants, vous amène toujours à trouver des meilleurs que vous, et vous restez sur vos gardes sans faire valoir vos propres qualités. La confrontation pourrait être évitée si vous restiez tels que vous êtes : des êtres bons et honnêtes, remplis de simplicité.

Je suis à la recherche de l'être bon, simple, qui veut se remplir d'amour pour devenir amour, en étant ce qu'il est, foncièrement bon envers lui-même. Tout ce que vous avez à faire est de demeurer tels que vous êtes, des êtres simples. Mes enfants chéris, venez vers moi ; je suis simple, sans artifice. Tout en moi est lumière, rien de compliqué ; vous ne trouverez en moi que simplicité.

Mes amours, je vous aime. Est-ce compliqué pour vous l'amour ? Ne soyez pas téméraires. Je suis l'être le plus simple ; je suis fait d'amour. Mes enfants, est-ce que vous voulez connaître le bonheur ? Alors, cessez de compliquer votre vie ; elle est d'une clarté si évidente ! Découvrez à quel point tout est dans la simplicité. Allez vous regarder dans votre miroir : à l'intérieur de vous, tout est là. Je vous aime et je ne veux que votre bien. À vous seuls de choisir votre bonheur là où il est, en vous.

Mes enfants chéris, soyez bien à l'aise avec vous-mêmes. Moi, je suis l'Amour, votre Jésus d'amour qui vous attend en vous. Je vous donnerai ce qui est si simple : l'amour. Je suis tout amour. Je suis un océan d'amour; venez vous y plonger. Je suis tout à vous, mes enfants de simplicité.

Signe-toi, ma bien-aimée. Je t'aime parce que ta simplicité t'a conduite à l'Amour. L'Amour t'aime. Aime l'Amour. Je t'aime, ma douceur de mes plaies. Amen.

43 – 23 mars 2001   Jésus

Venez à l'appel de mon Coeur.

Ma bien-aimée enfant de ma douceur, c'est si agréable de t'avoir à mon écoute. Combien d'enfants seraient heureux s'ils étaient à l'écoute de leur coeur. Ils trouveraient la réponse à leurs problèmes qui briment leur amour envers moi et leurs proches. Ils sont si sourds qu'ils n'entendent pas mes appels. Je suis celui qui sait attendre en eux.

Vous, mes choisis, vous êtes des êtres de ma Chair et de mon Sang,[20] vous êtes ancrés en moi. Telle la marée qui monte, vous vous laissez bercer par ce flot d'océan qui envahit tout votre être à l'appel de mon Coeur dans votre coeur. Vous êtes liés par l'amour. Cet amour se berce en vous.

Je vous remplis de bienfaits qui vous comblent, sans que vous réalisiez que tout vient de moi. Vous êtes comblés en moi lors de la sainte communion. Je suis un Pain de vie, de joie, de bonheur en chacun de vous. Mes enfants, je suis votre

---

20. Vous êtes de moi. Quand vous communiez, vous recevez mon Corps et mon Sang. Je vis en vous avec tout mon Être. Par ma Présence en vous, vous devenez moi. C'est ma sainte Présence qui vous transforme. Vous n'êtes plus vous, vous devenez par moi ma Chair et mon Sang. C'est moi qui fais que je me propage en vous.

seul bien, votre seul bonheur. Tout est en moi. Je suis celui qui est en vous.

Mes petits amours, moi, votre Amoureux, je me languis de vous. J'ai si hâte de vous sentir en moi. Dès l'instant où le prêtre me donne à vous, tout mon Être frémit de joie. Pourquoi ce détour, mes enfants? Mes enfants, je ne vous condamne pas. Oh! non, je vous aime trop! J'ai, moi, trop d'égards pour vous. Moi, Jésus-Hostie, je suis avec vous, en vous. Mais voyez-vous, moi, Jésus, je suis Roi. J'aime qu'on me prenne avec tous les égards dus à un Roi. J'ai créé la terre. J'ai donné ma Vie pour vous donner la vie éternelle.

Je suis le Fils de Dieu vivant. Je suis le pur Enfant de Dieu. Tout en moi est si pur que même ma Mère ne me touchait qu'avec un respect sans égal. Quand ma Mère me recevait par la communion, elle se mettait à genoux et c'est sur sa langue que l'un de mes saints fils me déposait. Tout en elle recevait l'Amour, son Dieu, son Fils.

Mes enfants, quand vous me recevez, je suis le même que celui que ma Mère recevait, le même Dieu. Si elle se mettait dans un état de respect, vous, mes bien-aimés, pourquoi ne pas suivre son exemple? Mes enfants, un jour, vous me recevrez comme ma Mère. Moi qui vous aime, lisez ces écrits. Vous recevrez des lumières. Je suis l'Amour qui vous aime et qui vous veut à lui pour l'éternité.

Oui, mes enfants, quand le prêtre me donne à vous avec sa main que j'ai consacrée, vous me faites attendre en me prenant dans votre main non consacrée.

Vous recevez mon saint Corps. Je suis Jésus-Hostie qui se languit de se sentir sur sa patène qui est votre langue. Dès que votre langue reçoit mon Corps et que je sens votre haleine sur moi, je tressaille de joie. Je suis tout à vous, entièrement à vous. Mes enfants chéris, venez doucement à moi et je vous montrerai comment me recevoir avec amour et bonté, dans un élan d'amour pour moi. Je ne veux pas vous brimer en disant cela.

Je suis votre seul bien-être. Comprenez que je ne veux pas vous brusquer. Je sais que certains d'entre vous n'ont pas choisi cette mauvaise habitude. On vous l'a tout simplement donnée. Ceux qui communiaient sur la langue, ont délaissé cet acte d'amour pour faire comme les autres.

Mes chéris, moi, l'Amour, c'est avec douceur que je vais vous montrer qu'il n'y a pas de mal à me recevoir sur la langue. Cela m'est si agréable! Ne pouvez-vous pas être des enfants qui veulent tout faire pour leur Jésus d'amour? Je suis si bon envers vous! Je vais attendre, encore et encore, sans me lasser, jusqu'à ce que vous vous décidiez à me recevoir, par amour et dans l'amour, sur ma patène.

Mes enfants de la Lumière, vous qui m'aimez, ne pouvez-vous pas être des exemples pour mes enfants? Ils ne savent même pas que ce que je demande a toujours été et sera toujours comme je l'ai demandé à mes apôtres.

Mes enfants, je vous demande de comprendre cet acte d'amour. Il a été instauré au moment où mes apôtres réunis autour de moi ont entendu mes paroles : « *Prenez et mangez, ceci est mon Corps livré pour vous; faites ceci en mémoire de moi.* » De même, j'ai dit : « *Prenez et buvez, ceci est mon Sang versé pour vous et pour la rémission des péchés; faites ceci en mémoire de moi.* » Ils ont vu par ces signes ma Présence en eux.

Ils n'ont pas compris que je devais mourir sur la croix pour ensuite ressusciter afin qu'ils aient en eux ce pain et ce vin, signe de mon Alliance d'amour éternelle qui se perpétuerait à chaque fois qu'un prêtre consacrerait le pain et le vin. Ils ont tous reçu le pain et le vin de moi, Jésus. C'est moi-même qui l'ai distribué.

Je les ai consacrés ce soir-là. Moi seul pouvais le faire. Ils devinrent prêtres par ma Présence auprès d'eux. Seuls les prêtres peuvent distribuer le pain et le vin à mes enfants comme moi je l'ai fait à la dernière Cène. Tous reçurent le Saint-Esprit au cénacle. Ils reçurent en eux la Lumière qui leur ouvrit les yeux pour qu'ils sachent qu'ils étaient choisis pour perpétuer mon saint sacrifice. Mes enfants, recevez de la main de mes prêtres mon Corps et mon Sang. C'est moi qui me distribue par ces mains que j'ai consacrées moi-même.

Mes enfants, ce qui est écrit, c'est moi, votre Jésus, qui le dicte à ma bien-aimée enfant des douleurs. Ne soyez donc pas des incrédules. Voyez par vous-mêmes ce que j'ai fait en elle et vous me reconnaîtrez.

Ma fille, ce qui est écrit te servira un jour. Tu le montreras au Père C. et, quand le temps que moi seul j'ai choisi sera venu, il ne sera pas surpris. Signe-toi, ma douce plaie. Je t'aime. Amen.

44 – 23 mars 2001   Jésus Amour

Mon Église est moi, moi, vous.

Ma tendre aimée de ma douleur, toi qui as tant aimé ton mari, n'aie pas cette douleur qui se grave en toi. Cet enfant est tout à moi, il est tout en moi. Mes enfants, j'ai tant aimé le monde que tout mon Être souffrit le martyre pour vous ouvrir mon Corps afin que vous soyez en moi pour la vie éternelle. Cette vie qui est en lui s'est fondue dans la mienne.

Je suis l'Église, elle est en moi, elle est mon Église. Nous ne formons qu'un. Je suis la Tête, elle est mes membres. Je suis la Vie de mon Église. Quand un seul de mes enfants vient au monde, il vit en moi, se meut en moi. Je suis la Vie de sa vie. S'il meurt sur la terre, il continue de vivre en moi par ma Vie. Aucun enfant ne meurt, car il est ma Vie. Chaque enfant est membre de mon Église.

Ton mari est vivant. Il est en moi, je suis en lui, il est membre de mon Église pour l'éternité. Mon Église ne meurt pas sur cette terre : au Ciel, elle continue à jamais, elle est mienne pour toujours.

L'Église est moi, moi, elle. Je suis ses membres. Je suis elle comme elle est moi. Nous sommes ensemble dans une seule unité. Tout est en moi, rien ne peut nous désunir. Je suis la Tête de mon Église. La Tête est le moteur. Je suis le membre qui donne vie à ses membres. C'est moi la partie principale de mon Église. Les prêtres sont mes membres actifs qui oeuvrent auprès de mes enfants. Mes enfants sont mes membres.

Tous ont le même rôle : amener mon amour à tous pour que tous soient nourris de mon Être. Quand un seul de vous est inerte, tous mes membres sont en action pour que ce membre reçoive mon amour. Je suis la Tête qui donne à chacun de vous sa Nourriture que je vous fais distribuer par mes membres actifs. Tous, vous avez de l'importance. Vous êtes tous en moi. Pas un seul membre ne m'est inconnu. Je vous aime tous. Vous êtes tous membres de mon Corps mystique.

Vous, mes enfants, vous êtes en moi, moi, la Tête, vous les membres. Nous sommes l'Église vivante. Même si un de mes membres meurt sur cette terre, il est quand même là avec moi sur cette terre; il vit en moi. Je suis le Membre Moteur de l'Église. C'est moi, Jésus, qui fais vivre l'Église. Elle est en moi. Je la porte. Je suis venu sur cette terre pour fonder mon Église.

Quand je suis venu sur la terre, j'ai rassemblé mes saints apôtres, premiers membres de ma sainte Église. Tous ceux qui ont cru en moi et qui croiront en moi forment mon Église. Mon Église, mes enfants, ne meurt pas, elle est éternelle. Tous ceux qui meurent en moi ont la vie éternelle. Ils sont en moi.

Quand une âme quitte son corps, c'est pour aller vers le royaume de mon Père. Là où est mon Père, là je suis. L'âme ne peut venir au Ciel si elle n'est pas pure comme moi je suis pur. L'âme connaît son amour pour moi, pour mon Père et pour le Saint-Esprit. C'est l'âme qui choisit de se purifier dans un feu d'amour pour qu'elle devienne exempte de toute impureté. Si elle n'est pas pure, elle ne peut nous atteindre au Ciel; son état ne le permet pas. C'est elle qui accepte par amour sa purification.

Moi, je suis l'Église mystique. Après avoir été purifiée, l'âme atteint la pureté de mon Être, elle est à mon image. L'âme aime son Dieu Amour. Elle veut se donner à son Amoureux pour l'éternité. Elle fait partie de moi. Je lui donne des forces d'amour pour se purifier. Son amour pour moi est si fort que, sans mes grâces, elle souffrirait extrêmement. Moi, son Amoureux, j'aime la consoler.

Dans son acceptation de se laisser purifier, l'âme ne peut avoir de contact avec ses âmes soeurs qui sont au Ciel, dans le Royaume de mon Père. Les âmes du purgatoire ne peuvent recevoir des consolations que par moi qui prend vos prières et les change en consolations pour elles. Elles font partie de moi, l'Église mystique. C'est moi, le Membre Moteur qui distribue mes grâces. Je suis avec les âmes du purgatoire d'une façon différente d'avec mes âmes du Ciel.

Ces dernières sont en moi. Elles forment l'amour divin de mon Être. Voyez-vous, mes enfants, ces âmes sont pures. Elles sont d'une telle intensité d'amour que leur état n'est qu'amour pur pour leur Dieu. Tout d'elles est divin par moi, l'Amour. Elles vivent dans l'amour pur de mon Être. Rien n'est plus grand que cet état. Toutes ces âmes sont en moi. Je suis pour elles une source d'amour pur si sublime qu'elles en sont continuellement ravies. Elles ne peuvent se séparer de moi, leur Dieu. Je suis elles; elles sont moi, par l'Amour.

Mes enfants, quand je vis en vous, c'est que vous vivez en moi. Vous êtes tous en ma Présence. Ton mari, ma bien-aimée, est au Ciel, au Royaume de mon Père. Je suis Dieu omniprésent. Il vit en moi. Je vis en lui. Moi qui suis avec toi, j'ai ton mari en moi. Je t'ai aussi en moi.

Je souffre de ne pas vous avoir tous en moi car, de mes enfants choisis, certains refusent la vie éternelle. Ils sont arrachés de moi et tombent dans l'abîme, là où ils ne font plus partie de mon Corps mystique. Personne ne meurt que s'il veut mourir en refusant de vivre en moi. Je ne puis laisser mourir un de mes membres. Quand vous me donnez votre consentement, je vous suis reconnaissant pour votre *oui*. Ce *oui* que vous refusez de me donner, mes enfants, ne peut que vous faire mourir à jamais. Je suis la Vie. Moi seul peux vous donner la vie.

Mes chers enfants, tout cela semble compliqué pour vous qui ne connaissez pas la théorie de ce qu'est l'Église. Cette théorie, que l'on nomme *archéologie messianique*, est la recherche de ce qu'était mon Église dès le début du monde. Ne cherchez pas à comprendre cette théorie. Elle vous entraînera vers une autre qui, à son tour, vous entraînera vers une autre. Cela vous étourdira, car vous ne pouvez tout apprendre.

Mes petits enfants, laissez-vous instruire par la simplicité de mes messages. Je suis seul à vous connaître tels que vous êtes : des êtres simples en moi. Tout n'est que de moi, mes enfants. Je suis le seul bien qui est en vous. Ne cherchez pas ailleurs, mes petits enfants. Comme cela vous semble compliqué de vous laisser aller dans mon Coeur, qui est si simple !

Je suis l'eau qui s'écoule entre vos mains sans que vous puissiez la retenir. Je suis le Tout et vous, vous faites partie de mon Tout. C'est si simple, si simple ! Ne cherchez pas, vous êtes moi. Mes enfants, cette Église que j'ai moi-même bâtie, je l'ai faite à mon image. Vous êtes mon image, en laquelle je me mire, et vous, vous êtes moi, en qui vous vous mirez.

Soyez, mes enfants, tout à moi, rien qu'à moi. Je vous guide et vous guiderai toujours sans rien attendre de ce que vous ne pouvez me donner. Je suis votre Amour. C'est tout l'amour du monde que je porte. C'est vous, mes enfants que j'aime à la folie ! Je vous aime et ma Vie est amour. Signe-toi, ma bien-aimée. Je t'aime, toi qui es moi, et moi toi dans la Divine Volonté. Amen.

45 – 24 mars 2001   Jésus

Soyez des membres actifs.

Ma bien-aimée fille de ma joie, oui, aujourd'hui, tout est joie. Mon Coeur pleure sans cesse à cause de mes enfants qui oublient que j'existe. Je pleure sur eux. Mon enfant d'abandon à mes douleurs, je t'aime et je suis en extase de joie devant ta peine de voir mon visage qui exprime ma douleur. Toi, tu portes ton regard sur mon visage : la Sainte Face. Je suis heureux que tu prennes le temps de me regarder.

Je t'aime, tu sais, ma bien-aimée. Signe-toi, cela augmente ma joie; par ce signe, tu m'apportes joie et consolation. Ma croix s'imprègne en toi, ma douceur. Je suis l'Être de douleurs. Vous, mes enfants, vous pouvez m'apporter votre amour qui se soudera à mon amour pour vous; ainsi, vous m'apporterez des consolations.

Mes enfants, aujourd'hui, votre Maman du Ciel est si heureuse ! Toute la cour céleste honore sa présence parmi nous, c'est la fête dans le Ciel. Cette fête est célébrée chaque samedi par vous, mes enfants, qui priez votre Maman du Ciel afin de lui rendre gloire. Mes enfants, comme mon Coeur est plein de joie de vous voir ainsi aujourd'hui ! Cette journée est joie aussi pour vous, mes enfants. Des grâces spéciales vous sont accordées en ce jour de la semaine. Cette journée est si importante que je suis en joie.

Mes amours, comme l'Amour est dans la joie quand vous vous réunissez en famille, dans ma famille, dans mon Église ! L'Église est ma demeure. Vous, vous êtes ma demeure. Je vis en vous, mes enfants. Ne soyez pas surpris que je m'installe en vous pour l'éternité. Ne suis-je pas le Tout-Puissant ?

Combien de mes enfants ne savent pas qu'ils sont membres de mon Église. Les prêtres sont mes enfants qui apportent par leur sacerdoce la Nourriture bénie aux enfants qui ont soif de moi. Ils sont, par moi, des membres actifs de mon Église; c'est moi qui leur confère ce pouvoir. Ils sont, par moi, des membres consacrés qui donnent à manger à mes enfants qui ont faim. Ceux qui ont faim, c'est vous, mes enfants, vous qui venez me recevoir dans la sainte Eucharistie. Vous êtes mes membres. C'est moi qui vous nourris. Je suis la Nourriture. Mes membres actifs, ce sont mes saints fils qui produisent par moi des oeuvres dans mon Église. Vous mes enfants, qui faites partie de mon Église, vous avez besoin de vous nourrir de ma Présence.

La Nourriture, c'est moi, mes enfants, dans la sainte Eucharistie. Combien en ignorent l'importance! Ils se meurent de faim; ils sont pires que les enfants du Tiers-Monde; eux savent qu'ils n'ont pas de nourriture. Vous, mes enfants, vous ignorez que la nourriture qui vous manque, c'est moi. Vous devez avoir avec vous ces écrits, qui sont pour vous, mes bien-aimés.

Ma fille, continue à écrire pour ton Jésus d'amour qui se meurt d'amour pour ton prochain. Tes frères et soeurs que tu m'amènes chaque jour me sont si agréables que tu me donnes un avant-goût de leur *oui* à tous.

Toi, continue à me donner; donne, donne. Je t'aime, ma douceur de mes plaies. Aime-moi. Signe-toi. Ton Jésus d'amour qui te veut tout à moi, en moi, pour moi, avec moi. Je t'aime. Signe-toi. Amen.

46 – 24 mars 2001   Le Saint-Esprit

Mes amours, je suis tout en vous.

Mes bien-aimés de mon amour, je vous aime. Je vous garde en moi. Vous êtes le sel de la terre. Je suis le Saint-Esprit qui parle en cette enfant. Elle est à moi. Tout d'elle est en moi. Je vous parle par elle. Je suis sa lumière, elle est mienne. Je suis tout à elle. Je sais, mes enfants, que vous êtes à mon écoute par elle. Je vous aime, mes enfants.

Reste avec moi, ma bien-aimée, je t'aime. Tous ces enfants sont remplis de moi. Mon Esprit les enveloppe de ma lumière. Ils se remplissent de mes paroles qui sont les paroles de mon Être, Esprit de foi, Esprit de croyance en mes paroles. Mes enfants, vous êtes mes enfants de lumière qui éclairent les nuits de vos frères endormis dans leur entêtement.

Je suis celui qui vous procure la joie. Rassemblés autour de moi, en l'Esprit, je dépose en vos coeurs des grâces de lumière. Mes enfants de ma joie, restez à mon écoute. Je suis le Saint-Esprit qui vous couvre. Je suis la lumière de votre âme.

Je suis la Puissance qui éclaire votre intérieur. Je vous donne la joie d'être avec moi autour de mes apôtres et de Marie, Mère de Jésus. Mes enfants, par ma toute-puissance, je fais descendre en vous des grâces d'abandon à la Divine Volonté. Je suis si puissant, mes enfants, qu'à ce moment même, vous êtes présent par moi autour du cénacle au jour de la Pentecôte.

Je suis omniprésent. Seul Dieu à ce pouvoir. Moi, le Saint-Esprit, j'ai ce pouvoir de vous amener en moi où tout est puissance. Vous vivez en moi. Mes enfants, Dieu le Père, Dieu le Fils et Dieu le Saint-Esprit ne font qu'un. Nous sommes uniques. Nous avons tous le même pouvoir. Recevez des grâces de lumière qui vous font voir ma grandeur.

Mes enfants, comme j'aime vous voir ainsi rassemblés autour de ma table! Cette Cène, mes enfants, elle est en moi. C'est moi qui vous rassemble autour de ma Mère qui a rassemblé autour d'elle mes apôtres. Mes enfants, par moi, vous êtes présents autour de ma Mère. Des grâces se déversent en abondance en vous. Mes enfants de ma joie, restez autour de moi et je vous comblerai de ma joie que je donne gratuitement.

Mes enfants, comme est grande votre foi, vous qui vous donnez à moi! Je suis en vous, mes enfants de ma lumière. Vous, les lanternes des jours de noirceur, restez sur le perron de ma maison. Je vous donne ce pouvoir d'attirer à vous mes enfants qui errent dans la nuit qui s'achève. Je vous bénis, mes enfants de la Lumière. Je vous aime. Signe-toi, mon enfant de ma joie. Amen.

47 – 24 mars 2001   **Ton Jésus Amour**

Mon Paraclet, source de joie.

Ma fille bien-aimée, ce que j'aime est très simple : que tu sois abandonnée à ma Divine Volonté. Vous, mes enfants chéris, je vous aime pour votre petitesse. Vous êtes mes choisis.

Votre monde est celui qui recevra mon Esprit Saint. La grande Pentecôte annoncée est pour vous, mes enfants. Soyez dans l'allégresse, vous qui vivrez cette grande mouvance.

L'Esprit Saint descendra sur vous et vous envahira de sa sagesse, de sa force, de son amour. Cet amour sera en chacun de vous qui vivrez en moi. Mes enfants, quand je suis parti pour aller vers mon Père, j'ai envoyé l'Esprit Saint à mes apôtres, fondateurs de mon Église, votre Église, qui se répandit de l'orient à l'occident.

Mes choisis, soyez toute joie. Vous recevrez le Paraclet qui habitera en vos coeurs comme une marée qui montera et ne pourra s'arrêter de vous envahir. Je suis celui qui est en vous par mon Esprit d'amour. Il est mon Esprit Saint. Nous sommes un en Dieu. Nous ne formons qu'un, nous, la Trinité sainte.

Mes enfants de ma foi, croyez en votre *oui*, ce *oui* qui donne pouvoir à l'Amour. L'Amour est en vous, vous qui vivez pour moi, votre Jésus d'amour. C'est avec simplicité que je vous démontre que vous pouvez tous atteindre le Ciel en vous aimant les uns les autres, comme moi, l'Amour, je vous aime sans vous changer.

Mes enfants, aimez-vous tels que vous êtes et vous verrez qu'il sera facile d'accomplir ce que vous êtes appelés à faire : le bien. Aimez faire ce qui est bon. La bonté n'a pas son égal, elle est tout en moi et, jusqu'à la plus petite parcelle de moi, tout est bon. Je suis la Bonté. Ma saveur a le goût du miel, rien d'amer n'est en moi.

Vous, mes bien-aimés, aimez ce qui est bon pour vous. Je suis celui qui ne veut que votre bien. Ne soyez pas amers envers votre prochain, il est moi; je suis en lui, je le nourris de ma Présence.

Ne pouvez-vous pas être des êtres de bonté? Mes enfants d'amour, donnez-vous les uns aux autres comme nous, nous nous donnons. Toute cette bonté qui se dépose en vous vient de nous. Cueillez-la comme on cueille des fruits. Les fruits sont mon Oeuvre. L'Esprit Saint qui vous donne ses fruits, c'est moi aussi. Moi, je suis dans l'Esprit Saint et l'Esprit Saint, c'est moi. Nous, dans le Père, nous sommes unis, inséparables.

Mes enfants, soyez unis comme nous, nous sommes unis, dans l'Amour, par l'Amour, avec l'Amour. Je vous aime. Nous vous aimons. Rien ne peut venir seul. Moi seul peux vous donner tout. La Trinité, c'est nous, c'est moi. Mes enfants, nous sommes un. Je vous aime, aimez-moi. Mes enfants, l'Esprit Saint est mon Paraclet, paroles de ma Vie, Vie de mes paroles en chacun de vous.

Amours, ne soyez pas incrédules, laissez-vous aimer et c'est tout. Dites *oui* et moi, je ferai tout pour vous cueillir dans mes mains. Je vous porterai à mon Père et l'Esprit Saint vous couvrira d'amour éternellement. Mes enfants, qu'attendez-vous? Venez, venez, je vous aime. Signe-toi, ma douce plaie de mes plaies. Je t'aime. Amen.

48 – 25 mars 2001   Papa du Ciel

Vivez en nous.

Ma fille bien-aimée de ma tendresse, je t'aime. Dans la Divine Volonté, tu es moi. Nous nous complétons dans une harmonie d'amour. Tout en nous forme un tout avec tous les enfants de la terre entière. Je t'aime, ma fille, tu es belle en mon Fils Jésus. Écoute-le.

Je suis ton Père qui t'aime. J'ai mis en toi de la tendresse qui vient de ma tendresse. Je te nourris de moi. Je suis en mon Fils Jésus-Christ, mon Enfant en qui j'ai mis toutes mes complaisances. Je suis en l'Esprit Saint qui est mon doigt. Toute puissance vient de moi.

Ma tendre enfant, comme j'aime ton obéissance à nos appels! Ton amour grandit en nous. Tu es un instrument d'amour qu'il nous plaît d'utiliser par nos élans d'amour. Nous te portons sur nos Coeurs. Tes élans d'amour pour tes frères et soeurs nous ravissent. Tu es ma douce que j'aime nourrir de mes grâces. Ta Mère, maîtresse de ta formation, se réjouit de tes prouesses envers nous.

Ma bien-aimée fille des douleurs de mon Fils, sois bénie de ton Père du Ciel. Tu es ce que nous voulons que soient tous les enfants de la terre : joie, bonheur, tendresse. Ce que nous attendons d'eux, c'est qu'ils soient joie, bonheur, tendresse pour chacun.

Mes enfants, voyez comme ils s'aiment ceux qui vivent en nous ! Mon Fils, mort pour vous, vous offre le bonheur en échange de vos regrets sincères. Venez à moi, mes tout petits enfants, c'est votre Papa du Ciel qui vous aime qui vous le demande. Je vous aime tendrement.

Ma bien-aimée fille, signe-toi. Moi, ton Papa du Ciel, je t'aime et te bénis *au nom du Père, du Fils et du Saint-Esprit, avec ta Maman du Ciel qui est toujours avec nous.* À bientôt, ma belle enfant que j'aime. Amen.

49 – 26 mars 2001   Jésus

Noyez-vous dans mon amour.

Ma très chère enfant de mes douleurs, bientôt, le temps s'accomplira où tout brillera de ma Présence en vous. Combien peu me connaissent ! Ils ignorent ma Présence en eux.

Je suis l'Être qui sème le grain qui pousse en eux. L'amour est ma semence. C'est dans l'amour que doit germer ma semence. L'amour en ressortira grand et fort, comme les gerbes de fleurs au soleil qui demeurent en fleurs sous les vents et les tempêtes : rien ne se fane. Sous la montée de la sécheresse présente en vous, vous êtes sans fleur ni eau. Vous êtes si vides sans moi !

Mes enfants, regardez ce qui arrive à ceux qui se noient dans mon amour. Tout fleurit en eux. Autour d'eux, plus de pleurs, plus de peines, que de la joie ! Je suis l'Amour qui les fait rire et vivre dans la joie. Je suis l'Être de force. Cet Être est moi ; je suis la Force. Je suis celui qui fait germer les fleurs qui enjolivent vos vies. Mes enfants, que tout soit beau autour de vous. Vous êtes tous appelés par la Beauté.

Croyez-vous que vous pouvez trouver de la joie dans le désert de votre coeur? Non, tout y est si aride! Il n'y pousse qu'inquiétudes, stress, soucis. Vous les cultivez dans vos déserts et vous vous demandez: «Pourquoi vivons-nous? À quoi sert tout ça si nous ne vivons que pour ça?» La vie vous semble si noire, si fade. C'est que vous êtes en état de sécheresse où rien ne peut pousser. L'amour ne peut être en vous si vous ne voulez pas vivre dans l'Amour.

Moi, mes enfants, je suis l'Amour qui est en vous. Nourrissez-moi avec vos *oui* et je ferai jaillir en vous des fleurs de joie et de bonheur. Vous trouverez que ça vaut la peine de vivre et vous serez des êtres remplis de joie où tout sera amour autour de vous; vous serez bien. Laissez-moi vos soucis. Dites que je suis en vous et que vous voulez me donner votre *oui*.

Ah! mes enfants, je vous aime. Aimez celui qui vous aime. Je suis la semence qui vous a tout donné. Je suis le Semeur qui est l'auteur du bonheur qui est en vous.

Aimez celui qui vous aime. Aime-moi, ma tendre fille, toi qui es en moi, moi en toi. Ma fille de mes douleurs, je t'aime et je veux tes *oui* d'abandon. Aime-moi. Signe-toi. Amen.

50 – 26 mars 2001   Ton Jésus Amour

Écoutez votre coeur,
c'est moi qui vous parle.

Ma fille de mes douleurs, quoi que disent ou fassent tes amis, rien ne peut remplacer le dire, le faire de ton Dieu. Je suis celui qui est, qui était, qui sera. Je porte en moi la vérité. Je sais ce qu'il y a de meilleur en vous. Tout est en moi. Merci, ma fille, de venir à moi pour savoir les réponses à tes doutes.

La messe est une cérémonie sainte. Les soirées de ton groupe de prières sont des soirées de grâces. Toutes ces grâces sont versées par moi. Je suis celui qui ne vous veut que du bien. Mes enfants, quand l'un d'entre vous me demande une réponse, je l'éclaire par mes écrits, par mes enfants qui le côtoient ou par des faits qui lui donnent une réponse. À vous, mes enfants, d'écouter votre coeur; il vous parlera par ses signes.

Je t'aime, mon enfant. Sois-moi toujours docile, aime-moi, je t'aime. Prends-toi en main en moi, mon enfant. Je te donne; prends et tu découvriras ta joie en moi. Signe-toi, mon enfant. Amen.

51 – 27 mars 2001   Jésus

Vos *oui* sont mes joyaux d'amour.

Ma bien-aimée fille de mes douleurs, j'aime t'appeler ainsi, toi qui me donnes ta vie. Ta vie et la mienne ne font qu'un. Je t'aime. Tu es mienne, je suis toi, rentre en moi.

Ma bien-aimée fille de mes douleurs, offre-toi avec moi pour les âmes qui se perdent; il faut en sauver le plus possible, je les veux toutes. Quand cela m'est impossible parce qu'une âme prononce son *non*, mon coeur est meurtri, je souffre d'amour pour cette âme. Combien me font souffrir! Il faut que cela cesse.

Ma bien-aimée, aide-moi, supporte avec moi mes souffrances; cela me console de te voir dans l'abandon. Comme j'aime voir mes enfants prononcer leur *oui*! Ils le font avec amour, sincérité. Moi seul connais leur intérieur. Vu de l'extérieur, mes enfants, cela vous semble peu, mais moi je suis la Lumière qui est en vous. Je vous connais, je suis si bon. Je vous aime et je dépose en vous des grâces qui vous font grandir dans votre abandon.

Votre *oui*, mes chéris, je le prends avec tellement d'amour. C'est mon trésor à moi. Je le cajole, j'en prends bien soin. C'est comme un bijou précieux que je garde précieusement dans mon Coeur, que j'aime garder au fond de moi-même par peur que vous ne le repreniez! Je vous prie de me le laisser, j'en prendrai bien soin. En échange, je vous donne des biens précieux. Ces biens sont mes grâces qui vous aideront à devenir enfants de Dieu. Je vous couvre de mes attentions.

Ah! mes enfants bien-aimés, comme tout est merveille quand ce *oui* si attendu vient se blottir au fond de mon Être! J'en fais jaillir des bienfaits en vous, mes enfants. C'est moi qui suis en vous. Vous êtes mes trésors.

Je ne permettrai pas que l'Autre puisse mettre une entrave entre vous et moi. Je me servirai de vos *oui* pour l'écraser quand il vous assaille de ses perfides idées contre moi, contre vous, contre vos proches, vos amis, vos voisins. Il est si malin. Quand je le déjoue, il invente de nouvelles astuces qui le font jubiler de plaisir à l'idée de remporter la victoire sur le Bien. Moi, le Bien, je connais mieux que lui ce qui est bien pour vous. Je me sers de vous pour l'écraser, écraser sa prétendue victoire.

Mes enfants bien-aimés, soyez à mon écoute. Vous qui prononcez vos *oui*, je vous comblerai de biens comme vous ne pouvez l'imaginer! Je vous aime, mes enfants. Je vous veux tout à moi. Soyez mes amours et l'Amour vous comblera. Signe-toi, ma bien-aimée fille de mes douleurs. Je t'aime. Amen.

52 – 28 mars 2001   Jésus d'amour

Mes fruits jailliront de mon Coeur.

Ma bien-aimée de mes douleurs, ne t'inquiète pas pour ces écrits. Ce sont mes écrits. Il ne peut y avoir d'erreur, tout y est divin. Fais-les transcrire exactement sans les changer. Je donne des grâces à ceux qui les transcrivent; ils seront récompensés. Tout est en moi.

Je suis l'Amour qui se donne, sans rien retenir pour moi-même. Je suis l'abondance qui fait jaillir des torrents de grâces qui nourrissent cette terre, pauvre sans moi. Vous êtes si pauvres, mes enfants, que vous ne réalisez pas quelle est l'importance de cueillir toutes ces grâces qui tombent du Ciel sur vous, en vous, pour vous.

Tout sera merveilleux quand les hommes, ces êtres aimés de Dieu, se laisseront apprivoiser par l'Amour. Comme est grand le pouvoir d'amour du Dieu vivant! En vous, mes enfants, je suis vivant. Croyez que la Vie est en vous, mes enfants : vous vivrez. Je suis si puissant que rien ne m'est impossible. Je ressuscite les morts. La vie qui fleurira en vous sera ma Vie. Je suis la vraie Vie en vous. Je vous aime; aimez la Vie.

Vous qui êtes des êtres morts, vous recherchez l'abondance. Merveille est celui qui est pauvre de coeur, celui-là a la vie. Celui qui ne recherche que la richesse, recherche la vie qui meurt dès qu'il la tient dans ses filets.

Ne cherchez pas les matières mortes, mes enfants. Tout pourrit, rien ne dure. Il y a en vous l'amour, si vous le voulez. Rien n'est plus vrai que la vraie richesse qu'est l'amour.

Mes enfants, vous êtes des êtres vides et sans valeur, vous qui ne vivez que pour la richesse; tout est si noir que vous ne voyez pas le bonheur autour de vous, en vous. Renoncez à vos richesses terrestres. Tout est en moi. Je suis votre seule richesse. Comme je vous aime, hommes de pauvreté, de m'abandonner vos biens matériels qui ne vous accordent que dépression, que rupture maritale!

Vous êtes sous la mouvance du Malin qui se complaît dans sa décadence. Vous le suivez dans un tel abandon qu'il se fout de vos désirs, de votre bonheur. Erreur, mes enfants, que de vouloir vivre dans le modernisme, le matérialisme. Il est si vain de vivre dans la mort!

L'âme qui vit dans ma lumière se nourrit de ma beauté. Elle est humble. Dans sa pauvreté, elle accepte de faire d'elle ma Volonté. Tout en elle est d'une telle simplicité! Tout vient de moi. C'est dans cet abandon qu'elle se nourrit de mon amour. Ne croyez pas que je ne connais pas vos élans vers le confort; je pourvoirai à vos besoins essentiels.

Mes enfants, comme je vous aime! Je vous nourrirai de ma propre Nourriture, de mon propre Sang. Je vous donnerai le bonheur qui est source de joie! Cette joie, mes enfants, ne la voulez-vous pas? Si le prix est trop élevé pour vous, songez que vous ne pourrez rien emmener avec vous quand le dernier jour de votre vie sur terre sera arrivé. Je ne vous menace pas, mes enfants. Oh! non! je vous aime trop pour ça. Je suis si patient.

N'attendez pas trop; je puis, dès maintenant, vous donner le bonheur ici-bas sur votre terre. Renoncez à la mort et vous aurez la vie. Ma Vie vous est donnée sans retour, gratuitement.

Mes enfants, un seul regret sincère et tout jaillira en vous. Je vous promets le bonheur; soyez sûrs que tout sera simple, sans obligation de votre part. Je vous donnerai tout sans rien vous demander en retour. Le bien est mon bien. Je suis pour vous la manne dans le désert, le fruit qui pousse dans le figuier. Je suis votre Bien.

Je vous aime, mes enfants chéris. Aimez l'Amour, l'Amour vous aime. Signe-toi, ma bien-aimée fille de mes douleurs. Comme je t'aime, moi! M'aimes-tu, toi? – «Je suis ton âme, Amour de ma vie, je t'ai donné mon *oui*, ma vie est toi. Je t'aime, mon Jésus.» Amen.

53 – 29 mars 2001   Jésus d'amour

Mes enfants, comme je vous aime!

Ma bien-aimée de mes douleurs, mon enfant, tes larmes qui coulent sur tes frères et soeurs seront changées en grâces pour eux. Ne pleure plus, je t'aime. Vois, mon enfant, comme est grand l'amour! Tout en moi est toi en mon Être. Je suis en toi. Mon amour, toi qui portes mes enfants, moi, je te porte. Tu me donnes ce qui est le plus précieux pour moi, ton *oui*.

Ma bien-aimée douceur de mes souffrances, comme toi, j'ai vu hier combien de mes enfants souffrent de manque d'amour et d'abandon en moi. Mes enfants chéris, que vous manque-t-il en dedans de vous qui vous empêche de réaliser votre *oui* envers l'Amour?

N'y a-t-il pas à l'intérieur de vous des *oui* qui se gaspillent à cause de vos manquements? Si votre *oui* est un *oui* absent, il équivaut à un *non*. Que vous faut-il pour que vous preniez conscience que vos *non* sont le résultat de vos souffrances? L'amour est une réalité. Comprenez que seul le bien doit régner dans votre monde d'aujourd'hui. Il ne peut y avoir de bien que si votre *oui* est vrai. Il y a tant de souffrances dans votre monde!

Mes enfants, c'est si dur pour vous! Prenez conscience que c'est vous-mêmes, oui, vous-mêmes qui refusez votre bonheur. Je suis celui qui est, qui était et qui vient, celui qui vous procure et vous procurera votre bonheur. Je ne peux vous le donner que si vous, mes enfants, vous donnez votre *oui* d'abandon à ma puissance d'amour. Je suis le Dieu tout-puissant qui met tout en vous à la suite de votre *oui* d'amour.

Oui, cela est triste de vous voir, mes enfants. Vous êtes laissés à vous-mêmes; vous êtes à la merci de votre refus. Oh! que je vous aime! Mes enfants, pourquoi ne me faites-vous pas confiance, moi qui mendie votre *oui*? C'est moi votre bonheur, c'est moi qui ne vous veux que du bien. Votre bonheur est à votre porte.

La porte de votre coeur est celle de l'amour. J'ai mis en vous des grâces d'abandon qui vous apporteront le bonheur. Ce bonheur, mes enfants, est en vous. Comment puis-je aller chercher ce qui est en vous, alors que vous m'avez fermé votre coeur par votre refus de venir à moi? Ma Mère, votre douce Maman, tient la clé de votre porte qui est votre coeur. Priez ma Mère, elle vous aidera à ouvrir cette porte. Vous y trouverez mes grâces qui vous aideront à découvrir le bonheur qui est en vous.

Mes très tendres enfants de la souffrance terrestre, que vous êtes durs pour vous! Vous vous ignorez, vous ne savez pas où est votre bonheur. Ne vous trompez pas, mes enfants, ce n'est pas vous qui savez ce qui est bien pour vous. Moi seul le sais. Je suis Dieu, je suis le Tout-Puissant. Allez! faites un seul pas et moi, mes enfants, je vous ferai connaître le bien qui vous habite. Je suis votre Bien, votre seul bonheur.

Oh! mes enfants chéris, je vous aime, aimez-moi. Signe-toi, ma belle enfant de mes souffrances. Donne, donne, donne. Amen.

54 – 30 mars 2001   Jésus

Je suis l'Amour qui vit en vous.

Ma bien-aimée offrande de mes douleurs, l'offertoire est l'offrande de mon Corps et de mon Sang à mon Père du Ciel à qui j'ai tout offert.

Je me suis fait offrande pour tous les péchés. Ces péchés, je les ai portés dans ma croix. Cette croix, je l'ai portée avec amour pour mon Père du Ciel, Dieu le Créateur, votre Créateur. Toutes les offenses que vous lui faites, mes enfants, c'est moi, votre Jésus d'amour, qui les ai portées pour vous, en souffrant par amour pour expier vos péchés.

Mon Père devait offrir son Fils pour réparer l'offense de la désobéissance que sont toutes vos offenses, mes enfants. Combien vous en faites à chaque jour! Mes enfants, plusieurs ne cessent de m'offenser, moi qui vous ai donné ma Vie. Cette Vie, mes enfants, je vous l'ai donnée une seule fois au Calvaire. Comment se fait-il que je souffre encore et que je m'offre encore? C'est à chaque jour que vous m'offensez à travers vous, à travers vos frères et soeurs. Vous ne vous aimez pas, mes enfants. L'Amour n'est pas aimé.

Je suis en chacun de vous, je vis en vous, je me nourris de votre *oui* d'amour. C'est de votre *oui* dont j'ai besoin, mais votre *oui* ne vient pas en vous. Vous refusez ma Nourriture. Je souffre et je souffre en réparation de vos offenses. Je m'offre au Père du Ciel à chaque messe dite par mes saints prêtres en lui offrant toutes vos fautes.

C'est moi, mes enfants, qui porte vos fautes en moi. Avec moi et par moi, c'est vous qui vous offrez. Vous, mes enfants, vous dites «amen». Cet amen est un *oui* à la Volonté de mon Père, non à votre volonté, non comme vous le voulez, mais comme mon Père et moi le voulons, et de la façon qu'il a choisie à travers moi.

Je suis la Vie, le Chemin qui mène à lui, mon Père, votre Père du Ciel. Vous êtes mon Église, je suis le Corps mystique de mon Église. Vous êtes en moi, je suis en mon Père. Nous ne faisons qu'un. Nul ne peut aller à mon Père que s'il passe par moi. Je suis l'Offrande de la Vie, celle qui mène à mon Père du Ciel.

Mes petits enfants chéris, à qui j'ai offert de venir à moi, c'est moi le Pain de vie qui se donne à vous. Votre vie est vivante si vous vous donnez à moi. Moi seul peux vous procurer cette vie spirituelle, celle qui mène à votre bonheur, un bonheur qui ne finira jamais. Je suis le seul qui peux vous conduire à cette vie de bonheur. Éternelle sera votre vie.

Ne croyez pas que je ne sais pas que vous choisissez de vivre de votre matériel qui vous est si précieux pour la plupart d'entre vous. Oh! mes enfants chéris, votre temps sur la terre est un temps si court! Comparez votre vie à une goutte d'eau sur votre asphalte. Comme elle sèche au soleil! C'est la durée de votre temps sur la terre. Comme votre temps est court!

Mes enfants, pensez-y. Une vie sans fin au Paradis, c'est si bon. C'est éternel! Je vous aime, mes enfants chéris. Je vous veux avec moi au Paradis. Ce Paradis est votre lieu. Je vous y ai préparé une maison à la suite de votre choix. C'est votre choix à vous, mes enfants, non le mien. C'est à vous seuls de choisir comment sera votre demeure. Vaste sera cette demeure dans l'abandon. L'Amour est votre confort, votre bonheur est votre délice, et votre demeure est votre lieu éternel. Venez, mes enfants, cette demeure est à vous. Je vous en prie, songez-y. Je vous aime.

Ma fille bien-aimée de mes offrandes, offre-moi tout, tout ce qui est à toi, toi, ma fille, tout toi. Je t'aime, je te veux, toi qui as prononcé ton *oui* d'amour. Signe-toi, ma douceur de mes offrandes. Amen.

55 – 31 mars 2001   Jésus

Mes petits bouts de ficelle,
c'est pour vous.

Ma fille de mes douleurs, je suis heureux que tu te donnes avec tellement de docilité. Tout en toi est si simple. Tu es ce que moi, ton Jésus d'amour, je veux que tu sois : un total abandon à la Divine Volonté. Ne crains pas pour aujourd'hui. C'est une journée de donation[21] à la Divine Volonté.

Va, fais venir ta petite-fille ici, tu es sa grand-maman. Ma Présence en toi, toi, ma douceur de mes plaies, sera bénéfique pour elle. Comme est grande ma joie de voir des tout petits enfants s'attacher à leurs grands-parents! Je suis un Jésus plein d'amour pour tous ces petits enfants que je chéris sur mon Coeur. Cela leur est nécessaire de voir des grandes personnes remplies d'amour pour leur petit Jésus d'amour.

Je suis celui qui est en eux. Je les aime si fort que, si j'étais entre leurs petites mains, je me laisserais m'envoler par leur souffle comme une bulle de savon. Mon amour est comme un petit jouet plein de satin et de ficelles. Il faudrait qu'ils me cherchent dans ce fouillis de dentelles où je me suis caché au milieu de leurs cadeaux. Oui, je suis un petit Coeur à l'intérieur de leur petit coeur. C'est moi qui les fais rire, qui leur fais chanter des chansons d'amour. Je suis leur petit ami d'amour, leur ami à eux seuls. J'appartiens à leur petit trésor qui est en eux.

Que ces petits trésors d'amour prennent bien, bien soin de moi. Moi, en échange, je vais prendre soin de leur amour qui est en eux. Aimez-les, je les aime beaucoup. Ce beaucoup est tellement grand que le ciel est tout petit face à mon amour pour eux. Vous, mes enfants, avez-vous compris que vous êtes tout petits à mes yeux? Je vous tiens sur mon Coeur et, ce Coeur, c'est vous, c'est moi; nous sommes unis ensemble.

------

21. Tu donnes ta personne en faisant tout dans la Divine Volonté. Ce n'est pas toi qui vis en toi, c'est nous la Divine Volonté.

Ma petite fille de la Divine Volonté, signe-toi, et prends bien soin des petits trésors qui sont en toi. Donne-les-moi. Je suis tout à toi. Toi qui lis, es-tu tout à moi? Tu es le petit coeur, qui es au fond de ces ficelles, je sais que tu viens de me dire : «Oui, Jésus, je t'aime, garde-moi dans ces bouts de ficelles tout au fond de mon coeur qui est ton Coeur.» Ton Jésus qui t'aime. Ma fille, va maintenant. Amen.

56 – 31 mars 2001   **Ta Maman d'amour**

Soyez à l'école de ma Mère.

Ma fille bien-aimée de mon Fils, Jésus d'amour, je suis ta Maman d'amour. En mon Dieu, j'ai mis toute ma sainte volonté.

Dès ma conception dans le sein de ma mère, le Créateur est venu me visiter, lui, mon Dieu, le Tout-Puissant. Il n'a pas attendu ma naissance pour me donner des dons de grâces qui me feraient grandir dans l'amour de mon Fils, son propre Fils. Il me donna tant de grâces que, dans le ventre de ma maman sainte Anne, je grandissais en sagesse, en grâces, en humilité. Toutes ces grâces me firent devenir la Fille de la Divine Volonté.

Je me suis vue grandir dans la donation totale de ma petite personne à la Divine Volonté. Tout en moi n'était que donation dans cette Volonté Divine. J'étais si heureuse de donner mon humble personne. Ma vie sur terre fut, pour la Divine Volonté, une très grande joie. Tout mon être tendait à ne vouloir faire plaisir qu'à Dieu, mon Créateur. Je me donnais sans cesse.

J'avais connaissance que, dès mon plus jeune âge, j'allais devoir quitter ma maman pour me donner à Dieu seulement. Des grâces me firent réaliser que ma personne n'appartenait qu'à Dieu. Ma douce maman attendait ce moment où je devais partir pour accomplir sa promesse faite à son Créateur, Dieu tout-puissant. J'étais si jeune, j'avais à peine trois ans. C'est donc avec un pincement au coeur qu'elle entreprit de me préparer à cette séparation.

Comme a été grande ma joie d'aller à cette école, mais mon petit coeur était si triste pour ma maman. C'est avec un sourire d'abandon que j'exprimai mon acceptation à ma petite maman qui pleurait à chaudes larmes. Mon Père du Ciel déversa en ma maman des grâces d'abandon à la Divine Volonté et, sans qu'elle sache pourquoi, elle ressentait cette paix. Moi, qui étais en Dieu, je recevais des grâces d'abandon dont ma mère ressentait les bienfaits. Tout autour de moi était abandon.

Quand j'arrivai dans cette école, ou plutôt, ce couvent[22], les supérieurs prenaient bien soin de moi. Ne pense pas, ma douce petite fille, que j'étais exempte de favoritisme par rapport à mes camarades. J'étais une enfant tellement docile envers mes supérieurs que cela entraîna des jalousies avec mes camarades de classe. C'est dans l'abandon à la Divine Volonté que j'acceptais leurs moqueries.

J'ai prié Dieu de m'aider à devenir digne d'elles. C'est avec tellement d'abandon que je m'offrais en réparation des souffrances que je leur causais, moi, la Maman de l'Amour. Je ne pouvais être la cause de leurs peines en face de notre Dieu Amour. Mes camarades de classe qui voyaient mon acceptation en tout commencèrent à me regarder avec amabilité. J'étais ravie de voir leur abandon à l'Amour. J'étais si heureuse de les voir ainsi, qu'à tout mouvement d'amitié, je faisais des actes d'abandon au Créateur.

Mon Papa du Ciel se manifestait à moi par l'intermédiaire des anges qui exprimaient leurs hommages à ma petite personne. J'apprenais aussi d'eux des leçons sur la Divine Volonté. J'étais très bien éduquée. Les personnes autour des

---

22. L'école était un lieu d'enseignement. Le couvent était un lieu où ces jeunes enfants grandissaient sous la surveillance de prêtres et prêtresses qui leur enseignaient la loi pour bien les préparer pour la venue du Messie. Telle fut la place de la petite Marie.

moi étaient celles que mon Créateur avait voulues; elles étaient toutes à son écoute.

Tu vois, ma fille, combien j'aime, moi, à t'enseigner ce qu'est la Divine Volonté. Ma bien-aimée fille de la Divine Volonté, sois mon élève en ces moments difficiles qui te sont nécessaires, afin d'être digne des plaies de mon Fils Jésus.

N'aie pas de crainte de montrer ce message au Père C. En ces moments, il reçoit de la Divine Volonté des grâces qui lui font absorber ces écrits qui viennent du Ciel. Ne sois pas préoccupée du moment ou de l'endroit où ça se produira. Tu es invitée à te donner à nous. Ma chérie, ne sois pas trop téméraire. Va et sois ma petite élève. Je t'aime; signe-toi, ma belle enfant de la Divine Volonté.

* * * * * *

Je suis la Vierge de l'Eucharistie, où tout est pour mon Fils Jésus. Ce temps est le temps nécessaire à son Oeuvre. Son Oeuvre s'accomplit de par le monde. Ce monde est en péril. Il ne peut le laisser se détruire. Tout lui appartient. Ce monde est à mon Fils, à lui seul. Je suis sa Maman. J'ai mission, par amour pour lui et pour vous, mes chers petits enfants, de venir vous informer que tout est prêt pour votre nouvelle vie.

Cette terre subira des changements climatiques, à tel point que vous en serez ravis, mes enfants. Mon ennemi vous cherche, il veut vous détruire. Par la Divine Volonté, je mets en vous des grâces qui vous donnent de la joie, malgré les événements qui surgissent. Mon Fils est en vous, il est votre joie.

Moi, qui suis la Mère de l'Amour, je suis votre seul refuge. À moi de savoir ce qui est le mieux pour vous. Ne cherchez pas à faire votre propre volonté; c'est à moi de vous amener à mon Fils. Je suis la Mère de l'Eucharistie qui sait faire la Volonté Divine.

Ne crains pas, ma fille, les mots bizarres que j'emploie[23], c'est pour mieux vous protéger contre celui qui vous veut du mal. Je t'aime. Aime ta Maman du Ciel. Tout est prêt pour vous. À bientôt, ma douce plaie de mon Fils que j'aime plus que ma propre vie. Va maintenant, donne-toi totalement à la Divine Volonté. Signe-toi, je t'aime.

57 – 1er avril 2001   Jésus d'amour

Qu'attendez-vous? Venez à moi.

Ma douce flamme de mon Coeur, tu brûles d'amour pour ton Jésus d'amour. Moi, je brûle en toi. Tu es ma flamme d'amour que j'ai moi-même allumée.

Vous êtes la flamme qui brille dans les ténèbres de vos propres vies. Mes enfants, cette noirceur qui s'épaissit ne cesse de couvrir tous ceux qui refusent ma lumière. Je suis la Lumière du monde, ce monde qui est en péril.

Mes trésors d'enfants, je suis en route vers vous, je viens dans très, très peu de temps. Je sais que certains d'entre vous espèrent que cela arrivera en un événement grandiose. Mes chers petits enfants, ne serait-il pas normal que vous vous prépariez à la venue de cet événement qui vient pour très bientôt? Vous vous en foutez ou quoi?

J'ai donné des avertissements par mes prophètes et vous ne les écoutez pas; vous en voulez encore ou quoi? Qu'allez-vous faire de ce que je vous ai donné? Allez-vous le mettre en pratique ou attendre de voir les événements se produire à la face de votre monde? Cela est déplorable de vous voir attendre sans rien faire.

La plupart d'entre vous êtes en instance de séparation avec votre prochain.[24] Vous le condamnez et vous ne savez plus quoi inventer pour lui faire du mal. Et vous voulez que je

---

23. Allusion à la phrase : « *Cette terre subira des changements climatiques, à tel point que vous en serez ravis, mes enfants* », qui apparaît deux paragraphes plus haut.

24. Tous les moyens sont bons pour couper les liens entre vous et votre prochain.

vienne? Ah! mes enfants, ne savez-vous pas que ce qui est le plus à craindre, c'est votre propre jugement sur vous-mêmes? C'est vous-mêmes, mes enfants, qui allez vous juger.

Je déposerai en vous la lumière; elle vous fera voir votre intérieur. Vous vous verrez tels que vous êtes. Allez-vous être capables de vous regarder sans vous détruire vous-mêmes? Mes enfants, si vous saviez tout le mal que vous allez ressentir en vous-mêmes, vous iriez vous cacher sans vouloir vous souvenir d'où vous venez. Mais il sera impossible de vous ignorer.

Moi, je connais votre intérieur. C'est pourquoi, mes enfants chéris, par mes supplications et celles de ma Mère, je recule les événements qui sont à vos portes. Votre Père du Ciel n'en peut plus d'entendre vos jérémiades alors que vous ne faites rien pour vous préparer. Ma Mère et moi ne pourrons plus retenir ce qui vient. Ce qui vient est déjà commencé.

Certains d'entre vous, mes prêtres, vous dites que tout est beau dans le meilleur des mondes. Vous bouchez vos oreilles avec vos belles paroles de réconfort et vous bandez vos yeux en refusant de voir mes signes. Vous verrez que tout est là et que vous ne pourrez arrêter ce que moi, votre Jésus, je suis en train de faire pour sauver mes enfants.

Je vous ai confié cette tâche de les amener à moi et vous ne m'écoutez pas. Qu'allez-vous me répondre quand je vous poserai la question : « *Toi, mon cher fils en qui j'ai mis tous mes biens, qu'as-tu fait pour me plaire? As-tu écouté mes enfants que je t'ai envoyés pour te prévenir que je viens pour mon dû?* »

Ah! chers fils bien-aimés, ne savez-vous pas que j'ai annoncé ma venue par mes paroles? Je vous ai donné des écrits afin que vous soyez éclairés sur ma venue, mais vous les avez ignorés. Alors, moi aussi, je vais vous ignorer. Cependant, des enfants de lumière ne cessent de prier pour vous, mes fils; ils me supplient de vous donner des grâces spéciales qui vous apporteront la lumière qui éclairera vos ténèbres.

Mes enfants chéris qui priez pour mes fils qui ne veulent pas croire en mes signes, je vous aime. Par moi et pour vous, vous êtes moi, et moi, vous. Je suis et je serai votre Lumière, votre Chemin qui vous amènera à mon Père du Ciel. Ah! mes enfants chéris, que je vous aime! Je vous supplie de bien lire ces lignes. Ce sont des lignes d'amour : cet amour, le mien, est pour vous.

Moi, Jésus de Nazareth, le Nazaréen, je suis le Roi, le Fils du Dieu Vivant, celui qui vient pour instaurer le Règne de mon Père sur votre terre, ma terre! Vous verrez, je suis la Vérité. Ma fille de ma flamme d'amour, je t'aime. Aime-moi pour ceux qui ne m'aiment pas. Signe-toi, ma bien-aimée. Amen.

58 – 2 avril 2001   **Jésus d'amour**

Aimez-vous, mes enfants.

À tous mes bien-aimés :

Il y a plus de deux mille ans que je me suis offert en holocauste pour vous sauver d'une mort certaine. Je me suis offert à mon Père du Ciel pour que vous, mes enfants chéris, ayez la vie intérieure en vous. Vous, que vous arrive-t-il? Moi qui vous aime, j'attends que vous veniez à moi dans ma propre Vie qui est en vous. Vous êtes en train de vous perdre et je pleure sur vous.

Mes enfants chéris, que vous faut-il pour découvrir l'Amour qui se meut en vous? Ne faut-il pas que vous vous arrêtiez pour réaliser que vous êtes en train de mourir à petit feu? Vous êtes des êtres très indignes de vous-mêmes. Pourquoi ne vous aimez-vous pas, mes enfants? Ceux qui s'aiment, veulent du bien pour eux-mêmes, pas de la cruauté. Oh! mes enfants chéris, que vous êtes durs envers vous-mêmes!

Comme je me répète! Est-ce que vous allez m'écouter? Je me plains, c'est vrai, mais c'est pour vous, non pour moi-même. Je souffre pour vous. Je ne pourrai pas le faire indéfiniment. Il y aura un temps où tout s'achèvera et tout recommencera pour ceux qui s'aiment. Ils arriveront avec leurs oeuvres qu'ils auront faites avec amour.

N'attendez pas, mes enfants, que tout s'écroule autour de vous; vous risquez de tomber avec ceux qui me haïssent. Moi, qui vous aime plus que ma propre Vie, je vous veux avec moi, votre tendre Aimé. Je me plais en vous. Vous plaisez-vous en moi?

Mes enfants chéris, quand l'Événement arrivera[25], qu'allez-vous faire? Tout autour de vous sera dans la noirceur. Tout votre être sera dans la confusion et ne saura où aller. Mes enfants, tout en vous ne vous paraîtra que ténèbres. Où que vous cherchiez pour trouver une sortie, il n'y en aura pas car, moi seul, je serai votre lumière. Moi, Jésus, je serai en vous, vous me verrez. Il n'y aura aucun endroit où moi je ne serai pas. Tout de vous sera en ma Présence. Je suis omniprésent. Je suis en vous. Qui que vous soyez, où que vous soyez dans ce monde, j'y serai.

Mais, mes pauvres chéris, savez-vous quelle sera votre détresse? Je suis si affligé pour vous, moi qui suis au courant de votre détresse intérieure. Mes enfants chéris, je vous soulagerai si vous vous donnez à moi. N'ayez pas peur, venez vous réfugier en moi. Je suis le seul protecteur de votre détresse. C'est moi seul qui peux vous protéger contre le mal que vous vous faites. Moi seul sais combien est grand votre malheur de vous être éloignés des préceptes de mon Père.

« *Aimez-vous les uns les autres* » est semblable au plus grand commandement de votre Papa du Ciel. C'est pour votre bien, non pour votre mal que ce commandement vous a été dicté; il aurait pu faire éviter des guerres, des conflits matrimoniaux, des conflits entre parents et enfants.

---

25. Mon retour, non la fin du monde. Le Saint-Esprit fera descendre en vous une lumière. Je me présenterai en vous. Vous me verrez en vous, moi, Jésus.

Mes enfants chéris, je vous aime. Aimez celui qui vous aime plus que sa propre Vie. Ma Vie est celle qui s'est donnée à vous. À ma mort, j'ai porté sur moi toutes les souffrances de vos péchés. Venez vous plonger en moi; c'est moi qui vous soutiens. Vous verrez que le mal disparaîtra en vous. Ne voulez-vous pas être bien, mes enfants? Donnez votre consentement à l'Amour.

Mes enfants chéris, je vous aime, aimez l'Amour. À bientôt, mes enfants chéris. Bientôt est proche. Signe-toi, ma bien-aimée. Je t'aime, moi, ton Jésus d'amour. Amen.

59 – 5 avril 2001   Jésus

Soyez dans une extase
d'amour pour moi.

Ma bien-aimée de mon Coeur, souffrant pour mes enfants qui ne m'aiment pas, je souffre de les voir loin de moi. Ce temps de ma Passion me rappelle mes tourments à Gethsémani. J'étais seul, sans aucune aide, pour supporter mes souffrances intérieures. Celles-ci furent plus grandes que celles qui ont meurtri mon Corps. Ces dernières ne marquèrent que mon saint Corps, mais les autres, intérieures, je les ai gravées en moi.

Mes enfants, elles étaient dues à tant d'indifférence de la part de mes enfants qui se moquent de mon amour pour eux. Ils ne veulent pas de mon amour. Je les ai vus dans ma Divinité de vue[26] se laisser prendre par Satan qui les réduisait à l'esclavage du mal, et ils perdaient ainsi leur vie éternelle. Mon sacrifice ne les a pas sauvés, car ils ont refusé mon amour. Tant de souffrances pour eux alors qu'ils se laissent prendre par Satan! Pauvres enfants, que faites-vous, moi qui vous aime tant! Regardez mon amour pour vous: il est sans cesse en souffrance pour vous sauver.

_____

26. Ma *"divinité de vue"* est mon attribut par lequel je vois le passé, le présent et le futur.

Mes enfants, ne le savez-vous pas? Quand on aime, c'est si dur de se savoir ignoré! Il est si difficile d'aimer sans retour! Je me suis offert à mon Père pour vous, mes enfants, qui ne savez pas aimer. Je vous montrerai bientôt tout mon amour que j'ai ressenti pour vous.

Vous ressentirez vous-mêmes cette souffrance que j'ai endurée de ne pas être aimé par vous. Ce n'est pas que je veuille vous faire souffrir, c'est vous, mes enfants chéris, qui le voulez ainsi. Il ne faut pas, mes enfants, que vous ignoriez ce que moi, j'ai enduré pour vous. Vous seuls pouvez en diminuer l'intensité en m'aimant. Dites *oui* à l'Amour.

Mes enfants, moi, votre Jésus d'amour, je vous donnerai de l'amour en échange. Vous serez envahis d'une telle paix que vous serez dans une extase d'amour pour moi; vous serez heureux. Mes enfants, comme ce sera bon pour vous!

Vous êtes mes bien-aimés en qui j'ai mis tout mon amour. Aimez celui qui vous aime. Va maintenant, ma fille, je t'aime. Signe-toi. Amen.

60 – 9 avril 2001   Jésus d'amour

Ces écrits sont pour vous, non pour vos tiroirs.

Ma très tendre enfant que j'aime, je suis en souffrance devant tant de manquements envers la célébration pascale. Ma Résurrection, mes enfants, est votre secours. Ne voyez-vous donc pas que vos erreurs vous conduisent au chaos qui sera très bientôt à votre porte?

Vous ne me laissez pas entrer en vous, mes enfants. Plusieurs ne vont pas voir mes prêtres au confessionnal; d'autres ignorent même la signification de ce qu'est ma Résurrection. Je me meurs en vous. Je vous aime. Je désire tellement d'amour de vous. Mes enfants, tout est sans issue si vous ne me mettez pas dans vos vies!

Moi, Jésus, je suis l'Être qui vous a tout donné. Mes enfants, lisez ces écrits. Ils sont pour vous. Je ne parle pas pour être mis au tiroir! Je veux graver mes mots d'amour en vos coeurs, vos coeurs qui ont perdu tout sens du mot *amour*. L'amour est un abandon à l'Amour. Vous, vous êtes mes amours à moi. Aimez-vous, mes enfants, c'est si important.

Soyez obligeants l'un envers l'autre. Je me meurs en vous quand vous proclamez que vous voulez vivre comme ça vous plaît. Et si ça va mal pour vous ou pour votre prochain, vous dites que vous n'avez pas à vous en faire, que c'est ça la vie et que tout ira pour le mieux demain.

Mes chers enfants, vous vous condamnez à voguer seuls sur une mer agitée, avec seulement vos propres moyens pour atteindre le large. Vous êtes comme des insensés qui vont au désert sans une gourde remplie d'eau. Vous êtes en train de mourir à petit feu. Vous souffrez. Vos peines sont si grandes que tout vous semble infranchissable. Moi seul, mes amours, je vais vous guider. Oui, mes enfants, vous êtes des êtres créés par l'Amour; vous êtes en devoir de vous reconnaître amour.

Je suis la boussole qui vous guide sur votre mer agitée. Je vous dirigerai vers des eaux calmes. Je suis la source d'eau qui vous désaltérera afin que jamais plus vous ne soyez dans un désert aride où rien ne pousse. Moi, je suis le champ où tout pousse. L'herbe y est haute. Je suis l'arbre de la vie. Mes fruits y sont si abondants! Je vous y attends.

Mes enfants chéris, n'attendez plus. Vous seuls tenez entre vos mains votre bonheur qui ne finira plus de fleurir, où tout sera beau et clair, où tout reluira de beauté. Ne vous souciez plus de ce que sera votre avenir. Moi, votre Jésus d'amour, j'ai tout prévu pour vous. Je suis votre Lumière, votre Bien. Suivez-moi. Moi, je suis en vous, si près de vous! Je me languis de vous. Mes enfants, je vous attends. Amen.

61 – 11 avril 2001   **Jésus Amour**

La faiblesse de Pierre : nos faiblesses.

Ma chère enfant, veux-tu que je te parle de ma Cène? La veille au soir, mes disciples et moi étions réunis pour les derniers préparatifs de la soirée qui devait avoir lieu. Cette journée devait être mémorable. Tout devait être saint, divin. Voici que mes apôtres autour de moi quittèrent le lieu où l'on se trouvait pour chercher des vivres afin de préparer la fête. Chacun avait ses préparatifs.

Mon chef de l'Église était très affairé à trouver l'endroit que je lui avais indiqué. Tout se passa comme je l'avais prédit; rien ne fut négligé pour bien préparer ce moment. Mes enfants, vous rappelez-vous de la dernière Cène? En peu de temps, tout fut prêt. Je veillais à ce que tout se passe comme mon Père céleste l'avait prévu dans les Écritures.

Arriva le moment que j'appréhendais, où Satan allait s'emparer de l'esprit de mon saint vicaire. Il en fut attristé. Il ne comprit pas les ruses du démon qui s'empara de ses pensées, dans ce monde où tout est à lui. Pierre était si fragile! J'ai prié pour lui. Mû par une exaltation de fidélité, il m'affirma qu'il ne me quitterait jamais. Essayant de ne pas trop le blesser, je lui ai dit qu'il allait me renier trois fois et ce, avant que le coq chante. J'ai prié pour mon Pierre afin qu'il obtienne des grâces de repentir et ne tombe pas dans l'angoisse.

Mes enfants, vous qui suivez ce récit, convertissez-vous à la prière. La prière est un don de soi vous permettant d'obtenir de moi, qui suis avec le Père et le Saint-Esprit, des grâces qui vous fortifient dans les moments de découragement.

Combien de mes enfants subissent des attaques venant du démon! Il vous fait croire que vous êtes en déprime, incapable de vous sortir de vos difficultés. Mes enfants, au lieu de venir vers moi, vous consultez des spécialistes qui sont aussi en danger. Ils ne s'aperçoivent pas qu'ils sont victimes d'idées fausses. Ils se sont éloignés de mon amour qui les protégeait contre leurs pensées négatives.

Toute pensée négative, mes enfants, ne vient pas de l'Amour. Ne savez-vous pas que tout ce qui est de nous est doux, bon, sans peur, sans animosité? Ces spécialistes sont des enfants ayant perdu la foi en mon pouvoir d'amour. Moi seul peux vous aider, non leurs savoirs provenant de leurs livres.

Mes enfants, tout comme j'ai soutenu Pierre, je vous soutiens. C'est à vous de me demander de l'aide. Je vais vous montrer que je suis présent en vous tout comme je l'ai été pour mon Pierre. Soyez vigilants. Le Malin est présent dans votre monde. Il y règne en maître avec ses tentations pour vous faire chuter, comme il l'a fait avec mon saint vicaire.

Mon enfant, vois-tu la nécessité de la prière pour ne pas tomber en tentation? La chair est si faible et le Malin en profite! N'aie pas peur des événements qui t'arriveront. Tout fut prédit pour toi avant même que tu sois. Le Ciel, ma fille, t'a choisie pour aider ma cause auprès de tes frères et soeurs. Mes plaies qui apparaîtront en toi dès demain t'apporteront des souffrances qui ne se termineront qu'après ma Passion.

Ne crains pas de prier pour toi; demande que l'on prie avec toi. Tu pourras demander de l'aide, tout comme moi j'étais entouré de mes disciples. Ne sois pas surprise du moment que j'ai voulu pour toi. Tu m'appartiens. Tu es à moi, je suis à toi. Nous ne formons qu'un seul corps, mon Corps; tu es mes membres, tu fais partie de ma sainte Église.

Je t'aime, ma douce plaie de mes plaies. Afin de bien comprendre cet écrit, fais des actes d'amour à ton Jésus. Aime-le, lui qui t'aime sans limites. Va, maintenant, l'heure pour m'adorer est venue. Signe-toi. Je t'aime. Amen.

62 – 11 avril 2001   **Jésus d'amour**

Vous fuyez mes messes? Ah! mes enfants!

Ma fille bien-aimée de mes saintes plaies, l'heure vient où l'on me flagellera. Mon Corps sera déformé par vos péchés. Il ne sera que plaies ensanglantées pour vous, mes enfants que j'aime. Ne vous inquiétez pas, je suis l'Agneau qui se laisse immoler sans retour. Rien ne vous sera amputé, je vous aime trop pour cela.

Vous, mes chéris, qui peinez sous le poids de vos travaux, vous avez de la difficulté à vous arrêter le dimanche, le jour choisi par mon Père pour en faire une journée de repos.

Que faites-vous de mon dimanche que je vous ai donné pour venir à l'église? Vous vous plaignez que vous êtes harassés par vos travaux, et pourtant, vous n'écoutez pas votre corps fatigué, vous allez magasiner, vous gardez cette journée pour compléter votre semaine en travaillant autour de vos maisons, sur vos autos.

Ah! mes enfants, comment vous faire comprendre que ce jour est un jour de grâces où il vous faut faire le plein pour votre vie spirituelle, cette vie qui vous amène à la vie éternelle? Souvenez-vous de la goutte d'eau sur votre asphalte. Comme elle s'évapore sous les rayons du soleil! Mes enfants, c'est votre propre vie, cette vie que vous vivez sur cette terre.

Prenez soin de vous, mes amours. Je vous supplie de bien regarder votre conduite face à l'institution qu'est le dimanche, cette loi de Dieu, mon Père céleste. Il a oeuvré six jours. Le septième, il l'a fait repos. C'est le dimanche, le jour du Seigneur.

Comme j'aimerais que vous compreniez l'importance de ce jour! Il est sacré, ce jour. Gardez-le en pensant à votre avenir au ciel. C'est moi, votre Jésus d'amour qui vous le demande, moi qui me suis laissé flageller par amour pour vous, vous qui négligez le respect de ce jour. Mes bien-aimés, comme je vous aime! Va, maintenant. Signe-toi. Amen.

63 – 12 avril 2001 Jésus

Je suis en train de traverser votre noirceur.

Ma bien-aimée fille que j'aime plus que moi-même, les jours de ma Passion qui viennent t'apparaîtront comme des jours de purification. Beaucoup de mes enfants recevront des lumières qui les feront avancer dans mon amour!

Je suis le seul Dieu qui EST. Je suis la source du bonheur. Je suis le Sauveur du monde. Ce monde qui m'ignore connaîtra ma puissance. Je suis en train de traverser votre noirceur avec une arme d'amour. Elle est en vous cette arme, c'est mon amour. Tout en vous en sera transformé. Il y aura en vous ma puissance d'amour. Elle démontrera aux enfants incrédules que je vis en chacun d'eux.

Je suis le Dieu vivant. Je me meus en chacun de vous, mes enfants. Dieu le Père est la Puissance. Dieu le Père est en moi, moi en lui. Il est l'Amour. Tout de moi est lui. Son amour est en moi. Qui m'ignore, ignore mon Père. Je suis la Lumière du monde.

Vous, mes enfants, pour qui je suis la Lumière, je vous demande de bien comprendre ces écrits qui viennent de moi seul, votre Jésus d'amour. Allez-vous faire comme ces scribes qui m'ont condamné, il y aura bientôt 2000 ans? Je suis votre Jésus mort pour vous.

Vous, mes enfants, qui boudez ces écrits, qu'allez-vous inventer encore pour ignorer ces mots que je vous fais parvenir par cette enfant? Elle n'est rien d'autre qu'une simple enveloppe remplie d'amour pour son tendre Jésus Amour. Allez-vous la condamner comme ils l'ont fait pour mes saints apôtres, mes saints prophètes?

Vous êtes à la recherche de vérités qui vous enorgueillissent. Vous êtes remplis de vous-mêmes. Je suis celui que vous recherchez dans vos lectures. Je suis Jésus le Nazaréen. Ne doutez pas, pliez l'échine devant votre Dieu, le Fils de Dieu fait homme. Je vous aime plus que vous m'aimez.

Que ferez-vous maintenant que j'ai mis en vous de la lumière? Allez-vous l'éteindre avec vos doutes. Ne rejetez pas ces mots écrits sur ces feuilles, ils vous nourriront. Ne suis-je pas la Nourriture vivante? Priez-moi et des grâces vous seront accordées. Ne priez pas sans vous abandonner dans la Divine Volonté. Moi seul connais vos prières; elles me sont adressées.

Je suis la Vérité. Je suis la Lumière qui éclairent vos coeurs. Laissez-moi vous instruire. Vous qui m'ignorez parce qu'il n'y a pas eu d'enfants de lumière pour vous instruire sur ma Présence en vous, je vous déclare que je suis votre Jésus qui vit en vous. Je suis présent en vous et en chacun de vos frères et soeurs. Je vous aime, mes enfants. Écoutez, à l'intérieur de votre être, la voix qui vous déclare son amour.

Mes enfants, signez-vous, moi je vous bénis *au nom de mon Père du Ciel, au nom de moi, Jésus d'amour, au nom de mon Paraclet, mon Esprit Saint, et au nom de ma très chère Mère, votre Mère, Marie, source de la vie eucharistique, moi, qui ai germé en ma sainte Maman.* Jésus qui vous aime malgré vos manquements envers l'Amour. Je vous aime, mes enfants. Signe-toi. Amen.

64 – 14 avril 2001   Jésus

Le mal est mis en vedette.

Ma bien-aimée enfant de ma joie, ce monde est à la recherche du plaisir! Il ne peut concevoir un monde pur. Ce monde est sous l'emprise de mon ennemi. Moi, Dieu, le Fils du Père éternel, chez qui tout est blancheur, chez qui le mal n'existe pas, je suis la Lumière du monde. Je vais éclairer ce monde car l'esprit du mal a envahi la terre pour la remplir de ses erreurs. Ce monde connaît la domination du Mal; il est sous son influence.

Mes enfants, vous êtes à la merci du Malin. Il est si vilain. Vous, mes enfants, qui le laissez agir en vous, vous ne respectez pas le corps que je vous ai donné, vous êtes des victimes de son emprise. Dites *non* à la violence, à la cupidité, au scandale. Vous verrez que votre vie connaîtra le bien; vous le trouverez en vous et vous ne pourrez vouloir de mal à personne.

Le monde du cinéma a connu un virage dans ses projections. Il n'a plus le contrôle. C'est Satan qui le domine presque totalement. Mes enfants, le monde du cinéma est celui de Satan. Il l'a rempli de sa haine, de sa perversité, afin de le rendre attirant par ses images où il est mis en vedette. Réveillez-vous, vous qui aimez le bien, vous qui avez horreur du mensonge! Vous vous laissez habiter par le Traître qui vous veut du mal. Ne lui laissez pas voir que vous vous laissez dominer par lui. Résistez-lui; il a horreur qu'on lui résiste.

Mes enfants, donnez-moi vos faiblesses et je vous donnerai la force nécessaire pour vaincre vos mauvaises habitudes. Mes enfants, qu'attendez-vous pour réagir? Vous vous plaignez que tout va mal et vous, que faites-vous? Vous vous prélassez à regarder le mal sur vos écrans de télévision.

Commencez par faire le vide dans vos têtes de ces images que le Malin fabrique pour avoir un contrôle sur vous. Ne vous laissez pas dominer par ces écrans qui sont dans vos maisons. Si vous êtes faibles, commencez par la prière et vous trouverez la force d'éteindre cet écran du mal. Vous n'y gagnerez que du bien. Mes enfants, plus vite vous vous rendrez compte du mal que cet écran fait en vous, plus vite vous trouverez le courage de chercher ailleurs votre bonheur. Ne réalisez-vous pas qu'en vous il y a l'amour. Cet amour vous apportera le bonheur qui vous manque. Prenez-vous en main. Vous seuls pouvez vous donner la chance de connaître ce qui est en vous : l'Amour.

Tout est en vous, mes enfants. Je suis l'Amour qui ne vous veut que du bien. Je vous aime. Aimez celui qui s'est donné pour vous. Vous, mes enfants chéris, je vous attends, moi qui ne vous veux que du bien. Je vous aime, moi, Jésus de Nazareth, le Pur, le Juste, le Fils du Dieu Vivant.

Va, mon enfant. Fais bien attention à l'écran que tu as dans ta maison. Merci de l'avoir éteint. Garde-moi en toi, toi, ma douce plaie de mes souffrances. Je t'aime, aime-moi. Signe-toi, ma douceur. Amen.

65 – 15 avril 2001   Jésus Amour

Vos oeuvres vous suivront.

Ma fille bien-aimée, que mes plaies soient apparues en toi ne veut pas signifier qu'elles n'y étaient pas auparavant.

J'étais en toi, ma bien-aimée. Mon Sang jaillira quand moi seul le voudrai. Je suis celui qui décide du moment.

Toi, mon enfant, sois à mon école de l'amour. Tu es trop fragile à cause de la perte de ton mari. Des grâces te sont versées pour ton âme. Il faut que tu grandisses en grâces. Tu es ma fille bien-aimée. Je t'aime. Comme j'aimerais que mes enfants chéris soient aussi à mon écoute! Que de faveurs pour leur âme ils obtiendraient! Ils n'ont qu'un simple *oui* à dire.

Mon coeur déborde d'amour pour vous, mes enfants. Moi qui vous vois loin de moi, je souffre de vous voir dans vos occupations sans moi. Toutes les oeuvres que vous accomplissez ne portent pas de fruits si je n'y suis pas. Les fruits sont des grâces qui nourrissent votre âme. L'âme a besoin de nourriture. Moi seul, Jésus, peux nourrir votre âme. Tout ce qui est bon vient de moi. Si vous faites vos actions sans me les donner, vous n'accumulez rien qui vous donnera des grâces; vos actions seront stériles. Un jour, votre séjour se terminera et quelles oeuvres aurez-vous à me présenter? Mes enfants, réalisez-vous que vos oeuvres seront sur votre balance. C'est vous-mêmes qui pèserez le poids de vos oeuvres.

Mes enfants de l'Amour, vous que le Père a choisis pour vivre sur la terre, vos oeuvres vous jugeront. Elles constituent votre cheminement dans votre vie où le bien doit régner. Ne faites pas erreur en faisant du mal à votre prochain. Votre prochain, c'est la première personne qui est près de vous. Donnez-lui votre soutien. L'aide est très importante et cela vous sera rendu au centuple.

Mes enfants, comme tout est beau quand on se donne sans retour! Tout est à votre portée. Pourquoi chercher ailleurs le bonheur qui est en vous? Votre bonheur, c'est un sourire, un bonjour, une aide à une personne dans le besoin. Vous êtes des êtres d'amour. L'amour est un sentiment que moi seul peux vous donner. Je suis fait d'amour, je suis l'Amour. Comme tout est simple! Donnez-moi votre *oui* et je vous transformerai en des êtres remplis d'amour, de mon amour.

Pourquoi voulez-vous demeurer inertes dans des corps morts, remplis de haine, de violence, d'envie, de cupidité, de matérialisme, d'égoïsme? Votre vie est-elle sans importance à vos yeux, mes enfants? Je suis celui qui, si vous le voulez, peut donner un sens à votre vie morte. Je suis la Vie. Tout vit en moi. Moi, je suis en vous. Ne vous laissez pas mourir, ne laissez pas mourir la Vie qui est en vous.

Je vous aime, mes enfants chéris. L'amour est une arme contre la mort. C'est une arme si résistante que rien ne peut la faire mourir. Cette arme est en vous.

Réveillez-vous, mes enfants! Ne laissez pas passer le temps sans rien faire. Un jour, vous vous présenterez devant moi. Que me présenterez-vous? Rien de ce que vous aurez accumulé sur la terre ne vous suivra. C'est vous seuls qui allez vous présenter avec ce que vous avez accumulé en vous, vous, mes êtres d'amour.

L'Amour est là, il vous attend, il n'a que l'amour à vous donner. Venez, l'amour est à vous. Ainsi vous remplirez vos vies d'oeuvres d'amour, de mon amour. Mes enfants, je vous attends. Moi, l'Amour, je vous attends. Je vous aime. L'Amour vous aime. Signe-toi, ma bien-aimée. Amen.

66 – 16 avril 2001   **Jésus, ton Amour**

La Trinité, Essence d'amour.

Ma bien-aimée fille de mes saintes plaies, je t'aime, toi qui t'abandonnes dans la Divine Volonté. Mon Père est un Dieu qui aime ses enfants. Il leur a donné son seul Fils, moi, l'Amour. L'Amour remplit nos saintes Vies, mon Père et moi. Nous nous complétons, nous formons à nous deux l'Amour, l'Amour qui s'amplifie jusqu'à former une troisième personne: l'Esprit Saint. Nous ne formons qu'UN. Nous n'avons besoin de rien en dehors de nous. Tout est en nous. Nous sommes UN et UN est TROIS.

Mes enfants, tout en vous est si compliqué, l'essentiel est l'amour que nous vous donnons. L'Amour ne peut avoir ni de commencement, ni de fin. Il a été et sera de toute éternité. JE SUIS. Nous sommes des Êtres d'amour où le tout de notre Tout est englobé dans notre amour. Rien ne peut venir altérer cet amour. Nous n'avons pas besoin des autres. Nous nous aimons d'un tel amour que rien, ni personne ne peut amplifier notre amour. Nous sommes l'Amour, Essence d'amour.

L'Amour est d'une perfection sans égal, d'une perfection infinie. Nous sommes dans un état parfait, y compris la matière.[27] Nous sommes parfaits en tout. Tout de nous est sans égal. Nous sommes sans défaut, pleins de tout. Le Tout est fait d'amour, rien que d'amour. Nous n'avons pas besoin de penser à faire plaisir à l'autre, nous sommes le plaisir de l'autre. Nous, nous sommes nous. Dans notre Trinité, nous sommes inséparables. Tout est un tout : le tout de l'Amour.

Nous sommes des êtres qui se fondent l'un dans l'autre. Nous sommes si parfaits que rien ne peut nous désunir. Nous sommes complets. La Trinité est un angle parfait, si angle il y a, comme vous l'entendez.[28]

Un point de départ, il n'en y a jamais eu. Nous étions dès le commencement et la fin n'existe pas. Tout est et tout sera en nous. Nous sommes trois en nous, nous sommes un par nous. Nous ne formons qu'une unité. L'Amour est nous en chacun de nous. Le tout de nos intérieurs ne fait qu'un. Par chacun de nous, le tout de notre Être ne fait qu'un. Nous sommes la Trinité du tout de nos Êtres. Tout est en nous, rien ne peut venir d'ailleurs que de nous. Nous sommes si beaux, si

---

27. Nous sommes des êtres parfaits. Nous avons tout fait. Toute matière sort de nous. Nous sommes la matière. Tout est de nous. Nous avons fait le ciel et la terre. Rien ne peut sortir de l'homme, l'homme vient de nous. Tout ce qui est sur la terre est de nous. Le ciel et la terre font partie de notre tout. Tout en nous est si sublime que nous avons tout fait à partir de nous. Rien ne nous est inconnu. Nous sommes la perfection. Tout ce que vous avez vient de nous. L'homme ne peut connaître que ce qui vient de nous. Nous sommes l'Être de notre Être. Nous sommes le tout de notre Tout. Tout est en tout.

28. La Trinité n'est pas un "triangle". C'est vous, mes enfants, qui la figurez ainsi.

bons, si parfaits, si sages, si affinés, nous, l'Amour! JE SUIS, NOUS SOMMES. La miséricorde est en nous, rien ne vient d'ailleurs.

Mon Père est la Toute-Puissance. Je suis le Fils du Père. Mon Père du Ciel est plus grand que moi. Moi, je suis en lui, lui dans sa puissance est en moi, moi en lui, lui en moi. Par sa toute-puissance je me suis fait homme. Je suis homme-Dieu. Je suis venu en ce monde pour vous faire connaître qui est le Père, mon Père. Je suis né d'une Vierge par la toute-puissance du Saint-Esprit. Nul enfant ne doit douter de l'amour du Saint-Esprit qui couvrit ma Mère pour que je vienne en ce monde.

Le monde a connu le Fils du Père; il n'a pas connu le Dieu Fils dans sa splendeur divine, car qui connaît mon Père me connaît. Je suis son Fils bien-aimé en qui il a mis toutes ses complaisances. Je suis son Être car je viens de lui.

Mes enfants, il vient pour vous le temps de vous donner à l'Amour. Vous ne devez pas vous départir de l'Amour, l'Amour est en vous. Vous êtes nos créatures. Chacun de vous est ce que nous avons voulu qu'il soit : un être dérivé de notre amour. L'Amour est vie en vous. Ne vous éloignez pas de l'Amour car vous en avez besoin pour vivre dans le bonheur.

Mes enfants, réalisez-vous que vous venez de l'Amour, de nous, la Trinité? Vous êtes enfants de nous. Je suis Jésus vivant en vous. Aimez l'Amour qui vous aime. Je suis si amoureux de vous, mes enfants! Soyez amour, rien qu'amour. Je vous aime, Jésus d'amour. Signe-toi, ma douceur. Je t'aime. Jésus, ton Amour. Amen.

67 – 17 avril 2001   **Jésus**

M'aimer sans condition.

Ma bien-aimée fille, je t'aime. Aime-moi, moi qui ai tant besoin qu'on m'aime. Si tu savais combien de fois je cherche des *je t'aime* dits avec amour, avec tendresse. Nombreuses sont les personnes qui me disent *je t'aime,* mais, sitôt une épreuve arrivée, elles veulent me renier parce que la souffrance qu'elles vivent est grande. Je ne suis pas aimé des âmes qui souffrent. Quand tout va bien, elles me disent leurs *je t'aime* avec insistance de peur que je ne les entende pas. L'amour est un abandon total dans l'épreuve.

Dis-moi, m'aimes-tu, toi qui as souffert dernièrement? Je sais que tu m'aimes, ne pleure pas. Tu es celle qui me console. Tu as si peur de me faire de la peine. Je t'aime, non parce que tu souffres; je t'aime parce que tu dis *oui* à l'Amour. Tu te laisses aimer, consoler par moi, ton Jésus. Tu espères tout de moi sans rien attendre de moi. Tu es abandon.

Comme je t'aime, mon enfant, pour tes abandons à ma Volonté! Je suis un Être qui t'aime, non un Être qui te veut du mal. Ton abandon à ma Volonté est si offrant que tu te plais à me plaire. En moi, je t'ai mise; en moi, tu es. La profondeur de mon amour pour toi est si grande qu'il n'y a pas de fond. Tout est en toi, je suis tout en moi. Ne cherche pas à mesurer l'Amour, il n'a pas de limites.

Tous, mes enfants, vous êtes amour. Vous vivez en moi. Je vous aime tels que vous êtes avec vos défauts, mais je purifie en vous vos manquements. Tout devient pur par ma Présence en vous. Certes, il ne faut pas négliger la confession, base du pardon et sacrement de grâces qui vous fait grandir en sagesse et en humilité. Ces grâces sont sanctifiantes.

Je suis vous par moi. Vous qui êtes en moi, vous n'êtes que par moi. Rien ne peut venir de vous; moi seul peux tout vous donner. Je suis le Pain qui nourrit la vie en vous, je suis l'eau qui lave toute impureté pour embellir votre âme. Moi, Jésus d'amour, je suis tout en vous. Tout en moi est sain. Tout de moi est pur. Tout vient de moi, Jésus, qui vous aime. Aimez celui qui est l'Amour et vous deviendrez amour. Je vous aime, mes enfants. L'amour, c'est la vie. Ne manquez pas d'aimer l'Amour. L'Amour est en vous.

Mes enfants chéris, vous n'avez qu'un seul *oui* à dire. Dites-le sincèrement et vous deviendrez offrande. Mes enfants, je vous aime, moi, Jésus d'amour, l'Être parfait d'amour. Signe-toi, ma bien-aimée. Aime ton Jésus qui t'aime. Va, maintenant. Amen.

68 – 18 avril 2001   **Jésus**

Où est votre joie de vivre dans l'Amour?

Ma fille bien-aimée, que le Christ vivant soit en toi. Toi, tu étais morte et je t'ai donné la vie. Tu es en moi. Par moi, tu es moi; moi, je suis toi. Sois bénie de mon Père du Ciel, toi qui as donné ta vie.

Mes enfants, ce monde est un monde où la vie a perdu son importance. Vous êtes des pions placés en vue de bien remplir votre vie de citoyen. Pour occuper des places dans le but de produire monétairement, il vous faut être rentables dans ce monde pourri par l'argent. Toute votre terre est axée sur le rendement monétaire. Vous êtes morts à la vraie vie qui est en vous. Vous êtes des calculatrices, non des êtres remplis de joie. Où est votre joie de vivre, de bien vivre l'amour?

Regardez les oiseaux, ils se lèvent en sifflant, en gazouillant. Ils n'ont pas besoin de calculer leur avoir, c'est de voler librement qui est leur joie. Et vous, mes enfants, qu'avez-vous fait ce matin en vous levant? Avez-vous perçu le bonheur qui s'étale dans votre bonjour?

Ah! mes enfants, vous vous inquiétez du sommet des riches qui se réuniront ces jours-ci à Québec afin de rentabiliser leurs avoirs. Ils ont pouvoir sur les pauvres que vous êtes. Ne vous souciez pas de trop paraître. Ils ont peu de clairvoyance dans ce que vous êtes; peu leur importe ce que vous êtes. Oui, mes enfants, ils se moquent éperdument de vous; vous n'êtes que monnaie pour eux. Votre côté humain n'a que peu d'importance pour eux. Vous n'êtes nés que pour l'intérêt de ceux qui calculent et rentabilisent leur avoir. Tout est monnaie d'échange.

Que vous arrivera-t-il, mes enfants, vous qui ne pensez qu'à votre avoir? Aurez-vous peur jusqu'à votre mort de manquer d'argent? Allez-vous performer pour une compagnie qui n'est pas axée sur votre bien? Que leur importe votre bonheur! Cela leur rapportent-ils? Non, mes enfants, vous êtes pour eux des numéros sociaux!

Mes chers petits, laissez de côté vos biens monétaires. Prenez en considération votre bonheur. Qu'importe la grosseur de votre porte-monnaie, il ne vous apporte pas le bonheur. Donnez-vous à l'Amour. L'amour ne calcule pas, n'a pas d'odeur d'argent; l'amour est gratuit. Venez, les bénis de mon Père, je vous donnerai le bonheur. Ne calculez pas votre avoir, le mien est grandiose.

Je vous donne l'univers. C'est mon amour. Regardez: les oiseaux ne sèment ni ne cultivent, ils n'ont pas besoin de chercher leur nourriture. Je les nourris, moi, leur Créateur. Les fleurs ne se vêtissent-elles pas des plus belles couleurs? C'est moi, leur Créateur, qui orne leurs vêtements de couleurs sans égal. Je suis leur soutien. Elles n'ont pas peur de ce que sera demain.

Regardez, mes enfants, la nature qui s'endort et se réveille à chaque saison! C'est moi, l'Amour, qui la fait reverdir. A-t-elle à craindre le froid, la chaleur torride? C'est moi, Jésus, le Maître du temps. Je suis l'Amour qui donne sans compter. Je suis l'Amour qui nourrit, qui se dévêtit pour vous couvrir de mille et une choses; si petites qu'elles soient, elles ont leur valeur.

Je suis le Tout-Puissant, je suis Dieu votre Créateur, je suis vivant. N'ayez pas peur, je suis le Ressuscité vivant. Ne craignez pas pour demain. Je suis votre intérêt, je suis votre Amour qui vous aime. Venez. Avec mon soutien, vous ne manquerez de rien.

Je suis la Vie, la Vie est en vous. Je vous aime, mes enfants. Je ne suis pas une légende qu'on lit dans un livre, un souvenir qu'on oublie sur les tablettes. Je suis votre vie, la Vie qui est en vous. Je suis vivant. Je vous parle, je vous entends, je vous aime.

Regardez autour de vous, vous y verrez le bonheur. Si je suis en vous, vous serez des enfants heureux de vivre. Vous me verrez, je suis réellement en vous. Ôtez vos lunettes de l'incrédulité et vous saurez que je suis là. Cessez d'avoir peur. Cessez de douter avec vos questions sur ma Présence en vous. Rejetez loin de vous vos craintes de manquer de biens. Regardez : depuis votre naissance, avez-vous obtenu le bonheur en dehors de vous-mêmes?

Vous qui souffrez, vous qui pleurez, vous qui errez, venez, je vous consolerai. Vous qui avez soif de vivre, je suis la Vie qui vous veut du bien. Vous qui en avez assez d'exiger de la vie et de n'obtenir que déceptions, venez à moi, je vous comblerai de biens spirituels. Les autres biens vous sembleront ternes à côté des biens qui sont en vous.

Je vous aime, mes enfants. Je ne puis continuer de vous voir ainsi. Mes enfants, en avez-vous assez de cette vie qui ne vous mène nulle part? Moi, l'Amour, je vous veux avec moi. Ne restez pas inactifs mes enfants, je vous aime trop pour que vous restiez ainsi. Venez à moi, je vous aime. Dites-moi *oui* et je vous donnerai l'amour. Demandez-le-moi et je vous le donnerai. L'Amour ne vous veut que du bien. Il est près de vous, en vous. Moi, Jésus, je vous aime.

Aimez-vous, mes enfants, aimez votre prochain. C'est si bon d'aimer. Je suis votre Jésus qui attend. Va maintenant, ma fille de ma joie, je t'aime. Aime-moi. M'aimes-tu, toi, ma douceur de mes plaies? Je t'aime, moi, ton Jésus Amour. Signe-toi. Toi qui m'aimes, reçois des grâces par ce signe. Je t'aime. Amen.

69 – 18 avril 2001   Jésus

Pour tous mes fils de prédilection.

Mes chers enfants de mon Église, que le Dieu vivant soit en vous, vous qui me glorifiez, qui m'adorez. Mes fils, je suis en chacun de vous, vous qui m'aimez. Vous me donnez Vie sur votre autel, qui est mon saint Autel. Le pain devient hostie vivante en qui je mets ma sainte Vie; le vin devient mon Sang que j'ai répandu sur vous tous, mes enfants.

La Vie divine n'a que Dieu en elle. Dieu est le Père, le Fils et le Saint-Esprit. La Trinité est nous. Nous sommes un. Trois est notre puissance. Notre amour est en nous. Nous sommes Amour.

Mes fils de prédilection que nous avons nous-mêmes choisis pour honorer mon saint sacrifice, voilà bien longtemps que vous nous glorifiez. Je suis le Fils de Dieu. Je suis le Fils en le Père. Rien n'est égal à moi, le Dieu tout-puissant.

Mes fils de prédilection, venez puiser en moi la sainte vie que je vous donne. Je suis le Christ, le Grand Prêtre. Mon Corps et mon Sang sont votre Nourriture spirituelle qui vous donne la vie.

Mes enfants, je suis Jésus qui vous ai donné la vie éternelle. Sans moi vous ne pourriez vivre éternellement. Mes enfants, mon Père du Ciel a tout créé, il vous a créés pour l'amour. Tout son Être est amour. Si vous n'êtes pas comme lui le veut, vous ne pourrez vivre éternellement. Seuls les enfants de Dieu auront la vie éternelle. Il est l'Amour. Vous devez être amour.

Mes enfants, pour être amour vous devez passer par moi, son Fils. Si vous ne venez pas à moi vous ne deviendrez pas amour. Seuls ceux qui meurent en moi ont la vie. Je suis la Vie. Je suis venue sur la terre pour vous donner la vie en vous. Je suis mort sur la croix en apportant avec moi tous vos péchés. Par moi, vous avez reçu l'amour de mon Père qui pardonne. Mon Père est la Miséricorde.

Moi, son Fils, je suis en lui. Je vous ai emmené à lui. Quand vous venez à la messe, à l'offertoire, c'est moi qui présente à mon Père vos manquements. En m'offrant au Père, vous qui êtes en moi, vous vous offrez aussi au Père. C'est par le prêtre que vous vous offrez. Il est moi par le Saint-Esprit.

Je suis le Prêtre qui offre les saintes espèces à Dieu le Père afin qu'il bénisse le pain et le vin. Lorsque le prêtre répète mes saintes paroles que j'ai prononcées à la dernière Cène le soir du Jeudi saint, le pain devient mon Corps et le vin devient mon Sang. C'est le Père, par sa puissance, qui fait ce miracle. Tout est en lui.

Par sa toute-puissance, le Saint-Esprit couvre le prêtre qui devient moi, le Christ. C'est moi qui présente à mon Père mon Corps et mon Sang pour renouveler mon sacrifice de la croix. Tout est puissance en Dieu. Mes fils de prédilection, vous qui consacrez les saintes espèces, vous devenez l'amour du Père. C'est son amour qui s'étend sur vous pour vous associer à sa puissance.

Rien n'est plus grand que la consécration eucharistique. Tout est en Dieu. Je suis la Puissance. La consécration est le mouvement d'amour du Père vers son Fils. Il m'a engendré avec son amour. Aucun de vous ne connaîtra un si grand amour : celui de mon Père et de moi, son Fils. Vous, les prêtres, à la consécration, vous faites le plus grand acte du monde. Vous faites revivre mon acte d'amour entre mon Père et moi, son Fils.

Le Saint-Esprit vous entoure de sa toute-puissance afin que vous me fassiez revivre sur vos autels. Le Saint-Esprit a couvert de son ombre ma tendre Mère pour que je prenne vie en elle afin que je vienne proclamer la gloire de mon Père sur votre terre. La puissance du Saint-Esprit a fait de vous des êtres contribuant à la gloire de Dieu le Père. Seuls, vous, les prêtres que nous avons choisis, pouvez me faire revivre[29]. Je suis la Vie éternelle. Tous ceux qui vivent en moi ont la vie éternelle.

Bénissez cet écrit qui fortifie votre vie sacerdotale qui est mienne. Je suis le prêtre Melchisédech, le Prêtre éternel. Je suis le Dieu puissant qui a pouvoir sur toute vie. Bénissez

---

29. Je suis la Toute-Puissance. Je suis la Vie. La Vie en moi est la Vie de toute vie. Tout enfant qui meurt en moi a la vie. Je suis le Corps mystique. Toute vie passe par moi. Il faut venir à moi pour avoir la vie éternelle. Au moment où le prêtre prononce les paroles de la consécration, l'hostie devient ma Vie. Je suis la Vie qui vit en la sainte hostie. Je suis la Vie vivante. Je suis la Vie qui vient de la Vie. La Vie est mon Père. Moi, je suis la Vie de mon Père. Toute vie est de mon Père. Vous êtes vie par moi.

l'enfant qui vit en chacun de vous. Vous, mes prêtres, vous vivez en moi, le Tout-Puissant, le Fils unique de Dieu le Père.

Aimez et adorez Jésus-Hostie, Jésus de tout l'univers, Jésus, le Roi des rois, le Tout-Puissant. Grande est ma toute-puissance en vous. J'ai mis ma puissance en vous. Je vous bénis, mes fils de l'Amour. Jésus qui dit toute chose. Je suis la Vérité. Bénissez cette enfant qui écrit ce que je lui dis. Amen.

70 – 19 avril 2001   Jésus, Amour et Joie

Je suis la richesse du monde.

Ma bien-aimée fille de ma sainte joie, je suis le Crucifié qui est revenu à la vie. Je suis vivant en chacun de vous qui avez dit *oui* à la Vie. Moi, Jésus de Nazareth, je suis la joie de vos vies. Vous êtes en moi, vous qui vivez de ma joie.

Ne craignez pas la mort terrestre, vous qui êtes en moi! Moi, je suis le Vivant qui est en vous. Rien ne peut mourir si vous vivez en moi. La mort n'a pas de pouvoir sur la vie. Je suis la Vie. Qui vit en moi ne meurt pas, car la mort ne m'a pas retenu. Tout ce qui est moi vit.

Je suis la Vie. Toute vie n'existe que si, moi, je suis en elle. La mort est venue à moi pour que je lui donne vos péchés afin que vous, mes enfants choisis, vous soyez hors de la mort. Toute personne qui vit en moi ressuscite. La mort passe mais ne s'arrête pas. La mort est venue vous habiter et vous avez dit *non* à la mort. La mort, c'est le péché. Vivre dans le péché, c'est vouloir mourir.

On ne meurt que si on dit *oui* à la mort, qui est de vivre hors de moi. Je suis la Joie. Tout enfant qui vit en moi connaît les joies qui sont en moi. Tout ce qui est joie vient de moi. Je suis la richesse de toute joie.

La Vie, c'est moi, Jésus, qui suis joie. Vous êtes mes enfants de la joie. Vous vivez en moi. Moi, la Vie, je vis en vous, vous êtes en moi.

Mes enfants, vous êtes mes enfants de la Vie. Ne meurt que celui qui dit *non* à la Vie. Dites-moi, voulez-vous vivre, être vivants pour l'éternité? Venez vers moi, je vous donnerai ma Vie qui est joie pour vous.

Mes enfants, je me suis fait homme pour vous, je me suis fait offrande pour vous donner la vie. Je suis le Dieu Vivant qui s'offre à vous. Recevez-moi, moi, le Ressuscité, le Dieu offrant. Je suis l'Hostie et le Sang qui se donnent à vous. Vous recevez ma Présence en vous. Je suis vivant en chacun de vous.

Vous qui voulez vivre et qui vous éloignez de ma sainte Table, demandez-moi des grâces qui vous aideront à prononcer votre *oui* et je les déposerai dans votre coeur. Tout en vous, mes enfants, est sens dessus dessous. Vous êtes comme ces enfants qui ne savent pas où est leur place. Mes enfants, votre place est en moi. En vous, je suis. La mort est en vous. C'est souffrant la mort; elle est sans joie.

Venez, mes enfants, je vous donne ma Présence. Par un seul de vos *oui*, je viens. Je dépose en vous la vie qui, peu à peu, prend forme et se met à grandir jusqu'au jour où elle aura pris toute la place de la mort qui est en vous. La Vie est chez elle en vous. Par moi, vous êtes moi, si vous le voulez.

Dis-moi, veux-tu la Vie en toi? Aime-moi et je te donne ce qui t'appartient : la vie éternelle. Viens, mon enfant, je suis ici, je t'attends. Tu es si près de moi. Un seul *oui* et je suis là. La Vie, qui est en toi, te fera connaître toutes les joies qui sont en moi pendant toute l'éternité.

Ma bien-aimée, signe-toi, toi que j'aime. Toi qui m'as donné ton *oui*, je déverse en toi des grâces d'abandon à mon amour. Je suis à toi, toi à moi. Va, maintenant. Amen.

71 – 20 avril 2001   **Le Père - Jésus**

Votre Père vous accorde la Vie : son Fils.

Jésus : Ma bien-aimée joie, comme j'aime t'éduquer pour parfaire ta foi en moi, Jésus le Ressuscité, le Roi des rois, sois bénie de mon saint Père du Ciel.

Vous, mes enfants que j'aime plus que ma propre Vie, je suis mort pour vous donner la vie, non celle qui se termine quand on quitte ce corps temporel, mais celle qui est éternelle. Je vous nourris, moi, Jésus, de mon Corps et de mon Sang, afin que votre âme ait sa place auprès de moi, Jésus, et auprès de mon Père qui vous aime.

Père : Mes enfants de la terre, vous êtes si précieux pour votre Papa du Ciel. Mon Fils que j'aime s'est livré pour moi, votre Papa qui est aux cieux. Je vous veux avec moi. Je suis votre Père. Je vous aime, mes enfants. C'est moi qui vous ai choisis pour vivre avec moi. Je suis père. J'aime mes enfants plus que vous qui mettez des enfants au monde. Ceux-ci sont mes propres enfants que j'ai choisis pour vivre avec vous. Chacun de vous est mon enfant. Vous êtes les enfants de ma propre Vie, c'est moi qui vous ai insufflé ma Vie en vous.

Mes enfants chéris, voyez comme votre Papa est bon, miséricordieux. Mes choisis qui m'aimez, mon amour pour tous mes enfants est le même pour chacun. Je n'ai pas de préférés, vous seuls devez choisir si vous voulez être auprès de moi. Moi, votre Papa, je vous veux tous auprès de moi : tous mes enfants.

Je vous ai envoyé mon propre Fils afin que vous preniez place avec moi, près, très près de moi, votre Papa du Ciel. C'est ma Volonté que vous soyez tous avec moi.

Mes chers petits, pourquoi refuser d'être avec votre Papa ? Ne savez-vous pas qu'il vous aime ? Je suis le Papa qui vous attend pour fêter votre arrivée auprès de moi. Votre petit Papa vous aime, mes tout petits à moi. C'est moi qui vous ai faits, c'est à moi que vous êtes. Ne refusez pas votre place auprès de moi.

Moi, le Tout-Puissant, je suis le Maître. Rien n'a mon égal. Vous, mes enfants, vous êtes mes enfants. Quand me reconnaîtrez-vous? Je suis bon, parfait, juste, aimable, fidèle. Je suis la Miséricorde, la Lumière, la Sagesse, l'Être suprême. Rien ne peut m'égaler.

Choisissez, mes enfants. Tout ce qui est moi, je vous le donne. Un seul *oui* et je cours vers vous, moi qui vous donne ma Vie, moi qui suis en mon saint Fils Jésus, le Ressuscité. Je vous aime, moi, votre Père du Ciel, qui suis votre Dieu, un Dieu qui aime ses enfants.

Va, ma tendre enfant, je t'aime, toi qui te donnes à nous, la Trinité. Bénis le jour de ta naissance. Ce jour fut joie pour ton Papa du Ciel. Va, maintenant. *Je te bénis en mon nom, au nom de mon Fils Jésus, au nom de mon Esprit-Saint et de Marie, ma Fille, Mère de mon Fils.* Je vous aime, mes enfants choisis. Amen. Ton Papa du Ciel.

72 – 21 avril 2001   Jésus, ton saint Amour

Vos ouvrages sont grâces pour vous.

Ma bien-aimée fille de mes saintes Douleurs, que le Dieu tout-puissant guide tes pas aujourd'hui. Je te guide vers des personnes qui feront route avec toi vers ma sainte Mère.

Elle est ma Mère. Pur est le Coeur de ma Maman. Je suis son Fils qui, tendrement, s'est laissé cajoler, aimer, soigner comme un fils le fait avec sa mère. J'étais enfant, un jeune enfant qui s'est laissé aimer par sa tendre Maman.

Humainement, j'avais besoin de sa tendresse de Maman. Combien de fois je l'ai regardée broder! Elle cousait pour venir en aide à mon saint Joseph qui, quelquefois, manquait d'ouvrage[30]. Combien de fois j'ai béni ses saints travaux! Elle a toujours été consciencieuse dans son ouvrage. Elle accom-

---

30. Ma Mère travaillait dans l'humilité pour ne pas blesser mon père qui souffrait de ne pouvoir subvenir à ma tendre Mère. Vint la maladie qui l'empêchait de travailler.

plissait avec amour ses oeuvres, toujours en faisant plaisir aux gens. Le surplus allait aux pauvres.

Ma Mère a donné sa vie par amour pour son prochain. Mère, elle l'a été dès ma sainte naissance, moi le Sauveur du monde. Tout en elle était pur. Ses gestes et ses pensées reflétaient l'amour. Sa personne rayonnait de sa pureté. Ma sainte Mère était un exemple de pureté.

Vous, mes enfants, prenez exemple de sa simplicité en accomplissant vos oeuvres. Vos oeuvres sont belles et simples quand elles ont pour but de donner votre personne pour le bien d'autrui. Vous êtes des personnes pures si vous êtes franches, loyales et charitables envers ceux que vous aimez. Vos actions profitent également à des âmes que vous ne connaissez pas.

Je suis le seul qui connaît tout. Dans votre coeur, je vous guide afin que vous vous donniez par amour. L'amour vous est donné pour que vous le partagiez. Ma Mère, ma sainte Maman, vivait dans l'amour. Elle était et est toujours l'amour. Je suis l'Amour, son Amour. Nous sommes un dans l'Amour.

Je suis un fils qui vénère sa mère et l'aime sans retenue. Mon amour pour ma Mère est si grand que rien ici-bas ne lui est comparable. Au Ciel, les anges admirent l'amour que j'ai pour ma sainte Maman.

Oh! mes enfants, comme est beau mon amour pour ma Maman! Quand vous serez au Ciel avec nous, vous serez dans l'admiration comme mes saints anges. Votre coeur se gonflera de joie. Éternel sera l'amour que vous ressentirez. Ceci est promesse, mes enfants. Venez vers nous, mes enfants, des délices vous attendent!

Je suis l'Amour et l'Amour vous aime. Aimez l'Amour. Je vous aime, moi, le Fils bien-aimé de ma Mère, Reine du Ciel et de la terre. Béni soit son saint nom. Je t'aime, ma fille, je te bénis. Va, nous t'attendons à la messe. Signe-toi, ma bien-aimée fille. Amen.

Ne refusez pas de voir mon amour pour vous.

Ma fille, comme mon Coeur bat sans cesse d'amour pour mes enfants qui m'aiment, que j'aime, moi, Jésus Amour! Oui, l'Amour règne dans vos saintes vies qui sont ma Vie.

Vous êtes mon Corps mystique, vous, les choisis de mon Père céleste. Vous, mes enfants que je chéris plus que ma propre Vie, je me suis fait homme pour vous, pour vous sauver. Votre vie est mienne. Je l'ai gagnée à la sueur de mon front. Mon Sang a transpiré à cause de vos manquements. Mes enfants, moi, le Fils bien-aimé du Père, je lui ai offert ma vie pour vous.

Ne refusez pas mon offrande. C'est pour vous que l'Amour s'est donné en holocauste; pour vous donner la vie éternelle. Combien refusent de voir mon sacrifice comme l'ultime sacrifice! Je suis la Victime, la seule offrande qui plut à mon Père pour racheter l'offense que vous lui aviez faite.

Votre volonté humaine est la perte de votre âme. Vous êtes, mes enfants, des êtres imbus de vous-mêmes; vous ne voulez pas vous reconnaître enfants de Dieu. Un enfant écoute son père; il l'aime et ne rejette pas son amour. Vous qui ne voulez pas de mon amour, vous rejetez votre Père qui est mon Père.

Quand vous voulez vivre votre vie sans venir puiser l'amour qui la nourrit, sans vous en rendre compte, vous vous prenez pour l'Amour. Vous ne vous reconnaissez pas comme enfants de Dieu. Oh! mes choisis, que ferez-vous le jour où vous verrez mon amour en vous? Vous serez comme anéantis devant vos manquements envers moi, Jésus, qui suis mort pour vous. Vous ne réalisez pas tout le mal que vous vous faites en refusant de voir mon amour pour vous.

Vous, mes choisis, vous ne pourrez refuser la vérité quand elle sera en vous. Elle étalera ma Présence dans votre être et vous ressentirez l'amour, mon amour qui s'est donné pour vous. Que ferez-vous, sinon ressentir votre désarroi après tant de manquements envers votre Jésus Amour?

Je me suis offert sans retenue. Ce n'est pas vous, mes enfants, qui pourrez vous aider vous-même. Sans moi, vous ne pourrez rien. Je vous donnerai des grâces spéciales qui sauront vous aider à réaliser que vous êtes mes choisis.

Mes bien-aimés, je ne suis pas un punisseur. Je suis celui qui s'est donné pour vous. Comprenez-le bien, je suis l'Amour. L'Amour ne punit pas. Il aime. L'Amour vous veut. Un seul *oui* de vous et je me réfugierai en vous pour l'éternité. Cela se produira très bientôt. Mes enfants choisis, préparez-vous. Je viens. Je ne puis plus retarder mon saint retour.

C'est vous, mes enfants chéris qui vivrez ma Présence en chacun de vous. Mon Père du Ciel vous a choisis pour cet heureux événement. L'Esprit Saint vient régner en vos coeurs. Je ne dis pas, oh! non, que c'est la fin du monde! Je vous dis: préparez votre coeur, c'est mon retour à moi, Jésus, l'Amour en vous.

Mes enfants choisis, mon retour ne produira en vous que joie, paix, amour. Tout ne sera qu'allégresse. Le Saint-Esprit régnera sur vous. Il n'y aura plus de grincement de dents, de peurs. De violence, il n'y en aura plus. Mon ennemi sera enchaîné pour un temps. Pour ce grand avènement, mon saint Père a choisi son Règne d'amour, son Règne de puissance éternelle.

Mon saint Père est prêt pour ce temps que vous vivrez. Je viens pour vous dire que l'Amour qui est en vous sera là en face de vous. Vous me verrez dans un temps très court. Si ce temps vous semble sans fin, ayez la foi, croyez qu'il sera pour vous, vous qui êtes en train de lire cet écrit. Ce temps est si court, mes enfants, que mon Coeur bat de joie à la vue de votre présence dans ces lieux où vous vous rassemblerez. Je déposerai en vous une joie si immense que si vous la ressentiez sans ma Présence, vous seriez écrasés sous son poids d'amour.

Je vous aime, mes choisis. Comme je me réjouis de vous voir dans cette joie que vous ressentirez bientôt! Ne craignez pas pour le moment choisi, il est si près! Je vous protège de trop d'élans qui nuiraient à d'autres de mes choisis. Je procède tranquillement dans le but que tous viennent à moi. Moi, Jésus d'amour, je suis celui qui vous veut tous. C'est moi, Jésus, qui viens en chacun de vous. Je vous aime, mes bien-aimés choisis de mon saint Père, Dieu votre Créateur, le Maître de l'univers.

Ma fille, écris cela : Je viens! Je suis ici, si près, que seul un mince voile empêche chacun de mes enfants de la terre de ressentir ma Présence en eux. Le vent qui soufflera bientôt enlèvera ce voile.

Va, ma bien-aimée fille. Ces écrits sont pour tes frères et soeurs qui, avec leur *oui*, devront bientôt lire mes saintes paroles sur ces pages que je bénis. Je t'aime pour ce que tu es, toi qui m'aimes. En moi, bénis-toi. Jésus qui t'aime dans ton abandon. Amen.

74 – 23 avril 2001   Jésus

Je vous conduirai dans ce lieu de délices et d'amour.

Ma fille bien-aimée de mes saintes plaies, que Dieu, le Tout-Puissant, soit en chacun de mes saints enfants.

La terre recevra des bénédictions toutes spéciales de bienfaisance. Les récoltes seront abondantes, les fleuves se gonfleront de poissons, les cours d'eau nourriront les plantes, les arbres recevront des fleuves de pluie. Le matin, la nature s'éveillera en chants de joie et, du ciel, descendront d'abondantes rosées.

Mes enfants, c'est ma Nouvelle Terre renouvelée qui vient. Elle est en moi. Vous, mes enfants de la terre, vous verrez ces choses. Vous ne pouvez vous imaginer tout le bien qui vient bientôt. Vous êtes mes enfants de lumière qui éclaireront ma sainte terre, la terre que mon saint Père du Ciel a créée pour sa gloire.

Le septième jour, il se reposa. Mes enfants, ce jour béni, le septième, qui correspond au chiffre de la perfection, n'est toujours pas accompli. La terre, dans son plein essor, devait donner à Adam et Ève ses fruits. Mais leur péché a arrêté ce plan d'amour. Mes enfants, mon Père a donné son Fils afin que le jour, le septième, s'accomplisse, où tout ne sera que joie, que paix. *Père, que ta Volonté règne sur la terre comme au Ciel.* Ceci est le rappel de la promesse faite à Abraham, où tous peupleront la terre dans la joie et où tous seront en lui, Dieu tout-puissant.

Il vient ce jour que mon Père a fait au temps d'Adam et d'Ève. Que le temps s'accomplisse en chacun de vous! Mes enfants, point de repos pour ceux qui refusent la grâce du Seigneur. Le jour de grâce est là, il est présent en ceux qui ont affirmé la naissance de ma suprématie.

Je suis la Gloire, la Paix, la suprême Puissance. Je suis le Fils du Dieu vivant en qui mon Père a mis ses complaisances. Je suis le Tout-Puissant. Je viens!

Oui, mes enfants de la terre, c'est moi qui écris pour vous aider à vous préparer. Je viens! Vous qui lisez ces lignes écrites des mains de ma bien-aimée de mes saintes douleurs, je me suis fait présent en elle, pour vous, mes enfants de la Lumière. Vous êtes mes choisis, vous êtes ceux qui vivront ce temps que mes apôtres ont décrit.

Le temps vient où tout s'accomplira en chacun de vous en ma sainte Présence. L'Esprit Saint descendra sur vous. Vous serez envahis de sa Présence qui vous remplira de l'amour de Jésus ressuscité. Il est vivant, il est présent en chacun de vous.

Mes frères et mes soeurs, préparez le chemin, aplanissez vos routes. Vient le temps de l'amour. Je suis en vous! Vous me verrez dans très peu de temps. Mes choisis de mon saint Coeur, je suis en vous, vous que mon Père m'a donnés pour que je vous donne la vie, ma Vie.

Je vous veux prêts pour ma sainte venue en vous. Je vous aime. Mes enfants, je viens vous demander si vous voulez vivre dans la Divine Volonté. Je ne puis forcer personne à répondre *oui*. Je vous demande de bien réfléchir à ma sainte demande. Priez, mes choisis, pour ceux qui ne veulent pas; ils connaîtront beaucoup de souffrances. Certains d'entre eux seront sauvés par vos saintes prières. Vous qui aimez vos frères et soeurs, priez pour eux. Moi, Jésus, je vous récompenserai de vos efforts à me les donner par vos prières.

Je vous aime, mes bien-aimés de mon saint Coeur. Ma Mère est en train de tout préparer pour rassembler les derniers qui restent. Tout est prêt; il ne reste que quelques retardataires pour ma sainte venue.

Je vous aime, je vous veux tous en moi, moi, Jésus de Nazareth, Fils de Joseph, descendant de David. Ma fille, je te bénis; je t'aime. Amen.

75 – 24 avril 2001   Jésus

Mes souffrances ont purifié vos manquements. Soyez en adoration devant votre Dieu.

Moi, Jésus de Nazareth, j'écris par la main de ma bien-aimée fille de mes douleurs. Tout en elle est moi par son abandon. Par ma Présence en elle dans la Divine Volonté, je lui déverse des grâces d'amour.

Je suis celui qui est, qui vient et qui sera pour toute éternité. Je bénis ceux qui croiront à mon saint amour. Pour eux, je me suis immolé sur ma sainte croix. JE SUIS. Celui qui est en moi est toute-puissance. Je suis l'Alpha et l'Oméga. Je contiens tout en moi. Le commencement et la fin sont contenus dans ce que je suis.

Commencement : je suis, car la Vie est à la naissance de toute existence. Je suis la Vie. La Lumière est le commencement de toute fin. La Lumière est Vie. Elle éclaire tout ce qu'elle touche. Point de commencement dans la Lumière. Elle a toujours sa puissance en elle. Elle est la configuration d'elle-même. Je suis la Lumière.

Fin : je suis, car tout en moi est fin de jamais. La fin ne peut se connaître. Elle ne peut se terminer. Elle ne cesse pas son existence, car la fin n'est jamais fin. Je suis le Chemin qui conduit à la vie éternelle. Tout en moi est puissance.

Je suis présent en tout. Tout est en moi. Qui croit en moi aura la vie éternelle! Ceux qui refusent ma Présence en eux n'auront pas la vie éternelle. Je suis la Vie. Tout est vie en moi. Je suis la Toute-Puissance. Je suis le Roi des rois.

Réjouissez-vous, le Seigneur vient en vous. Vous aurez ma sainte Présence. L'Esprit Saint commence à venir en chacun de vous. Vous êtes abandonnés dans mon amour, cet amour qui est le mien. Je suis l'amour en chacun de vous, moi, le Ressuscité; moi, l'amour du Père; moi, l'Amour qui me suis donné à vous afin que vous viviez avec nous, la Sainte Trinité.

Mes enfants de la Lumière, que chacun de vous ouvre son coeur à ma Présence. L'Esprit Saint, qui est en vous, vous éclaire de mon amour. Arrêtez-vous et goûtez, je suis votre Nourriture qui se donne par amour. Arrêtez-vous et buvez, je suis le vin de la Vie qui vous nourrit de son Sang. Mon vin est vivant et vous donne la Vie. Je suis en l'Esprit Saint. Vous êtes moi, moi en vous, vous en moi par l'Esprit Saint.

Je suis la Puissance de votre vie. Tout vit en moi. Moi, Jésus qui vis en vous, j'aime me savoir accepté par vous. C'est moi qui donne des grâces qui vous font réaliser ma Présence, même si certains d'entre vous — et leur nombre, mes enfants, est grand — ne profitent pas de mes grâces. Moi, Jésus, je me ferai voir de vous. Par l'Esprit Saint, vous me verrez. Je suis celui qui vient en vous par le souffle de mon Esprit Saint, le Paraclet. Le Saint-Esprit vous enveloppera et la lumière jaillira en vous. Il vous montrera tout mon amour pour chacun de vous. Celui qui attend que moi, le Puissant, je fasse descendre en lui ma sainte Présence, connaîtra des joies innombrables.

Mais combien peu m'attendent! J'irai vers eux, même s'ils ne m'attendent pas. Je leur donnerai ma Présence. Mon amour les envahira de ma sainte Vie qui se propagera en eux. Ils me verront, ils me connaîtront. Seuls mes enfants d'amour m'aimeront, ceux pour qui je me suis offert à Dieu. Mon Père du Ciel connaît tous ses enfants; à chacun, il a donné sa Vie par moi, à chacun de ceux qui lui sont destinés. Moi, le Tout-Puissant, je suis en eux. Je viens. Je suis, moi, l'Amour. Mon temps d'amour est présentement pour vous, les choisis de mon Père.

Va, ma bien-aimée fille, écris ces mots de feu que je mets en toi par ma sainte Présence. Vous, mes enfants, qui ne m'attendez pas, je viens vous montrer ma Présence en vous, vous qui m'ignorez. Je suis celui qui vous aime. Mon amour en vous est si grand, si miséricordieux! Je suis celui qui s'est offert pour vous sauver. Je suis celui qui est mort pour vous, celui qui a crié sur la croix : « *Père, pardonne-leur, ils ne savent pas ce qu'ils font.* »

Mes enfants, c'est pour vous que je priais, vous, mes enfants qui étiez loin de moi, qui ne veniez pas à moi. Moi, le Crucifié, je suis en présence de votre personne. Je suis près de vous. En vous est ma Présence. Je vous aime et je vous demande : « *M'aimez-vous, mes enfants, vous qui êtes loin de moi?* » Je vous aime, moi, Jésus, qui suis sur la croix depuis si longtemps. Mon temps est arrivé où je viens vaincre le monde et le temps. Je viens pour vous donner la joie, ma joie.

Repentez-vous. Moi, Jésus, je vous aime. J'ai payé cher vos manquements. Vos regrets sont nécessaires pour que vous ayez la vie, ma Vie que j'ai offerte à mon Père pour chacun de vous. Mes chers amours, ne vous apeurez pas, vous qui avez fait tant de mal. Je suis si amoureux de vous que j'attends un tout petit *oui* d'amour venant de votre petit coeur qui bat. Je suis si bien en vous. Ne me refusez pas votre *oui*.

Moi, je vous aime. Aimez-moi, Jésus. Je vous donne l'amour en échange de votre *oui* sincère. Je suis Amour. Vous, vous êtes moi. Ensemble, nous serons remplis d'amour pour l'éternité. Je vous aime. Tu es mienne, ma bien-aimée. Je t'aime, ma douceur de mes plaies. Signe-toi, toi que j'aime. Amen.

76 – 25 avril 2001 **Jésus**

Mon Paraclet vient pour votre temps.

Ma fille, je suis la Vérité, moi, Jésus le Ressuscité. La parole de Marc décrit la venue de l'Esprit Saint sur mes premiers apôtres. Cela, mes choisis, était pour leur temps. J'ai annoncé aussi que viendrait le Saint-Esprit qui descendra sur tous mes enfants. Ils seront tous dans mon amour. Ce souffle enlèvera vos doutes. Vos maladies seront guéries, vous ne pleurerez plus, vous ne vous attristerez plus.

Oui, ces enseignements sont pour vous aussi. Mon Paraclet vient pour votre temps tel que moi, Jésus le Ressuscité, je l'ai prédit avant mon Ascension vers mon Père du Ciel. Votre temps est celui que nous avons choisi. Il est pour vous tous, mes choisis. J'ai dit à Jean : « *Heureux les choisis de mon Père, ils connaîtront le bien sur la terre.* » Mon Saint-Esprit s'infusera en chacun de mes choisis. C'est mon Père céleste qui a fait de vous les élus.

Votre temps est le temps de mon Esprit Saint. Mon Paraclet vient propager mon amour en vous. Vous seuls, mes choisis, aurez à dire votre *oui* à l'Amour. Tous ceux qui refuseront seront loin de mon amour. Loin de ma face ceux qui refuseront ma Présence en eux! Venez à moi les bénis de mon Père. Je viens en vous tous, les élus de mon Père.

Par mon Paraclet, recevez ma Présence. Les dons de l'Esprit Saint seront pour vous source de joie éternelle. Vous, les choisis de mon saint Père, c'est ma Divine Volonté que vous soyez les enfants de ma Lumière. Moi, Jésus le Ressuscité, je viens en vous pour vous faire connaître l'amour, l'amour de mon Père du Ciel, votre Créateur à tous.

Vous, les enfants de mon Père, soyez heureux de venir à moi, Jésus. Je suis celui qui est et qui sera en vous pour toute l'éternité. Mes choisis, je vous aime tous. Tous, vous êtes les enfants de mon Père. Vous, les baptisés de mon Père, par mon Sang, par mon eau, vous êtes moi, moi, vous. Nous sommes un en Dieu. Vous êtes ma sainte Église. En vous, j'ai mis ma sainte Vie. À vous seuls, mes enfants choisis, de dire à votre Jésus : « *Oui, je crois; oui, je veux aimer l'Amour.* » Bénissez votre temps, ce temps de joie qui vient. Dehors les ennemis de mon Père, loin de moi les ennemis de mes choisis ! Je viens, je suis prêt pour vous.

N'ayez pas peur, mes choisis. Il a été dit depuis le commencement qu'il viendrait un temps de joie, de paix, d'amour où l'Esprit viendrait habiter la terre. Tous les enfants qui diront *oui* connaîtront un temps de joie avant le moment où tous les enfants depuis Adam et Ève seront réunis avec vous, mes choisis. Le temps du règne de mon Père se fera dans toute sa gloire. Tous vous serez dans la joie éternelle. Nul ne sera dans la douleur. Les morts ressusciteront. Les vivants seront dans une joie extrême tel qu'il a été dicté dans ma sainte Écriture. Ma sainte Présence par l'Esprit Saint est là, prête à souffler sur chacun de vous.

Vous, mes prêtres, soyez prêts. Votre zèle envers l'Amour est béni par ma Présence en vous. Vous, les bénis de mon saint Père, vous oeuvrez auprès de mes choisis. Ceux-ci seront dans la joie et l'allégresse. Voici des jours meilleurs pour vous, mes fils, mes bien-aimés de ma sainte Église. Tout s'accomplit pour votre temps, mon temps tant annoncé par mes prophètes, pour vous, mes petits enfants anonymes qui se sont donnés à moi.

Moi, Jésus le Ressuscité, Jésus de Nazareth, je vous aime, mes enfants. Recevez ma bénédiction : *Père, Fils et Esprit Saint.* En vous, je mets mes grâces sanctifiantes. Soyez prêts, mes choisis : tout vient. Ma petite fille de ma Présence, je te bénis. Signe-toi, ma douceur de mes plaies. Jésus de Nazareth qui est. Amen.

77 – 26 avril 2001 Jésus d'amour

L'éternelle vie qui n'a jamais de fin.

Ma bien-aimée fille, moi, Jésus d'amour, je te fais écrire pour tes frères et soeurs qui sont en route vers un monde de joie. Mes enfants, vous qui êtes encore sur la terre pour un certain temps, lisez ceci.

Vient un jour où le temps de la vendange arrive. Ce temps est la fin de votre vie sur cette terre. Une vie nouvelle vous est alors présentée. Mes enfants, je dis *présentée* parce que vous avez un choix à faire : le choix de l'amour, mon amour, ou votre choix personnel qui est une autre vie de ténèbres.

Ceux qui croient qu'il y a d'autres vies après celle-ci font erreur. Ils s'apercevront que c'est leur vie qui continue, non une autre vie qui commence. Leur vie terrestre sera terminée et la vie éternelle s'offrira à eux. C'est à chacun de choisir la vie éternelle ou la mort de l'âme.

Vous qui choisissez la mort de l'âme, vous endurerez des souffrances si terribles que si vous les ressentiez ici sur la terre, vous en mourriez d'effroi. La terre, ici, n'est pas l'enfer. Vous êtes libres, mes enfants, de faire le bien ou le mal.

C'est votre choix. Ce choix vous est donné dès votre naissance. Vous vivez en êtres libres. Vous n'êtes pas des esclaves de l'Amour. Mon Père céleste vous a insufflé la vie afin que vous viviez sur la terre. Mes enfants, dans votre liberté, c'est à vous seuls de choisir de quelle façon vous voulez vivre.

Mes paroles vous ont été données afin que vous preniez connaissance que vivre dans l'Amour peut vous obtenir la vie éternelle. Ceux qui ont été instruits de mes paroles par le Saint-Esprit vous les dévoilent, afin que vous sachiez que je suis vivant en vous. Ceux qui négligent de vous donner ce que, moi, je leur donne par mes enseignements, auront à répondre de leur comportement envers leur prochain.

Et vous, mes enfants qui voulez délibérément ignorer mes paroles, vous serez les seuls juges de vos comportements.

C'est à vous que revient la responsabilité de venir vers la vie éternelle. Vous seuls pouvez choisir. Je vous aime trop pour vous laisser dans l'erreur concernant votre choix. Je vous fais parvenir ces écrits pour vous éclairer sur vos choix.

Si, mes doux amours, vous demeurez dans l'habitude de ne jamais faire d'efforts pour obtenir une existence d'amour dans mon amour, vous demeurerez en état de léthargie. Regardez-vous! Vous ne faites pas l'effort de prier, de me demander de l'aide, d'aller vers mes prêtres, d'assister à la messe, de faire des actes de charité, d'aimer votre prochain et de ne pas le juger, afin de faire de vous des enfants dignes d'être appelés enfants de Dieu.

Vous aimez la violence. Vous ne lui résistez pas. Par exemple, si votre enfant vous demande de lui venir en aide alors que vos émissions de télévision sont sur le point de commencer, vous lui refuserez ce qu'il vous demande. Si, pour vous éviter un effort, vous ne faites même pas un geste pour aider votre enfant, que se passera-t-il quand viendra le moment de prendre votre décision pour choisir si vous voulez vivre dans mon amour?

Il faudra, mes enfants, faire l'effort de renoncer au mal pour venir vers moi, car l'âme a besoin de nourriture afin qu'elle soit elle-même nourriture pour votre corps. Allez-vous rejeter les grâces nécessaires à votre âme? Si, par votre mauvaise habitude de ne rien faire, vous perdez les grâces dont votre âme a besoin, c'est vous qui serez perdants. Votre vie vous donnera ce que vous lui donnez: des actions sans saveur, de l'amour sans sentiment, de la joie sans émotion dans votre vie trépidante.

Tout ceci, mes enfants, est pour ceux qui se disent: «À quoi sert de se forcer; après ma mort, je ne sais pas, moi, où je vais me retrouver. Si le bon Dieu existe, il me donnera une place dans son Ciel.» Petits enfants d'amour, vous êtes tellement ancrés dans vos habitudes que vous ne faites pas d'effort pour gagner votre Ciel. Ne savez-vous donc pas que pour venir au Royaume de mon Père, il faut que vous soyez purs?

Regardez autour de vous et vous verrez que vos habitudes sont empreintes de nonchalance.

Faites un effort, mes enfants. Que ferez-vous quand la mort vous surprendra? Vous hésiterez entre votre *oui* et votre *non*! Mes enfants, c'est de la vie éternelle dont je vous parle, non d'un choix de programme temporaire! C'est de la vie éternelle, celle qui ne finira jamais!

La mort de l'âme, mes enfants, est la disparition de la vie. L'âme est la vie. C'est elle qui nourrit le corps. En enfer, l'âme sera dans des souffrances si terribles! Elle endurera des douleurs inimaginables. Satan tuera l'âme en la faisant souffrir. Il la hait tellement! L'âme est ma Vie, elle vit de moi; je lui ai donné la vie. Tout d'elle est moi. C'est pourquoi l'enfer est si terrible pour l'âme. Moi, son Amour, je me sépare d'elle. Elle se retrouve en enfer par son choix d'avoir dit *non* à l'Amour.

C'est vous, mes enfants qui, en disant *non* à l'Amour, condamnez votre âme à souffrir. Satan qui me hait, hait votre âme. Il veut la détruire complètement, il ne veut plus qu'elle vive. Votre âme souffrira terriblement. Elle sera dans la haine pour l'éternité. Elle souffrira ainsi pour toute l'éternité.

C'est terrible les souffrances en enfer; si vous saviez! Mes enfants, croyez que toutes les souffrances mises ensemble sur la terre ne sont rien comparées à celles que vous endurerez en enfer. Si vous choisissez de dire *non* à l'Amour, dites-moi: *« Voulez-vous souffrir? Si oui, une mort certaine vous attend. »*

La vie est si belle! Si vous le voulez, mes enfants, elle est pour vous. Je suis, moi, cette vie. Je vous la donne. À vous seuls, mes amours, de choisir la vie qui ne vous procurera que délices et joies éternelles. Plus de maladies, de peurs, de froid, de chaleur torride, de faim, de remords! La vie éternelle, c'est la vraie vie, celle pour laquelle vous êtes nés : la vie dans l'amour.

L'amour, c'est si bon, si beau! Plus vous vivez, plus vous voulez vivre. Plus l'amour est là, plus l'amour se fait désirer par vous. C'est l'éternité; jamais de fin! La fin est si bonne, si savoureuse; elle ne finit pas. La fin n'est jamais fin. Elle se savoure, elle se laisse venir sans jamais s'arrêter. Elle est sans fin. Tout est là. L'éternité est un mouvement sans fin. La fin ne peut connaître sa fin. Gloire au Père céleste d'avoir fait l'éternelle vie où la fin n'est jamais la fin. Tout y est bon, savoureux; tout y est joie et espérance de ne jamais atteindre la fin.

Mes enfants, quels mots sur la terre pourraient vous faire comprendre que le bonheur éternel a une saveur sans fin? Moi, Jésus, je vous fais cette promesse de vous amener à l'amour éternel où la fin n'existe pas. Je vous aime, mes enfants. L'Amour vous veut pour l'éternité où la joie est en tout.

Aimez l'Amour, désirez l'Amour, faites tout pour rechercher l'Amour; il est là en vous. Dites *oui* à l'Amour. L'Amour attend, il est là pour vous. Moi, Jésus, votre Amour, je vous veux tous en moi. Je vous donne en échange la vie éternelle. Aimés de ma Vie, je vous attends, je vous aime. Tendre est ma joie en vous, patiente est mon attente en vous.

Ma fille, je te bénis, amour de mes plaies. Signe-toi. Bénie soit celle qui écrit ces lignes que moi, Jésus, je lui dicte. Tout est paix et joie. Amen.

78 – 27 avril 2001   Jésus Amour

Allez remplir vos lanternes d'huile, je viens.

Moi, Jésus d'amour, j'écris par ma servante de mes souffrances que j'aime. Ma Vie, mes enfants, je vous l'ai donnée. Par mon Corps et mon Sang, vous avez la vie chaque fois que vous me recevez dans l'Eucharistie. Je vis en vous, mes chers enfants, vous qui recevez votre Dieu vivant. Je suis un Dieu, un Roi. Je suis la Toute-Puissance.

Venez à moi dans un état pur. Vous qui me recevez, êtes-vous allés vous purifier? Je suis la Lumière, je vis dans la lumière. Les ténèbres qui vous habitent par vos fautes m'empêchent de vivre en vous dans la lumière. Je suis la Pureté même. Je ne puis vivre dans une âme en état d'impureté. Seuls mes saint fils, en qui j'ai mis ma force de purification, peuvent vous rendre purs.

Mes enfants, soyez purs car vous ne savez pas quand je viendrai vous montrer ce qui est en vous. Soyez prêts pour ma sainte venue. Demeurez dans la pureté afin de vous voir tels des enfants de ma lumière. Mes enfants, allez chercher la lumière qui brillera pendant la nuit. Allez chercher vos lanternes; allez les remplir d'huile. Je viens bientôt.

Mes enfants, vous serez entourés de noirceur; il faut que vous soyez dans la lumière, ma lumière. Combien de vous êtes dans la noirceur? Je suis la Vie en vous, mes enfants. Je veux vous donner ma Vie. Je ne puis être en vous en ne sachant pas où vous habitez! Je suis la Vie, ma Vie est vous. Je suis si heureux en vous! Donnez-moi de la lumière afin que je puisse aimer ma demeure.

Quand vous êtes en état de péchés, vous empêchez ma lumière d'irradier en votre intérieur. Je demeure en vous dans votre noirceur. Je ne puis vous forcer à vouloir de ma lumière si vous ne le voulez pas. Vous, mes enfants, quand vous rentrez chez vous la nuit et que tout est noir, froid, sans chaleur, que faites-vous? Vous allez vers le bouton qui fait de la lumière, ou vous cherchez du feu pour réchauffer votre environnement. Vous êtes heureux dans votre demeure chaude et confortable. Moi, votre Jésus d'amour, j'ai si froid en vous, là où il n'y a ni chaleur, ni lumière. Je ne suis pas sans penser, mes enfants, que vous me négligez.

Mes enfants, que faites-vous quand un visiteur entre chez vous? Vous lui donnez une place confortable, sinon vous avez honte de vous. Vous vous sentez gênés, n'est-ce pas? Moi, votre Créateur, votre Roi, votre Sauveur, n'ai-je pas droit à cette place que vous donnez à vos visiteurs? Ne suis-je pas celui qui vous donne la vie éternelle, son Royaume, en échange d'une place propre et éclairée en vous?

Je ne vous demande pas d'aller vous confesser à chaque jour, mais une seule fois par mois. Est-ce trop pour nettoyer votre intérieur où la poussière de chaque jour obstrue ma lumière? Je suis l'Amour qui vous donne la grâce de vous voir tels que vous êtes. Quand vous venez à confesse, je dépose en vous ma lumière qui vous montre que seule ma grâce peut nettoyer votre intérieur.

Mes enfants, vous qui refusez d'aller à confesse, vous ne recevez pas la grâce sanctifiante qui purifie votre intérieur. Vous me recevez dans la sainte Eucharistie et moi, qui entre en vous, je me heurte à toutes sortes d'obstacles qui m'empêchent d'être bien en vous. Les rebuts sentent si mauvais, et les vitres trop sales ne laissent pas passer la lumière. Je ne puis rien voir. Comment, mes enfants, puis-je me sentir chez moi en vous?

Comprenez bien que je suis un Dieu d'amour, non un Dieu qui lève le nez sur vous. Un simple repentir de votre part vous fait vous sentir bien avec moi. Je suis en vous, je vous aime. J'aime me sentir chez moi en vous, mes enfants. Moi, votre Sauveur, j'ai pris toutes vos fautes et les ai portées sur mes épaules. Par ma sainte mort, j'ai effacé vos péchés en acceptant d'être crucifié afin que vous ayez la vie éternelle. Est-ce que je n'en vaux pas la peine?

Mes chéris que j'aime, c'est pour vous seuls que j'écris par la main de ma bien-aimée qui s'est donnée par amour pour moi. Moi, Jésus d'amour, votre Jésus d'amour, je vous attends au confessionnal où l'Amour est au rendez-vous. Je vous aime, moi, Jésus, Roi d'amour. Bénis-toi, ma fille. C'est moi qui suis en toi. *Que le Père, le Fils, l'Esprit Saint ainsi que ma sainte Mère soient en toi. Amen.*

79 – 27 avril 2001   **Jésus, votre Aimé**

Le jeûne avant la communion.

Ma fille, il est juste que tu te poses cette question. Le concile de mon Vicaire prévoit un jeûne de une heure à trois heures avant de communier, selon ce que vous êtes capables de prévoir. Il n'est certes pas à recommander de manger avant la communion.

Mes enfants, puisque vous ne pouvez attendre après la communion avant de manger, il est préférable, avant la communion, de vous abstenir pendant une heure pour le boire, de deux à trois heures pour le manger : deux heures pour les légumes, les fruits, le poisson, les oeufs, le fromage, les céréales, et trois heures pour la viande.

Mes enfants, moi, Jésus, qui suis dans la sainte hostie, c'est moi qui vous prends et qui communie en vous; je vous prends en moi. Mes enfants, je suis pur, je suis immaculé. Mon Corps est céleste, mon Être est divin, je suis Dieu.

Mes enfants d'amour, recevez la sainte hostie avec respect, amour, attention, délices et humilité de votre personne pour un Dieu qui se donne.

Mes enfants, si vous avez des troubles de digestion, moi, votre Dieu, je suis en vous qui purifie tout. J'aimerais tant, mes enfants, savourer cet instant dans la pureté même de votre être. Comprenez-vous, mes enfants, combien il est important de respecter ma Présence en vous?

Être pur, c'est être sans péché, en état de grâce. Bien que, mes enfants, votre âme se voit dans la pureté, tout en elle se languit de moi. J'aime que l'on me désire en étant dans une attente d'amour. Soyez comme la fiancée qui attend son amoureux. Elle se prépare en se revêtant de sa plus belle robe. Afin de récompenser l'âme d'être ainsi amoureuse et en état de pureté, moi, son Amoureux, je lui apporte mon présent : l'amour.

Voyez-vous, mes enfants, quand vous venez me recevoir, soyez généreux, laissez-moi toute la place. Moi, l'Amour, j'aime être en vous comme le mets principal de votre vie. Je veux être en vous comme je suis en mon Père : l'Amour. Je vous aime, mes enfants. Attendrissez-vous sur mon amour. Je vous aime tant.

Mon enfant, voilà, en général, ce qui est le mieux pour vous si vous voulez recevoir des grâces en abondance. Signe-toi, ma bien-aimée. Je vous aime, moi, votre Aimé. Amen.

La fin de vos souffrances pour bientôt.

Ma bien-aimée, vous êtes tous sur le point de venir à moi. Au moment où vous me verrez en vous, vous serez tous avec votre Dieu. Moi, mes enfants, j'habiterai éternellement dans les coeurs qui se seront consacrés à mon Coeur de Miséricorde et au Coeur Immaculé de Marie.

Vous connaîtrez la joie. Pour toutes vos souffrances que vous endurerez, je vous donnerai la joie éternelle. La souffrance est source de bonheur pour vous qui m'aimez. La femme enfante dans la douleur. Moi, je viens dans la douleur. Après l'accouchement, la femme oublie, elle est dans la joie. Moi, je viens vous donner le bonheur. La joie éternelle est là, elle vient.

Laissez-moi vous démontrer que ma Présence en vous sera votre délivrance. Un monde d'amour vous sera offert. Ne refusez pas à la joie de s'installer en vous éternellement. N'a-t-il pas fallu que je souffre pour ma gloire? Pourquoi refuser de souffrir pour votre gloire que moi, j'ai gagnée pour vous. Mes enfants chéris, n'hésitez pas à vous donner à l'Amour.

La fin de vos souffrances est prédite pour bientôt, votre bientôt, non celui que j'ai annoncé à Pierre, à Jean, à Jacques, à Matthieu, à Luc (par saint Paul), à Marc, à Philippe, à Judas (qui ne porta pas de fruit), à Barthélemy, à André, frère de Pierre, à Thomas, à tous mes apôtres.

Oui, ma fille, c'est en votre temps que, moi, Jésus, je viens. Mon Esprit insufflera en vous ma Présence. L'Amour habitera en chacun de vous. Vous qui ne voulez pas souffrir afin que l'Amour vive en vous, pensez à la souffrance que j'ai endurée pour vous. Je vous aime. Va, ma bien-aimée, je t'aime. Jésus, ton Amour qui est toi, toi en moi, moi en toi. Signe-toi, toi qui m'aimes. Amen.

81 – 28 avril 2001 Jésus

Vous êtes faits pour être aimés, non dominés.

Le bien et le mal sont dans vos vies. C'est à vous de savoir si vous voulez vivre dans le bien ou dans le mal. Mes enfants, combien d'entre vous choisissent de vivre dans l'ignorance de ce qu'ils font plutôt que d'avoir à choisir?

Vous vous demandez pourquoi il y a tant de souffrances, de maladies, de pauvreté, de peurs, de violence. Tout cela, mes enfants, est la conséquence de vos actes que le Malin vous fait faire par sa domination sur vous. Vous vous êtes laissés dominer par lui. Vous voulez vivre librement : votre liberté, il l'a prise. Vous êtes des objets de plaisir entre ses griffes. Vous êtes malheureux dans cette situation. Il vous a engourdis au point que vous vous demandez : « Pourquoi tout cela? »

Mes enfants, ne vous laissez plus faire, réveillez-vous! Secouez-vous! C'est le Malin qui mène votre vie. Votre volonté, il l'a prise. Il se moque de vous. Il vous fait vivre dans le pouvoir, la domination sur vos frères et soeurs, l'argent. Par l'argent, vous pouvez vous procurer ce qui vous plaît, allant même jusqu'à dominer les plus petits pour assouvir vos plaisirs. Vous ne pensez qu'à vous offrir des biens matériels. Ces choses sont pour lui un contrôle sur vous.

C'est faux, il ne peut vous donner ces choses, car elle ne lui appartiennent pas. Il aime vous voir supplier pour ces choses. Il ne les possède pas. Il est très malin. Il vous rend esclaves de ces choses pour mieux vous séduire, car il est menteur, dominateur. Il veut votre mal, il est le Mal. Il se moque des blessures que vous vous faites. Par ses promesses, vous vous laissez dominer par lui.

Vous êtes faits pour être aimés, non dominés. On ne domine pas ceux qu'on aime, on ne leur veut que du bien. Moi, je suis le Bien. Je vous donne la vie, ma Vie. Mes enfants de lumière, qu'attendez-vous pour vous réveiller? Vous êtes en train de couler. Je ne puis vous regarder vous enfoncer sans rien faire!

Je suis votre Créateur, votre Sauveur. Je suis mort sur la croix pour vous donner la vie éternelle. Je ne puis laisser le Malin vous dominer plus longtemps. Venez à moi, vous qui pleurez, je vous consolerai. Venez à moi, vous qui en avez assez de souffrir, je vous donnerai la joie qui ne finit pas. Je suis la Joie, l'Amour.

Vous êtes mes enfants de l'Amour. J'ai mis en chacun de vous mon amour. Même si vous avez joué à faire le mal[31], à oublier l'Amour, moi, Jésus, je ne vous ai pas oubliés. Moi, je me donne à vous. Voulez-vous de moi, moi qui vous attends depuis si longtemps? Je vous aime; aimez-moi. Moi, je suis le Bien.

Le Malin est prêt à vous amener à la mort éternelle. Ne laissez pas la mort vous éteindre. Moi, je suis la Vie, la Lumière, votre joie éternelle. Je viens. Vous, mes enfants qui ne m'attendez pas, je suis prêt à vous accueillir dans mon Coeur qui est en vous. Moi en vous, nous sommes un éternellement. Je vous veux dans le bonheur. Jésus, Roi d'amour, vous aime. Dites-moi *oui* et je viens.

Ma fille bien-aimée, écris pour ton Jésus. Moi, Jésus de Nazareth, je suis en train de vous préparer à ma sainte venue en vous par l'Esprit Saint, le Souffle de toute vie. Qui croit en moi a la vie éternelle. Grande est ma joie éternelle.

Je suis le Fils du Dieu vivant, le Ressuscité du monde. Mon monde à moi est en ceux qui sont en moi. Je suis la Vie. Qui m'aime a la vie! Jésus vous aime. M'aimez-vous, mes enfants? Moi, j'attends de vous un simple *oui* et je viens, moi, Jésus de Nazareth, votre Dieu, le Créateur. Amen.

---

31. Petits enfants de la liberté, vous croyez que vous amuser sans vous soucier de vous est un moyen de vous rendre heureux? Moi, je suis venu en vous et j'ai eu honte de votre comportement. Je vous aime, mes enfants. Ne vous prenez pas pour des êtres vils, alors que vous êtes des enfants de Dieu.

82 – 30 avril 2001   **Jésus qui est en vous**

Je suis la Vie.

Moi, Jésus, je vous aime. Je suis la Vie en vous, vous vivez par moi. Moi, le Ressuscité, le Fils du Dieu vivant, je suis toute vie. Qui croit en moi a la vie éternelle. Toute créature qui vient au monde est fille de Dieu; tout enfant qui est en Dieu est fils de Dieu.[32]

Mes enfants, cessez de vous déchirer. Vous êtes tous appelés, vous, mes petits. C'est Dieu le Père, Dieu le Fils, Dieu le Saint-Esprit qui donnent la vie, la vie qui est en vous. Vous ne mourrez pas. Seul celui qui dit *non* à la Vie peut mourir; seul celui qui refuse l'Amour peut mourir. On ne meurt pas en l'Amour. L'Amour est vivant. Ça vit l'Amour.

Ceux qui se donnent à leur prochain, qui nourrissent l'affamé, qui donnent aux enfants désespérés un sens à leur vie, ont la Vie en eux. Heureux ceux qui ont la Vie en eux, je leur donne le Ciel en héritage. Je suis Dieu d'amour, moi, Jésus, l'Amoureux de mes enfants.

Que faites-vous, mes enfants, vous qui cherchez le bonheur sans moi? En dehors de moi, vous êtes tellement vagues, peu vrais. Vous n'êtes rien sans moi. Vous vous prenez pour des gens bien..., bien de quoi? de matériel? d'argent? de puissance? de domination sur les faibles?

Tout enfant qui vit sans remarquer que le bonheur est en lui ignore tout de lui. Il se donne des airs de bonheur en se procurant beaucoup de choses matérielles, mais, au fond de lui, il recherche ce qu'il a déjà en lui, le bonheur. Mes enfants, pourquoi chercher au dehors votre bonheur alors qu'il est en vous? Vous aurez beau chercher, vous ne trouverez rien en

---

32. Mes enfants, tout enfant est en Dieu. Je vous ai créés. Je suis le Père. En moi, j'ai la création. Je suis maternel. C'est moi qui ai créé l'homme et la femme. Tout enfant porte en lui mon amour. Mon amour est créateur. Il est la Puissance. J'ai reproduit en la femme ma création. Elle a en elle mon nid dans lequel elle porte son enfant. L'homme a en lui ma semence. Quand cette semence entre en son nid, ma création se fait.

dehors de moi. Tout est en moi. Je suis celui qui peut vous rendre heureux.

Voilà, mes enfants, ce que j'attends de vous : une reconnaissance de ce que vous êtes vraiment, des enfants vivants de ma Vie, celle qui est à l'intérieur de vous. Moi, le Créateur, je suis celui qui a permis que vous viviez sur cette terre afin que vous ayez la vie, la vie éternelle. Je suis la Puissance qui donne ou enlève la vie. Cette vie dont je parle est la vie de l'âme, celle qui vous permet de vivre éternellement.

Ceux qui ne croient pas à ma Résurrection sont déjà morts. Ceux qui croient à ma Résurrection ne peuvent mourir. La Vie en eux ne meurt pas, elle a vaincu la mort. Je suis en vous, vous qui aimez. Mes enfants, aimez-vous ! Ceux qui aiment leur prochain comme moi je vous aime, ont la Vie en eux.

Bientôt, mes enfants, vous recevrez le souffle qui fera voltiger votre âme dans la joie éternelle. Je suis la Joie éternelle qui vous sera insufflée. Vous me verrez en vous, vous saurez ce qu'est l'Amour, la Vie. Vous aurez à choisir entre la Vie et la mort. Vous seuls choisirez.

Une grande purification sera votre sauvetage; et une marée de bonheur vous envahira. Mes enfants d'amour, moi, votre Jésus d'amour, je saurai que vous m'aurez choisi. Je suis la joie qui vous envahira afin que vous sachiez que cela arrivera bientôt, votre bientôt à vous. Mes enfants chéris, l'hymne à l'Amour sera sur vous, en vous, avec vous, c'est-à-dire en chacun de vous qui serez en moi, par moi et avec moi.

Ma bien-aimée fille, toi qui te donnes, donne à tes frères et sœurs les actes d'amour qui te sont versés. C'est moi, ton Jésus, qui te donne. Va maintenant, donne à mes enfants ce que je te donne : mes écrits par ta main. Je t'aime, ma douceur de mes plaies. Amen.

83 – 1ᵉʳ mai 2001   **Jésus qui vous aime**

Pardon Papa pour nos manquements.

Toi, mon enfant d'amour, tu écris pour témoigner de l'Amour qui se trouve en chacun des enfants de Dieu, le Dieu tout-puissant, le Créateur de tout l'univers. Le Ciel et la terre sont remplis de sa gloire. Hosanna au plus haut des cieux. Paix sur la terre aux hommes de bonne volonté.

Oui, mes enfants, tous mes enfants qui sont en amour avec l'Amour et qui veulent faire la Volonté de mon Père sont bénis par le Père tout-puissant.

Un papa qui aime ses enfants est un père qui veut leur bien. Il les aime tels qu'ils sont, avec leurs manquements, leurs défauts, dans l'espoir qu'ils reviennent un jour au bercail se blottir au creux de ses bras en demandant : « Papa, nous, tes enfants, nous t'aimons. Pardon pour nos manquements, nos défauts qui t'ont fait de la peine. Mais, Papa, nous savons que toi, tu nous aimes tels que nous sommes. C'est pourquoi, Papa, tu es présent ici avec nous. Papa, nous t'aimons. »

Mes enfants, si un père de la terre pardonne à ses enfants, combien plus le Père tout-puissant, votre Créateur, vous pardonnera-t-il. Il a été jusqu'à vous donner son propre Fils par amour, afin que vous ayez la vie éternelle ! Votre Père du Ciel vous aime, mes enfants. Il ne veut que votre bien. Il attend, il est patient. Depuis si longtemps qu'il attend votre *oui* à l'Amour, à son amour. Il ne veut pas vous faire prisonnier de son amour ; il vous veut libres dans l'amour, dans son amour pour vous. Que faites-vous, mes enfants ? Mon Père, votre Père tout-puissant, vous a tout donné.

La nature a été créée pour vous donner ses biens. Vous l'avez négligée. Si peu sont reconnaissants pour tout le bien qu'elle vous donne. C'est à lui, mon Père, qu'elle appartient en premier. Et vous, vous l'avez si négligée ! L'eau, les fleuves, les lacs sont pollués par vos négligences. Il ne vous en veut pas, il vous aime trop.

Vous, mes enfants, qui êtes frères et soeurs, vous ne vous aimez plus. Votre Père, qui est le Papa de chacun, a de la peine de voir ses enfants se tirailler. Il vous veut tous unis dans l'Amour. C'est par sa Volonté Divine que vous êtes encore de ce monde. Ce monde qu'il a fait est en train de s'écrouler sous votre domination. Il ne peut vous laisser faire. Il vous enverra bientôt l'Esprit Saint qui soufflera sur vous et là, mes enfants, vous découvrirez en vous l'Amour qui est en vous depuis votre création.

Mes enfants, c'est à ce moment-là que vous devrez prendre votre décision d'aller vous blottir dans ses bras ou de vous en éloigner. Vous, mes enfants, vous devrez prendre position. Mais, avant, vous serez en présence de son Amour qu'il vous a donné. Moi, son Amour, je vous aime et je vous supplie de revenir à lui, votre doux Papa qui vous aime, mes enfants. Il ne peut plus vous laisser dans cet état lamentable dans lequel vous vous êtes mis.

Mes enfants, moi, Jésus d'amour, je vous révèle ces choses pour que vous compreniez que vous seuls êtes responsables de votre *oui*. Celui qui dira *non* perdra sa place, la place que mon Père lui-même avait choisie pour lui. Quand il se retrouvera loin de l'Amour, la haine l'envahira et il s'éloignera de mon Père pour toujours.

L'éternité est vraie, mes enfants. Ceux qui auront dit *oui* à l'Amour connaîtront un bonheur éternel. Ceux qui diront *non*, une haine les envahira. Ils seront souffrants dans une mort éternelle. Moi, je vous aime. Ayez confiance en ma miséricorde, en la miséricorde de Dieu, mon Père. Venez, les bénis de mon Père, les cieux vous sont ouverts pour l'éternité.

Dehors les chacals, les menteurs, les voleurs, les impies. Loin de ma Face, vous qui nourrissez la haine. Je ne puis rien pour vous qui refusez l'Amour.

Ma fille, je t'aime. Aime ton Jésus d'amour. Signe-toi, ma bien-aimée de mes douceurs. Jésus qui vous aime. Amen.

84 – 3 mai 2001   Jésus, amour et joie

Tous ceux qui croient en moi
sont vie éternelle.

Ma bien-aimée de mes plaies, mes souffrances sont si profondes! Votre monde est si vil, si incrédule! Si peu croient en moi, l'Amour. J'ai besoin de toi, de mes enfants qui se donnent par amour. Je suis l'Amour qui cherche des âmes amoureuses de moi.

Ma fille, toi, tu t'es donnée. Si belle est ton offrande! Je suis celui qui est en toi. Tu es mienne. Tu as été choisie par mon Père céleste, pour moi, pour m'aider à rejoindre les incrédules. Donne-moi ton *oui*, ton *oui* à ton Amoureux, moi, ton Époux. Tu es mienne, tu es ma douceur qui m'aide en ces jours de noirceur où tout va s'accomplir.

Il vient le temps que tu attends, toi, ma fille de mes douleurs. Je suis ton Dieu d'amour à qui tu t'es donnée. Tu es celle qui vit en nous. Nous t'habitons. Ma fille de ma sainte joie, je t'aime. Ma douce fille, écris pour plus tard. D'autres prendront connaissance de ces écrits que toi tu écris pour moi, Jésus, l'Amour en chacun.

Mes enfants de la terre, vous vivez des moments de sanctification, de purification et de sagesse. Vous êtes mes lumières en ce monde. Ce monde connaîtra une métamorphose dans l'Amour. L'Amour régnera dans les coeurs de tous mes enfants, sans exception.

En vérité, vous êtes sur le point de vivre ce changement total. Je vous le dis, personne ne sera épargné par l'Amour. L'Amour fait la guerre à la haine qui sévit en chacun de mes enfants qui ne vit pas dans mon amour. Cette haine disparaîtra à jamais, entraînant avec elle les enfants de la haine. Moi, Jésus, je vous supplie de bien réfléchir à la décision que vous devrez prendre. Le *oui* vous fera vivre dans la paix, le bonheur, la joie éternelle.

Mes enfants de lumière, je suis celui qui vit éternellement en chacun de mes enfants. Je vis dans l'Amour. Je suis l'Amour. Ne dites pas *non* à l'Amour. Si vous le dites, je serai obligé, par votre choix, de m'éloigner de vous. Vous serez loin de moi pour toujours. Moi, l'Amour, je vous veux en moi.

Mes enfants, c'est le temps de réfléchir à votre réponse. Je suis votre Amoureux, celui qui vous aime, moi, votre Jésus d'amour, le Ressuscité, le Sauveur du monde. Dites-moi, voulez-vous mon amour? Moi, je suis toujours prêt pour vous.

Moi, ton Jésus, je te donne mon amour. Grandis, abandonne-toi à moi. Je t'aime, ma douceur de mes souffrances. Signe-toi, toi qui m'aimes. Amen.

85 – 3 mai 2001   **Jésus, ton Amour**

Je suis l'Amour; vous, mes membres.

Ma bien-aimée de mes plaies, je t'aime, toi qui t'es offerte pour aider tes frères et soeurs à vivre dans l'Amour, dans mon amour. Oui, mes enfants, quiconque se donne par amour à l'Amour est béni de mon Père du Ciel. Celui qui veut vivre en mon Père doit vivre en moi, son Fils. Qui choisit de vivre sa vie en moi a la vie.

Je suis tellement présent en chacun de vous, mes enfants! Je suis en mon Père; nous sommes un. Nous ne formons qu'une identité. L'Esprit Saint est formé de notre unité. Tout est en nous. Nous sommes l'Amour.

Vous, mes enfants, votre vie sur terre est d'accomplir le bien afin d'accumuler des oeuvres qui vous accompagneront le jour de votre venue vers nous. Quand vous aimez vos frères et soeurs, mes enfants, vous faites oeuvre d'amour en chacun de vous. Vous devenez moi, vous devenez mon Église. Mon Corps est chacun de vous, vous en moi, moi en vous. On ne peut séparer la tête du corps. Je suis la Tête du Corps mystique de mon Église.

C'est moi, Jésus, qui ai fondé mon Église. J'ai rassemblé mes apôtres autour de moi. Mes disciples se sont multipliés en vivant en moi, l'Amour. Ils sont amour. Ma Présence est en eux, en chacun d'eux. Moi, Jésus, je suis la Puissance du monde. Nul ne peut habiter les autres enfants sans moi.

Mes enfants, vous ne pouvez aller vers les autres; une barrière d'indifférence est là qui vous empêche de donner de l'amour. Sans moi, vous ne pouvez la franchir. C'est moi qui conduis votre amour à eux qui sont des enfants de l'Amour. Je suis toute vie en chacun de vous.

Comment pouvez-vous dire «j'aime ceci, j'aime cela», sans que cela vienne de votre coeur? Ce coeur est nourri par une nourriture qui est celle de l'amour qui donne. L'amour se donne. Il ne s'invente pas. Il est là. Il vit en vous. Moi seul, le Créateur, je peux vous donner l'amour qui est en vous.

Je suis l'Auteur de l'amour. Regardez autour de vous la beauté des fleurs, la splendeur de la nature, la limpidité de l'eau. Ce n'est pas vous l'auteur de la nature, c'est moi, Jésus. Mon Père du Ciel est moi. Je suis lui. L'Esprit Saint est nous. En nous, nous sommes. Nous sommes trois : Trinité sainte. La Vie est en nous. Nous formons l'Amour qui est, qui était et qui sera pendant toute l'éternité.

Sans nous, qui êtes-vous, mes enfants? Vous rendez-vous compte de l'Amour qui vit en vous? Vous, que faites-vous? Vous cherchez ailleurs qu'à l'intérieur de vous mon amour qui est en vous. Je suis celui qui est Amour en vous, moi, votre Créateur, votre Sauveur.

Mes enfants, venez à moi. Je vous donne l'amour qui vous manque. Je suis celui qui donne son amour pour un *oui* de vous. Je ne puis rien faire qu'attendre votre *oui* à l'Amour. Je vous aime, mes enfants chéris. Je viens bientôt en vous, que vous soyez prêts ou non à venir à l'Amour.

Mes enfants, moi, Jésus, votre Sauveur, je viens en vous et vous me verrez. L'Amour vient vous montrer que l'Amour est en chacun de vous. Oui, l'Esprit Saint est là qui vient. Préparez-vous. Mes enfants, l'Amour vous dit que bientôt, très, très bientôt, je serai en face de vous.

Jésus, votre Sauveur, vient cueillir en vous votre amour si votre *oui* est *oui*. Je vous aime, moi, qui viens en vous. Bénis-toi, ma bien-aimée que j'aime. Amen.

86 – 4 mai 2001   Jésus, ton Amour

Comme l'Amour vous aime, mes enfants!

Je te bénis, ma bien-aimée, toi qui te donnes afin d'être mon instrument. Grandis en nous par moi, avec moi, en moi. Tu es ce que moi je suis, tout en Dieu, tout pour Dieu. Je suis l'Amour. Tu deviens l'amour en moi.

Mes enfants de lumière, mes choisis des derniers temps, je vous bénis. Heureux les pauvres de coeur, ils verront Dieu; heureux ceux qui s'aiment, ils seront en moi. Je suis en vous, vous qui vivez en moi, l'Amour. Je suis tout à vous, mes enfants de l'Amour. Je suis Fils de l'Amour. Je suis Amour. L'Amour n'a pas de fin. Il est, il était et il sera pour l'éternité. Vivez en amour et vous vivrez dans l'Amour.

Je parle du vrai amour, pas celui qui jalouse, qui vole, qui domine, qui fait mal. Mon amour ne fait pas mal. Il est vrai, il est beau, il est bon, il est libre, il est puissant. Je suis l'Amour, l'Amour qui s'est fait crucifier pour vous donner l'amour.

Mes enfants de l'Amour, vous êtes en moi, vous qui choisissez de vivre dans l'Amour. Cet amour est pour vous, vous qui voulez être heureux. Oui, le bonheur vous est offert gratuitement. Un simple *oui* et je vous donnerai ce que vous voulez: le bonheur pour l'éternité. Moi seul peux vous le donner. Ayez foi en moi.

Jésus, celui qui est mort et ressuscité, est vrai. Il est vivant. Il vit en vous, vous qui me dites: «Oui, Jésus, nous te voulons, prends-nous, nous voulons être heureux. Nous en avons assez d'être malheureux dans ce monde où tout va mal. Tout semble aller mal autour de nous. Tout nous pousse à aller plus vite. Nous sommes essoufflés dans ce monde de consommation.» N'est-ce pas ce que vous dites?

Mes enfants chéris, bientôt vous serez avec moi, en moi, si vous le voulez, naturellement. Moi, j'attends votre simple *oui*. Je me répète toujours. C'est pour ceux qui n'ont pas compris que le malheur qu'ils vivent, c'est eux qui le choisissent. Ce n'est pas le ciel qui leur tombe sur la tête. Tout est ce qu'ils ont voulu que ce soit pour eux.

Mes chers petits, rien n'est plus vrai! Que voulez-vous que je rajoute? L'Amour a tout dit depuis sa venue sur la terre. L'Amour s'est dévoilé, vous a été donné, vous est offert. L'Amour est là, prenez. Il vous présente son amour. À vous seuls de le vouloir. Cela est votre propre choix à vous, non le mien. J'ai choisi, moi, de me donner à mon Père sur la croix pour vous, afin que vous ayez la vie éternelle.

En mourant, j'ai apporté avec moi toutes vos fautes. C'est à vous maintenant de faire votre choix. Un simple *oui* qui vous fait regretter vos manquements, et je cours me jeter en vous pour l'éternité, sans jamais, oui sans jamais, vous laisser. Mes enfants, comme l'Amour vous aime! *Je vous bénis, moi, l'Amour, Dieu Père, Dieu Fils, Dieu Esprit Saint. Amen.*

Écris, ma fille. Je t'aime, moi, ton Jésus qui s'est donné en holocauste pour toi et pour tous ceux que tu mets dans mon océan d'amour et l'océan d'amour de ma Mère, Marie, l'Immaculée Conception.

Ma fille de mes plaies, sois bénie par moi qui suis en mon Père, en mon Saint-Esprit. Ma Mère est en moi, nous sommes en toi. Ma fille, je t'aime. Signe-toi. Ma bien-aimée, merci de ton temps. C'est moi, ton Jésus qui te fais écrire. Mon amour est en toi, toi en moi, moi toi, toi moi. Va, ma fille, je t'aime. Amen.

87 – 5 mai 2001   **Jésus Amour**

Oui ou *non* à l'Amour.

Ma bien-aimée de mes saintes plaies, je suis en chacun de mes enfants qui se donnent à l'Amour. L'Amour est en chacun de vous. Vous êtes amour. Personne ne peut vivre que si l'Amour vit en lui. Je suis l'Être suprême. Nous, Trinité d'amour, nous vivons en unité d'amour.

Vous, mes enfants qui cheminez en dehors de l'Amour, comment pouvez-vous dire le mot *amour* alors que vous ne le vivez pas? Vous vous mouvez dans la noirceur, ne sachant pas où vous êtes, qui vous êtes. Vous vous prenez pour des vivants alors que vous vivez avec la mort. Je suis la Vie qui est vie. Venez à moi, vous qui voulez vivre dans la vie, ma Vie. L'Amour est vivant. Il est vrai. Il est en vous, vous qui dites *oui* à l'Amour.

Vous, mes enfants, vous ne pouvez vivre que si vous dites : «Oui, je veux vivre en Jésus.» Moi, votre Jésus d'amour, je suis l'Être qui est en vous et qui vous donne vie. L'amour vous fait grandir en moi, Jésus, vivant dans vos tabernacles. Chacun de vous est un tabernacle où je vis.

Mes enfants de lumière, vous qui avez donné votre *oui* à l'Amour, je vous aime. Je vous veux tous à moi. Vous qui m'ignorez, qui vivez sans vous arrêter, je vous en prie, pensez à votre Jésus. Il attend que vous vous arrêtiez pour vous dire : «*Mes enfants, je suis là. L'Amour vous attend. Il est là en vous. Il veut grandir en vous. Il veut prendre toute la place.*»

Par votre *oui,* cette place qui est en vous se changera en un lieu de bonheur. Votre intérieur sera le mien. J'y serai chez moi. Si vous voulez que je me sente chez moi, il faut me dire *oui.* Plusieurs retardent encore leur *oui.* Par cette omission, leur intérieur n'est pas un lieu d'amour.

Je suis l'Amour, celui qui mendie votre *oui.* Je suis si amour! Si vous me voyiez, vous seriez si bien que vous me supplieriez de ne jamais m'éloigner de vous.

Mes chéris de l'Amour, comment pouvez-vous savoir si votre *oui* est *oui* ou votre *non* est *non*? Moi, je vous éclairerai, je ferez souffler l'Esprit Saint en vous qui vous aidera à répondre *oui* ou *non.* Je ne vous presserai pas, mais faites vite car cela est pour bientôt, très bientôt : votre bientôt!

Comme je vous aime! Tout le jour, toute la nuit, je ne me lasse pas de vous montrer mon amour. Regardez la nature, les astres du ciel : ce sont des formes d'amour. Je vous aime, mes chéris. Oui, vous êtes tous mes chéris d'amour! Moi, Jésus de Nazareth, je vous aime, mes enfants.

Bénis-toi, ma fille. Je t'aime, toi ma douceur de mes plaies. Jésus, votre Amour qui attend votre *oui*. Amen.

88 – 6 mai 2001   Jésus d'amour

Je suis vivant.

Ma fille, comme j'aime ton offrande : ta vie! Tu es vie en moi. Moi, je suis ta vie. Tu es ce que je suis, la Vie. Tout enfant qui veut vivre doit vivre en moi. Je suis la Vie, la Vérité et le Chemin. Toute vie est moi. Je suis la clarté de votre intérieur qui vous amène à la vie.

Tout est si vivant, tel l'eau d'un cours d'eau qui glisse sur les roches. Avec les ans, l'eau polit tout ce qu'elle touche. Moi, mes enfants, je suis la Vie. J'éclaire tout sur mon passage. Je suis le Chemin qui vous mène vers la vie qui est éternelle. Éternelle sera votre vie si votre *oui* est sincère. Vous êtes moi. Qui vit en moi a la vie éternelle.

Mes enfants de la Lumière, vous qui doutez de ma Présence en vous, je suis vivant en chacun de vous. Je suis là, présent. J'attends un *oui* qui me permettra d'agir en vous. Des grâces vous seront déversées pour vous faire grandir en moi.

Vous qui voulez vivre, avoir la joie, le bonheur, venez à moi, la Vie est en vous. Toute vie est en moi; je suis la Vie. Vivre sans moi, c'est vivre dans la mort. La mort, mes enfants, n'a pas de vie. Ça ne vit pas la mort; c'est inerte, ça se décompose. La mort ne peut vivre; elle ne retient rien et ne donne rien. Elle disparaît. Elle n'est plus. Elle est sans vie. Moi, l'Amour, je suis vivant. Je suis la Vie, la vie en vous. Je suis bon, parfait, aimable, puissant, incomparable. Tout est en moi. Moi, l'Amour, je vous demande de choisir la vie pour vous.

Mes enfants, la mort est si vaine, si effrayante! La mort de votre âme ainsi que celle de votre corps[33] sont entre vos mains. Vous seuls avez la liberté de prononcer votre consentement à la vie. Mes enfants, moi qui me suis offert au Père tout-puissant par amour pour vous, je vous aime. Je vous veux en moi. Je vous donne la Vie qui ne meurt pas. Elle est vivante, agissante, pleine de puissance en chacun de vous qui répondez à mon appel.

L'Amour vous dit: « *Venez, je vous attends.* » Pourquoi ne venez-vous pas, vous qui avez horreur de tout ce qui est inerte? Vous voulez vivre à cent milles à l'heure et vous ne vous pressez pas pour avoir la Vie en vous, ma Présence. Vous courez après des balivernes qui vous séduisent et vous laissent sans vie car, après un temps de plaisir, l'ennui vous reprend et vous vous remettez à courir après d'autres futilités et vous vous heurtez encore une fois à l'inutilité de vos efforts.

Mes enfants, un simple *oui* à l'Amour et je m'élance vers vous. C'est moi qui vais à votre rencontre pour que nous fassions ensemble le bout de chemin qu'il vous reste à faire pour venir à la Vie. Votre *oui* est si bon! Dès que vous le prononcez, la vie se met à germer en vous, sans que vous vous en rendiez compte. Je mets en vous des bienfaits qui vous aident à vaincre vos mauvaises habitudes.

C'est difficile, sans moi, de passer à travers vos erreurs que la mort vous fait commettre. Moi, je suis là avec vous pour vous donner la main qui vous aidera à avancer vers ce qui est vivant: l'Amour, le vrai Amour qui vit en vous. Non,

---

33. La mort, mes enfants, est votre tribut si vous dites *non* à l'Amour. La vie est votre récompense si vous dites *oui* à l'Amour. Vous seul pouvez choisir la vie ou la mort pour votre âme et votre corps. L'âme morte ne pourra faire revivre son corps à la fin du grand jugement. Moi seul ai ce pouvoir. Votre corps, après votre mort terrestre, est dans le repos jusqu'au jugement dernier. À la résurrection de la chair, l'âme, déjà morte dans l'enfer, sera réunie à son corps par ma puissance. Après le grand jugement, elle s'en retournera éternellement dans l'enfer avec son corps qui, lui aussi, sera mort à la vie pour l'éternité.

ne restez pas dans la mort qui fait échec et qui fait mal. Mon amour ne fait ni peur, ni mal. Il est pur, limpide, tel le courant d'eau qui glisse sur les roches pour les rendre plus belles, attirantes, tels des joyaux scintillants.

Vous êtes mes joyaux que j'aime et que je veux garder pour l'éternité. Moi, votre Jésus d'amour, je vous aime. Mes enfants chéris, venez à moi, la Vie est à vous. Jésus de bonté, d'amour, vous veut tout à lui. Amour de ma vie, signe-toi, ma bien-aimée. Je t'aime, offre-toi. Amen.

89 – 7 mai 2001   Jésus Amour

Donnez-moi vos enfants.

Ma douce bien-aimée, je voudrais te serrer dans mes bras comme un bon pasteur fait pour sa petite brebis qui s'est fait mal aujourd'hui. Ton amour pour ta fille est si vrai, si beau. Mais fais attention aux conseils que tu lui donnes. Je ne les condamne pas.

Vous, mes enfants, vous aimez vos enfants, mais ils ont peur de votre amour. Parfois, ils ne veulent pas que vous les aidiez. Ce n'est pas de votre amour si beau qu'ils ne veulent pas, c'est de votre tempérament, de vos dires, de vos habitudes.

Mes chers enfants, n'imposez pas à vos enfants ce que vous ne voulez pas pour vous : qu'on gère votre vie. Même si vous, les parents, vous voyez la misère de vos enfants, ce sont eux qui l'ont provoquée sans le vouloir. C'est à eux de me demander de l'aide, non à vous de les aider. En voulant les aider, ce sont vos erreurs que vous leur communiquerai. Moi, Jésus, l'Amour, je ne peux les mettre dans l'erreur. Je suis parfait. Je suis Dieu, le Créateur de toutes choses, de toutes créatures, moi, le Sauveur du monde.

Chers parents, vous qui souffrez de voir vos enfants malheureux, donnez-les-moi avec toutes vos peines, vos douleurs de parents. Je vous donnerai de l'amour, de la paix en vous. Je prends soin de vos enfants, à leur rythme à eux, avec leur consentement, en respectant ce qu'ils sont, avec leurs défauts, leur amour pour ce qu'ils font.

Tout est si compliqué pour vous, mes enfants. Moi, je suis si simple! Ayez confiance. Priez pour eux. Leur âme en a besoin. Priez aussi pour vous, mes enfants. Moi seul peux vous aider. Je suis si amour! Mon amour pour vous est immense. L'univers est si petit à côté de la grandeur de mon amour pour vous!

Mes enfants, je ne suis pas sans penser à ce que vous dites: «Pourquoi alors souffrons-nous, si tu nous aimes tant que ça?» Mes enfants, peut-on aider quelqu'un à marcher s'il refuse d'avancer? Peut-on aider quelqu'un à rassasier sa soif s'il refuse de boire?

Moi, mes enfants, je suis si amour que je vous donne un coeur pour aimer, de la joie pour chanter, du bonheur pour rire. Moi, Jésus, je vous aime. Je ne vous veux que du bien. Laissez-vous aimer. Je ne puis vous forcer à aimer. L'Amour est libre d'entrer quand vous lui ouvrez la porte. Cette porte, c'est votre coeur. À vous seuls de savoir si vous voulez l'Amour, le vrai Amour.

Mes chéris, venez à moi, Jésus d'amour. Je vous montrerai à aimer, à vous aimer, à aimer l'Amour. Oui, je suis attentif à chacun de vous qui me priez mais, quand je viens, je trouve la porte fermée. Vous avez, par votre propre volonté, mis une barrière entre mon Agir et ce que vous croyez être bon pour vous et pour les autres.

Vous voulez me donner vos soucis, vos enfants, mais vous les retenez, vous ne me les abandonnez pas. Après un moment de prière, vous repartez avec vos soucis. Vous ne les avez pas abandonnés dans mon Agir car, en vous, il y a l'habitude de gérer votre propre vie. Ouvrez-moi votre coeur, mes enfants. Je suis là à votre appel. Je vous attends de l'autre côté de la porte, dans votre coeur. Amours de ma Vie, abandonnez-vous dans mon Agir[34], je suis le maître de la vie. Je t'aime, ma douce fille. Va maintenant. Je t'aime. Amen.

90 – 7 mai 2001 Jésus Amour

Ne vous éloignez pas.

Ma fille de mes saintes douleurs, je suis si mal en pensant que mes enfants sont loin de moi. Je suis l'Amour qui veut donner. Comment pourrais-je donner à ceux qui sont loin de moi? L'Amour est en manque d'amour. Oui, mes enfants, vous êtes des êtres d'amour. Mon Père du Ciel est amour. C'est lui qui vous a conçus. Il vous a donné la vie, sa Vie, dans un mouvement d'amour.

Comment pouvez-vous vous éloigner de nous? Nous sommes ce que vous êtes. Nous sommes des Êtres faits d'amour. Moi, Fils du Dieu vivant, je suis tout amour. Je suis Être et Amour. Je veux vous parler d'amour, rien que d'amour.

Ma bien-aimée fille est celle que j'ai choisie pour vous parler d'amour, de mon amour. Mes enfants de l'Amour, venez à moi, Jésus, Fils de l'Amour. Je vous donnerai ce que vous cherchez depuis toujours : l'Amour. C'est moi, l'inventeur de l'amour. L'Amour est vivant. Il est en vous.

Je suis votre Amour. Que vous me reniiez, que vous me bafouilliez, je reste Amour. Je ne puis changer. Que vous me fassiez mal, que vous me disiez des blasphèmes, je ne puis vous faire ou vous souhaiter du mal, je suis Amour. Ignorez-moi, ne pensez pas à me louer, à me prier, je ne vous oublie pas. J'intercède pour vous auprès de mon Père, votre Père. Je suis l'Amour.

Mon Père vous aime. Il vous veut à lui. Il a donné son Enfant, son Fils unique, par amour. Il n'est pas punisseur. Il est miséricordieux. Il est l'Amour.

L'Esprit Saint intervient en vous pour vous protéger malgré vos fautes; il fait en sorte de vous montrer la voie. Il est votre vie. Il est l'Amour.

---

34. Votre agir est ce que vous faites sans moi. Mon Agir, c'est votre agir dans mon Agir qui porte des grâces. Tout est dans la Divine Volonté.

Ma Mère du Ciel, votre Maman, intervient pour vous, prie pour vous, vous supplie, vous aide à vous voir tels que vous êtes : ses enfants. Elle est l'Amour[35].

Si nous, la Sainte Trinité, nous sommes Amour, nous sommes aussi créateurs du monde. C'est nous qui vous avons créés par amour. Regardez la nature, le ciel, les astres, les créatures de la terre, du ciel, des eaux, tout cela a été créé pour vous par amour. Comment, mes enfants, pouvez-vous ne pas penser que tout cela s'est fait par amour, pour vous seuls?

Nous nous suffisons à nous-mêmes. Nous sommes un, parfaits, complets. Nous avons voulu faire des êtres semblables à nous par amour, avec amour, pour l'Amour. Le prochain est amour. Chacun de vous, mes enfants, est amour.

Aimer, c'est si important. Aimez-vous, mes enfants; aimez l'Amour. Quand vous vous faites du mal, c'est à l'Amour que vous faites du mal. Aimez l'Amour qui vit en chacun de vous. Moi, je suis l'Amour. Jésus, votre Dieu, qui vous aime. Aimez-vous les uns les autres comme nous nous aimons. Amen.

91 – 9 mai 2001   Jésus d'amour

Je suis la Lumière du monde.

Je suis celui qui dicte ces écrits, moi, Jésus, le saint Roi. Rien n'est comparable à ma toute-puissance. Les ténèbres ne peuvent parvenir à mettre le désordre en moi. Je suis le Maître, le Tout-Puissant, la Sagesse, la Bonté. Agréable est ma

---

35. Ma fille, tout enfant qui vit en nous s'accomplit dans notre Agir. Tout de vous devient nous. Nous sommes l'Agir dans votre vie. Marie est ma Fille, ma Mère, mon Épouse. Nous l'avons associée à tous nos mouvements d'amour. Elle est dans notre Agir trinitaire, non qu'elle soit la Trinité. Elle est en nous. Dans son *oui* à l'Amour, l'Amour a fait d'elle la seule personne humaine, en dehors de l'humanité du Fils, à être en la Trinité. Nous, de la Divine Volonté, nous sommes les seuls maîtres de notre Agir. Tout d'elle est, sans conteste, parfait. Elle n'a pas connu le péché. Elle n'est jamais sortie de notre Divinité. Elle est la Fille, la Mère, l'Épouse de la Divinité. Elle est l'Amour avec un grand "A".

sainte puissance. Je ne domine pas. Je garde précieusement ce que mon Père m'a donné : vous, mes enfants de la Lumière.

Je suis en train, mes enfants de lumière, de vous préparer une place de choix au Ciel, auprès de mon Père du Ciel. Je suis en vous, vous qui croyez en moi. Je suis en ceux qui veulent de moi. Je suis ici en chacun de vous, mes enfants de l'Amour. Oui, vous êtes de l'Amour. Je suis en amour avec vous. Vous êtes moi si vous vivez en moi. Qui vient en moi a la vie. La vie est en ceux qui disent *oui* à l'Amour.

Combien grande sera votre joie quand vous me verrez en vous ! Oui, mes enfants, vous me verrez en vous. Ceux qui me disent *oui* me verront. Je suis la Lumière, la Lumière du monde. Qui vit dans la lumière vit en moi. Je suis la Lumière qui luit en vous. Bientôt, je dissiperai les ténèbres ; vous serez dans la lumière, vous me verrez. Bientôt, mes enfants, vous serez lumière en moi, moi en vous.

Mes enfants de lumière, oui, bientôt, vous serez tous en moi, vous qui dites *oui* à l'Amour. Je ne puis attendre encore et encore, je viens en vous, mes enfants. Vous qui n'êtes pas prêts, qu'attendez-vous ? Que vous soyez sous terre, sous un amas de vos dires comme : « *Je ne sais pas qui croire ? Pourquoi croire ? Où en est-on avec tout ça ? Si c'était vrai ! Mais, voyons, on est au deuxième millénaire, plutôt au troisième ! Ce sont des balivernes tout ça ! Ce sont des bobards !* » et bien d'autres expressions du genre.

Moi, Jésus, je suis la Vérité. Toute vérité vient de moi. Qui croit en moi vit dans la lumière. Ma vérité n'a pas de frontière. La Vérité est, était et sera éternellement. JE SUIS est Vérité.

Mes enfants, vous qui ne vous fiez qu'à vos raisonnements, côtoyez ceux qui ont la foi et vous me trouverez en eux. Je vis en chacun de mes enfants de la Lumière, mes enfants d'amour que j'aime tant. Oui, je viens très très bientôt. Ce que je vous dis est pur dans sa vérité. Rien d'impur ne peut entrer en moi.

Je dis que je viens préparer vos coeurs à ma venue. Ma venue est pour vous, pour chacun de vous. Ce temps de préparation était nécessaire : plus de 2000 ans de préparation pour ma venue, depuis la création de ma sainte Église que j'ai bâtie pierre par pierre.

Oui, mes enfants que j'aime, je suis celui qui vient. Oui, la date est en moi. Mon Père du Ciel a fixé la date de ma venue en vos coeurs. C'est pour votre temps. Ce temps est béni de mon Père céleste. C'est sa Volonté à lui, non la vôtre.

Préparez-vous, mes enfants, car le temps est là. Votre propre temps, ce temps fixé par mon Père vous sera bientôt révélé par mes messagers qui se sont donnés à moi. L'Esprit Saint les habite. Ils sont à mon écoute. Je suis en eux. Je vous aime, mes enfants de lumière, vous qui vous êtes donnés à moi, la Lumière du monde.

Va, ma fille, c'est assez pour maintenant. Je t'aime, moi, ton Jésus d'amour. Signe-toi, ma bien-aimée. Je t'aime. Amen.

92 – 10 mai 2001   Jésus Amour

Les anges louangent ma Mère.

En ce mois de ma Mère, moi, votre Jésus d'amour, je veux que Marie, Reine du Ciel, soit honorée et priée par vous, mes enfants. Regardez, mes enfants, comme est beau votre mois de mai, mois de Marie !

Tous les anges chantent des louanges à ma Mère qui a porté le Verbe. Ce mois est en son honneur. Tous les enfants qui prient ma Mère du Ciel reçoivent des grâces d'amour, des grâces que ma Mère a reçues. Elle est pleine de grâces. Vous qui méditez ce mystère de l'Annonciation, vous connaissez ses innombrables grâces; elles sont pour vous afin que vous soyez des enfants de l'Amour.

Mes enfants de l'Amour, que ce mois soit pour vous une source intarissable de merveilles. Vous qui priez votre Maman, elle vous écoute et intercède sans cesse auprès de moi, son Fils Jésus, afin que vous ayez des grâces d'amour.

Vous avez tant besoin d'amour, de mon amour qui se meut en vous.

Mes enfants que j'aime, voici venir des jours de joie et de bonheur que vous ne soupçonnez même pas. Vous êtes en train de vous préparer à ces jours qui viennent, tel Noé dans la préparation de son arche. Personne ne pouvait prévoir qu'il allait pleuvoir pendant 40 jours et 40 nuits, et que toute la terre serait couverte d'eau.

Mes enfants chéris, comme je vous aime! Moi, Jésus Amour, je viens pour vous faire part des jours qui viennent. Ces jours seront joie et bonheur pour certains, comme ils l'ont été pour Noé et sa famille et quelques créatures. Pour d'autres qui ne se préparent pas et qui ne veulent rien entreprendre, ces jours ne seront que souffrances, tout comme pour les insensés qui ont vu Noé construire son arche et se sont moqués de lui.

Moi, je ne veux pas vous perdre, mes enfants. Je vous veux tous avec moi. Je vous aime trop pour vous laisser périr dans votre ignorance. Vous ressentirez, mes enfants, tout mon amour en vous. Je vous montrerai combien est grand mon amour pour vous. Je suis votre vie et votre bonheur, moi Jésus d'amour.

Comme il sera grand ce jour de grâces pour ceux qui m'attendent! Comme il sera grand le jour de la purification pour certains qui m'aimeront! Comme il sera grand et pénible pour certains qui me refuseront!

Je suis en route, mes enfants. Prenez-moi au sérieux. Je vous aime, moi votre Sauveur. Je veux tous vous sauver. Venez à moi, Jésus Amour vous aime.

Mes enfants, donnez votre *oui* à l'Amour dès maintenant. Comme sera grande votre joie! Moi, Jésus, je vous attends. Je vous aime. Moi qui suis en vous tous, je vous aime. Jésus qui vous veut en lui, par lui, avec lui. Signe-toi, ma douce aimée. Amen.

Combien grande sera votre récompense!

Ma bien-aimée de mon saint Coeur, moi, Jésus Amour, je suis en chacun de vous, mes enfants de lumière. Vous êtes lumière du monde si vous voulez m'aider, mes enfants de l'Amour.

Si vous ne vous donnez pas à l'Amour, pourquoi alors me demander des grâces pour aider telle personne ou telle autre? Je suis celui que vous invoquez afin d'être exaucés. Mes chers enfants de l'Amour, moi, Jésus Amour, je suis en chacun de vous, vous qui me demandez de l'aide pour vos frères et soeurs. Qui que vous soyez, je ne puis rien vous refuser, vous qui me suppliez de venir vous aider.

La misère du monde est si grande, mes enfants! Si vous la voyiez comme moi, votre Jésus, je la vois, vous seriez toujours en train de me supplier pour vos frères et soeurs qui souffrent dans leurs maladies de corps et de coeur. Et moi, mes enfants, qui vois leur intérieur, moi, Jésus Amour, je vous supplie de venir en moi afin que je puisse aider ces âmes. Elles sont nombreuses, très nombreuses, les âmes qui souffrent. Elles sont si souffrantes! Personne ne peut les aider, sauf moi, Jésus.

Combien sera grande votre récompense, mes enfants de la Lumière! Moi, Jésus, je suis en train de vous préparer une place dans mon Ciel, votre place, mes enfants, près de mon saint Père, votre Père du Ciel. Je vous aime, mes enfants. J'aime tous mes enfants, tous, sans exception. Je suis si près de vous! Si vous me voyiez, vous en seriez ravis.

Plusieurs de mes enfants se sentent seuls. Ils n'ont personne pour les aimer. Combien se croient délaissés, abandonnés de tous! Moi, leur Jésus d'amour, je les chéris, je les protège. Sans votre aide, je ne puis leur venir en aide dans leur corps, leur coeur, leur âme. J'ai besoin de vous, de vos prières, de vos demandes, de vos sacrifices, pour les leur donner. Je suis prêt à tout pour qu'ils aient, eux aussi, une place de choix. Mais, hélas! ils ne pensent pas à moi, ils n'ont personne pour leur parler de moi!

Je me languis en vous, mes enfants de lumière, afin que vous pensiez à moi, pour eux, mes amours. Je suis si amoureux de tous mes enfants de la terre! Je suis en vous tous. J'agis en vous qui me priez et je peux agir en eux qui ne me prient pas. Vos prières, je les prends et les change en grâces pour eux. Je suis en eux et vous aussi. Où je suis, vous êtes.

Mes enfants, venez tous en moi, dans mon océan d'amour, où l'Amour règne. Il a régné depuis le commencement et régnera pendant toute l'éternité.

Mes enfants de lumière, vous qui priez, il vient le temps de la moisson. Vos prières sont sur le point d'éclore. Des fleurs d'amour vont éclore en chacun de tous mes enfants de la terre entière.

L'Esprit Saint est le Semeur de cet amour, mon amour que j'ai mis en chacun de vous. Il fera luire la lumière en vous. C'est moi votre Lumière, mes enfants. Vous me verrez en train de cueillir mes fleurs d'amour. Quel bouquet pour vous, mes enfants! Quand le temps de la récolte viendra en vous, vous me verrez en chacun de vous en train de vous présenter ce bouquet. Votre joie sera si grande que vous en pleurerez de joie.

Malheur à ceux qui n'ont pas semé d'amour! Je leur ai tout offert, tout donné par mon Église, par mes messages. Ils refusent de croire à l'Amour. Ceux qui donnent de l'amour, récoltent de l'amour. Ceux qui n'ont pas d'amour dans leur coeur, comment pourront-ils donner ce qu'ils ne m'ont pas demandé? Ils ne recevront rien. Je ne puis rien récolter en eux, tout est désert en eux. Moi, Jésus, je me détournerai d'eux les mains vides, car je n'aurai rien à leur donner.

Mes enfants que j'aime, priez pour eux afin qu'ils ne souffrent pas. Il est pour eux, ce temps qui reste. Le temps de la récolte est là qui attend. La moisson est si abondante dans le coeur de mes enfants de lumière. Le poids de cette moisson d'amour est si lourd qu'ils me supplient de venir les soulager.[36]

Venez, mes enfants, vous qui souffrez de ne rien avoir. Venez à moi. L'Amour demande votre consentement afin de vous donner de l'amour. Vous, mes chéris d'amour, je vous aime et je vous supplie de ne pas oublier mes chers petits qui ont mal d'amour. Bénis-toi, ma bien-aimée. Moi, ton Jésus qui t'aime, Jésus Amour, l'Amoureux de tous tes frères et soeurs. Amen.

94 – 12 mai 2001   **Jésus Amour**

Notre Présence est joie et amour.

Ma bien-aimée de ma sainte Présence, je suis en toi, toi qui écris pour mon Église, ma sainte Église mystique. Vous êtes moi, mes enfants, vous qui ne vivez que pour moi. Votre naissance est cause de joie. Rendez grâce au Père céleste qui est joie en chacun de vous. Qui m'accueille, accueille mon Père céleste. Qui nous accueille est joie pour mon Saint-Esprit.

Notre Présence est joie pour vous. En nous, rien qu'en nous, mes enfants, vous êtes toute joie. Mes chéris, si vous voulez donner un *oui* sincère à l'Amour qui vient bientôt en vous, vous serez joie. Si le *oui* à l'Amour vous habite, vous ne pourrez vivre qu'avec l'Amour en vous, mes enfants.

Tous ceux qui diront *oui* à l'Amour recevront des grâces de joie, de paix et d'amour. Tout est en nous, l'Amour. Nous sommes en chacun de vous qui répondez à l'Amour par l'amour. Dans l'hésitation, rien ne peut parvenir à nous, l'Amour. Moi, qui sonde les coeurs, je sais si votre *oui* est sin-

---

36. Mes enfants d'amour, vous êtes en moi, vous qui vivez en moi. Vous ne pouvez plus vivre sans ma venue. Vous, et tout ce qui est en vous, avez besoin d'une décharge d'amour en moi. Oui, mes enfants, cela vous pèse de garder tout ce poids. Depuis tant d'années que vous espérez mon retour. Je sais que certains d'entre vous souffrent de ne pas connaître leur délivrance, non qu'elle soit pour eux une douleur non sanctifiante, mais ils n'en peuvent plus d'attendre. Moi, votre Dieu, je vous demande de vous garder en moi. Je viens. Amen

cère. Je ne peux accepter les indécis qui mentent à l'Amour. L'Amour régnera pour toujours.

Plus personne ne connaîtra la haine, la violence, la trahison, l'amertume, l'angoisse des sens. Je suis trop amour pour vous laisser en état d'indécision. Vous ne seriez qu'erreurs pour vos frères et soeurs. Nul ne pourra être nuisance pour son prochain. Dehors ceux qui diront *non* à l'Amour! Je suis amour, mes enfants. Vous qui hésitez, je suis là à attendre que vous vous décidiez afin que vous receviez l'amour.

Que ferez-vous si votre *oui* est un *oui* négatif, mes enfants? Moi, le Tout-Puissant, le Créateur de toutes choses, croyez-vous que je ne connaîtrai pas votre intérieur? Réfléchissez bien, mes enfants. Venez à moi, il est encore temps. Un petit temps très court vous reste afin que je puisse déposer en vous ma sainte Présence.

Vous connaîtrez des joies de repentir qui vous feront fléchir. L'Amour vous couvrira de ses bras et vous consolera. Mes bien-aimés que j'aime, aimez votre Jésus d'amour. Moi, je vous aime et je vous veux tous en moi. L'Amour est là. Il est présent en vous, en silence, dans un coin sombre de votre coeur. Il attend que vous vous décidiez à lui parler. L'Amour est là, il est si beau, si patient! Venez à moi, Jésus votre Roi, votre Dieu.

Il est Dieu, l'Amour. Il est bon, l'Amour. Il est tout-puissant, l'Amour. Il est libre, l'Amour. Il est patient, l'Amour. Il est juste, l'Amour. Il est miséricordieux, l'Amour. Mes amours, je vous aime et je vous souhaite du bonheur, éternellement, en moi l'Amour, Jésus Amour. Je vous aime. Signe-toi, ma bien-aimée. Je t'aime. Amen.

95 – 13 mai 2001   Jésus Amour

Mon Esprit d'amour habitera vos coeurs.

Mes chers enfants que j'aime, moi, Jésus Amour, en ce jour du dimanche, fête de mon saint sacrifice, vous assistez à ma venue sur vos autels. Certains assistent à la messe, d'autres restent loin de moi, seuls avec leur propre présence.

Oui, moi, Jésus, j'exhorte l'Esprit d'amour de pénétrer vos coeurs pour que vous preniez connaissance de ces écrits qui vous sont adressés, afin que vous soyez mes enfants de la lumière.

Vous qui m'ignorez en restant chez vous à l'intérieur de vos murs que vous avez élevés, qu'attendez-vous pour être en moi? Je viens bientôt vous faire découvrir pourquoi vous existez. Vous êtes mes enfants, non des enfants de ténèbres.

Vous ignorez ce que l'autre, mon ennemi, vous réserve. Vous ressentez déjà ses idées de malice, ses oeuvres de haine et cela vous ronge de l'intérieur. Bientôt, vous ressentirez toute la profondeur de sa haine pour vous.

Mes enfants chéris, moi, Jésus de Nazareth, je vous aime et je veux vous prévenir de ma venue en vous. Combien ne croient pas que mon Esprit d'amour habitera en vos coeurs bientôt? Tous sauront que moi, Jésus, je vous dis la vérité. Bientôt, vous ne pourrez plus m'ignorer, car vous me verrez en vous, telle une lumière allumée dans la nuit; bien que la noirceur l'entoure, on ne voit que la lumière qui brille.

C'est moi, mes enfants chéris, cette Lumière qui brillera en vous. Je me ferai voir de vous. Vous me connaîtrez comme mes saints apôtres, mes saints disciples qui m'ont fait connaître, moi, le Fils du Père, qui suis aux cieux.

Je suis là à vous attendre dans mon église. Vous ne vous dérangez même pas pour venir me saluer. Où que vous soyez, je vous trouverai, moi. Mon Esprit d'amour, mon Esprit Saint vous insufflera l'Amour. En vous, je serai.

Mes saints fils que j'aime, je vous en supplie, préparez mes brebis à me recevoir. Je suis en chacun de vous, vous qui êtes mes pasteurs sur terre; vous me représentez. C'est vous qui me les gardez. Vient le temps où le Pasteur reprend la garde de toutes ses brebis du monde, ma sainte Église. JE SUIS est là qui vient pour vous qui m'aimez et pour vous qui ne m'aimez pas. Je me ferai découvrir par vous qui ignorez que Jésus vous aime, même si vous ne m'aimez pas.

Je pardonne. Je suis miséricordieux. Je vous veux à moi. C'est mon Père du Ciel qui vous a donnés à moi. *Tous ceux que tu m'as donnés, Père, je les aime, je les veux tous en moi.*

Vous, mes chères petites brebis, qui êtes à la tête d'un groupe de brebis, je vous donne des oeuvres à accomplir pour votre Jésus d'amour. Je déverse en chacune de vous des grâces de sanctification, afin que vous soyez des modèles d'humilité, d'abandon, d'amour pour votre prochain.

Je vous bénis toutes, mes chères brebis. Venez à moi, vous qui êtes loin de moi et vous connaîtrez le bonheur éternel. Ma bien-aimée fille, tu es celle de ma joie! Je t'aime. Amen.

96 – 14 mai 2001   Moi, Jésus Amour

L'amour des parents est une grâce.

Ma fille, toi qui te donnes sans compter à tes frères et soeurs, sois mon enfant d'amour dans la Divine Volonté. Je bénis le jour où ton Père céleste t'a créée. Tu es moi, ma fille. Vis de moi, en moi, par moi. Ne sois plus toi. Je t'aime pour ton *oui* d'amour.

Oui, mes enfants de l'Amour, JE SUIS est bien en chacun de vous qui me donnez votre *oui* à l'Amour. Je ne puis agir en vous, mes enfants, que si votre *oui* est prononcé. Je vis en vous, je suis agissant en vous. Vous ne pouvez voir mon Agir; il est là près de vous, en vous. Je suis si puissant. Rien ne peut arrêter mon Agir. Mes enfants, donnez-moi votre accord, votre abandon à l'Amour. Je suis tout amour. L'Amour est vivant, il est agissant. Tout vit en l'Amour.

L'amour ne peut s'arrêter. Peut-on arrêter de grandir quand la vie est là, bien vivante? L'amour croît, s'épanouit. Tout est si beau quand l'amour règne dans votre vie! Donnez-moi votre vie. Moi, Jésus, je vous donnerai en échange le bonheur éternel.

Oui, mes enfants, je me répète encore une fois. Je ne m'arrêterai pas de me répéter, vous êtes si sourds! Vous ne cessez de vous enfoncer chaque jour dans vos habitudes de toujours vouloir dominer la vie de ceux qui sont près de vous.

Oui, regardez les parents! Ils mettent au monde un enfant qui a besoin de leur surveillance, leurs directives, leur protection. Ils dominent cet enfant par leurs biens matériels. Ils ne peuvent lui consacrer leur temps pour son éducation; ils le confient aux garderies afin de pouvoir s'offrir des biens matériels. L'amour en eux souffre de l'absence du parent.

Vous qui aimez vos enfants, croyez-vous sincèrement que les heures d'attente dans ce monde de cris vous remplaceront? Votre amour parental, votre attention, vos conseils, ne peuvent être remplacés par la vaillance d'une gardienne. Non, mes enfants, l'amour parental est une grâce qui vous est donnée à la naissance de votre enfant.

Mes enfants, réveillez-vous, cela est si nuisible pour vos enfants. Les jeux avec les autres enfants, cela les console extérieurement, mais la blessure intérieure est là, elle grandit, elle ne s'efface pas. Seul votre amour peut changer la situation, de même que votre présence durant tout le jour, non seulement au lever et au coucher.

Voyez les animaux. Ils prennent constamment soin de leurs petits jusqu'à ce qu'ils soient plus âgés; ils s'en éloignent alors avec prudence. Les petits acquièrent de la force pour être prêts à survivre dans un monde de convoitises alimentaires.

Mes enfants, je ne vous dis pas de renoncer à tous vos biens. Surveillez vos excès qui ne peuvent remplacer l'amour que vous devez à vos enfants. Voyez-les vieillir maintenant. Ils souffrent constamment d'un manque d'amour. L'amour est parti d'eux. Ils sont à la recherche de *je ne sais quoi*. Au plus profond d'eux, c'est votre amour qu'ils recherchent, ce qu'ils n'ont pas eu pendant leur enfance : l'amour, votre présence.

Chers parents, ce qui vous fait souffrir, c'est de ne pas être capables de renoncer à vos biens matériels afin d'accorder votre présence à vos enfants. Je sais qu'au fond de vous, vous les aimez, mais vous avez oublié votre vrai amour : celui qui donne, qui s'offre, qui s'abandonne pour vos enfants. Ce qui vous manque, ce sont les grâces qui vous rendront amour pour votre prochain.

C'est seulement en moi, mes enfants, que vous comblerez ce manque. Mes chers petits enfants, venez à moi, votre Jésus d'amour. Je vous veux heureux. En vous, je suis. Tournez-vous vers moi, là où se trouve le bonheur. Les plaisirs extérieurs ne peuvent pas vous combler. Il vous manque l'essence de la vie, moi, l'Amour.

Mes enfants, je suis celui qui vous manque : l'Amour. Oui, je suis celui qui est votre bonheur. L'Amour est si vivant qu'il crie en vous : « Donnez-moi votre *oui* à l'Amour. » Mon cri est fort, il ne fait pas mal, il est doux et bon à la fois. Je vous aime, mes enfants, je vous aime. Venez tous à moi. Je t'aime, ma fille d'amour. Va, signe-toi. Amen.

97 – 15 mai 2001   Jésus Amour

Je suis la Tête de l'Église.

Ma bien-aimée que j'aime, je suis en toi. Toi, tu es en ma sainte Présence. Moi, je vous aime tous, mes enfants. Vous vous dites catholiques, protestants, orthodoxes ou d'autres religions; ne savez-vous pas que vous êtes tous mes enfants? Je suis, moi, le seul Dieu.

Mes enfants, je ne suis pas un Dieu pour quelques-uns et un Dieu différent pour d'autres. Je suis Dieu unique. Je n'ai pas deux façons d'aimer, deux façons de susciter l'amour en vous. Je suis l'unique Amour. Ma Vie est celle qui s'est offerte pour vous tous, mes enfants.

Certains se disent meilleurs, soit parce qu'ils sont plus près de la doctrine de Dieu, soit parce qu'ils sont baptisés, soit parce qu'ils appartiennent à un cercle d'enfants qui ont étudié la Bible, soit par principe, soit par naissance. C'est uniquement moi, mes enfants, qui suis en vous, qui connais mon

Père du Ciel, qui suis uni à lui. Qui connaît mon Père, me connaît.

Vous, mes enfants, qui êtes divisés par vos lois, moi, je vous veux tous en moi, dans mon Église mystique. Je suis la Tête de l'Église; vous tous, sans exception, vous êtes mes membres.

Vais-je brûler un bras qui ne répond pas à ma doctrine? Si vous m'aimez, ou si vous êtes païens et que vous ne me connaissez que par mes enfants, vais-je vous rejeter alors que vous m'avez donné à boire, à manger, vêtu, soigné? Non, mes enfants, je ne vous rejetterai pas. Il est écrit : « *Tout ce que vous ferez aux plus petits des miens, c'est à moi que vous l'aurez fait.* » Oui, vous êtes tous mes enfants, de toutes les manières et de toutes les façons.

Mes enfants, vous qui vous aimez, c'est moi, Jésus, que vous aimez. Je suis la Vie en vous, mes enfants. Où il y a l'amour, je suis présent. Je ne puis délaisser mes enfants qui m'aiment.

Combien d'entre vous observez les règles de la religion, de votre religion, alors que vous ne vous aimez pas entre vous. Réfléchissez, mes enfants. Quand vous me priez, ce sont de vrais mots que je veux entendre. Dites-les-moi ces mots. Aimez-vous les uns les autres comme moi, je vous aime. Je suis ici avec vous, en vous, par mon Saint-Esprit. Je vis, je suis vivant.

Mes enfants, l'Amour n'a pas de barrière. L'Amour, c'est moi, Jésus. Je vous aime et je vous veux tous réunis en moi, dans une seule religion, une seule Église, mon Église. Moi, je suis l'Église; vous êtes mon Église, mes enfants.

Préparez-vous, le temps est si proche! Je viens régner en vos coeurs, dans le coeur de chacun de vous. Comme je vous aime, mes enfants! Soyez des enfants de lumière qui brillez dans ce temps de ténèbres.

Tous diront de vous : « *Voici des enfants qui s'aiment; aimons-nous, nous aussi, afin d'être enfants de lumière.* » Oui, des enfants à moi, Jésus. Vous, mes enfants, vous aurez la vie éternelle si vous dites *oui* à la Vie. La vie éternelle est là, prête à venir en vous. Je suis la Vie. Qui meurt à lui-même a la vie qui est ma Vie. JE SUIS est là depuis toujours. Toujours, la Vie sera.

Je vous demande de bien réfléchir, mes enfants; vous aurez à répondre bientôt. Bénis-toi, ma fille. Je t'aime. Amen.

98 – 16 mai 2001   **Jésus Amour**

Votre *oui* pour la vie éternelle dans l'Amour.

Ma fille bien-aimée, toi qui te donnes, je t'aime. J'aime tous mes enfants. Vous, mes enfants, vous vous demandez pourquoi vous êtes ici sur la terre. Quand vous naissez sur la terre, c'est mon Père du Ciel qui vous donne la vie par vos parents. C'est mon Père céleste qui le veut ainsi.

Pensez, mes enfants, que parmi tant de spermatozoïdes, un seul féconde un ovule. C'est vous que mon Père, par sa toute-puissance, a choisis. Vous êtes uniques. Vous êtes son choix à lui, vous n'êtes pas nés du hasard, c'est lui-même, votre Créateur qui vous aime, qui vous a choisis. Il vous veut sur la terre, afin que vous veniez vers lui par votre *oui* à l'Amour.

Mon Père vous a tous choisis afin que vous soyez des enfants libres, libres de choisir son amour. S'il vous avait obligé à l'aimer, cela aurait fait de vous des enfants esclaves qui n'auraient eu d'autre choix que d'aller vers lui. Non, mes enfants, vous seuls avez ce pouvoir de dire : « *Oui, nous voulons de ton amour, nous voulons être à toi, Papa d'amour.* » Mon Père du Ciel ne peut vous forcer à l'aimer. L'Amour n'est pas esclave.

L'Amour est libre. Il est toute bonté, toute miséricorde. Il est parfait, l'Amour. Sans votre consentement, il ne peut vous forcer à aller vers lui. Je ne puis vous amener de force, vous êtes seuls maîtres de votre *oui*. Si, mes enfants, vous choisissez l'Amour, vous serez libres, sans contrainte, ni peur, ni violence de toute part. L'Amour aime. Il est bon. Il vous donne la vie éternelle, la vie qui ne finit pas d'aimer. Tout est merveilleusement beau, parfait!

Mes enfants, quand vous naissez sur la terre, c'est pour l'amour, pour être heureux. Vous seuls pouvez faire ce choix. Ne le donnez pas à la haine, à la violence, à l'indépendance; cela serait l'oeuvre de Satan, mon pire ennemi. Il a horreur du bien. Il ne peut supporter que les êtres humains soient heureux, étant donné qu'il a rejeté l'Amour. Il fait tout en son pouvoir pour vous faire perdre l'amour.

Le jour de votre naissance, il commence à tout mettre en oeuvre pour votre perte afin de vous amener dans l'enfer. C'est sa joie. Sa puissance est dans le mal, dans la haine. Il ne peut pas supporter votre bonheur. Il met le trouble entre vous et le bonheur. Il est diabolique, ce qui signifie : *division*. Il veut tout troubler : vos pensées, vos émotions, vos sentiments. C'est un jeu pour lui. Il est maître dans ce jeu. Il vous fait accroire que vous êtes libres de disposer de vous-mêmes. C'est pour mieux vous contrôler. Il le fait sans que vous vous en rendiez compte. C'est lui qui contrôle, non pas vous.

Mes enfants, vous êtes nés pour être heureux dans votre acheminement vers la vie éternelle. Vous êtes en croissance dans l'amour. C'est cet amour qui vous amène à la vie éternelle. C'est pourquoi vous devez, mes enfants, vous aimer les uns les autres. Mais votre comportement face à votre prochain a été perturbé par le péché originel causé par la désobéissance à l'Amour de vos premiers parents, Adam et Ève.

Ce manquement à l'Amour, mes enfants, est venu noircir votre terre. Satan, ce perfide ennemi, a pris sur chacun de vous un pouvoir maléfique : «*Moi, tout pour moi, rien que pour moi; avec moi-même, je peux tout.*» Oui, mes enfants, c'est en vous que vous vous faites du mal en voulant tout faire par vous-même. Ce mal est géré par Satan lui-même.

Vous pensez que vous êtes maîtres de toute situation? C'est une erreur! C'est lui qui veut tout cela afin de vous piéger par ses tromperies. Voyez le modernisme, la domination par le pouvoir. Vous vous demandez pourquoi vous êtes malheureux? C'est son invention à lui pour mieux vous perdre.

Je suis en vous, mes enfants, par votre naissance. Dieu le Père m'a donné le pouvoir de miséricorde. Ce pouvoir, c'est l'amour. Moi, je suis tout amour. Je ne puis vous aider que par l'amour. L'amour est libre, il a besoin de votre *oui*. Mes enfants, je vais vous aider à aimer, à pardonner, à tout donner pour l'Amour. Le bonheur est si grand quand on donne! Je me suis donné par amour.

Mes enfants, il n'y a pas de plus grand amour que de donner sa vie pour ceux qu'on aime. Je vous aime. Moi, Jésus crucifié, je vous aime. Aimez-vous, mes enfants, vous aurez la vie éternelle. Je donne toute vie à celui qui aime. L'Amour est amour. Il est aimant. Jésus Amour vous aime. Venez les bénis de mon Père, le Ciel est à vous. Amen.

99 – 17 mai 2001   Jésus Amour

Qui que vous soyez, venez.

Moi, Jésus d'amour, j'écris par ta main que je bénis pour mes enfants, tous mes enfants. Je les veux tous à moi.

Mes enfants, qui que vous soyez, venez tous à moi. Vous qui peinez, qui pleurez, qui souffrez, qui êtes oubliés, qui avez été violentés, maltraités moralement dans votre intérieur ou votre extérieur, je suis celui qui console, qui panse vos blessures, qui aime, qui pardonne aux ingrats, qui ne se souvient plus de vos manquements, qui ne veut que vous aimer.

Oui, je vous consolerai de tous vos manquements envers l'Amour. Je suis si aimant! Je ne me lasserai jamais de vous redire combien grand est mon amour pour vous, mes enfants. Quoi que vous pensiez, quoi que vous ayez fait, moi, Jésus, je vous aime et je vous veux tous, en prenant bien soin de ne pas vous effaroucher.

Je vous ferai voir tout ce que mon amour a accompli pour vous. Je ne suis pas un ingrat, je vous donnerai tout en échange de votre amour. Tout bien, tout amour est pour vous.

Je ne puis vous procurer ce qui serait nuisible à votre âme, je vous aime trop pour ça. Moi, le Dieu divin, je connais ce qui est le mieux pour vous. Votre avenir est sous les yeux de ma Divinité. Je ne puis vous procurer ce qui serait une perte pour vous, mes enfants.

Quel parent donnerait à son enfant un objet dangereux, en sachant que cela pourrait lui causer la mort? Non, mes enfants chéris, je ne puis aller contre mon amour pour vous, je vous aime trop pour ça. Tout est en moi pour vous. À vous seuls de savoir si vous voulez être aimés de moi, Jésus.

Pourquoi hésiter sur votre *oui*? Avez-vous peur de vous engager dans mon amour? Vous pensez que cela est trop exigeant de votre part? En m'aimant, vous vous sentiriez obligés de prier constamment à genoux ou d'aller à l'église tous les jours de la semaine, de faire de l'adoration dans mon église? Oui, mes enfants, certains d'entre vous ont plaisir à faire ces actes d'amour pour l'Amour; mais, mes enfants, cela ne peut pas être pour tous.

Mes enfants, les premiers pas envers l'Amour sont si simples: seulement aimer l'Amour, dire un *je t'aime* à vos frères et soeurs. Avec mon aide, vous allez, mes enfants, découvrir l'Amour en eux, en leur donnant ce que moi je donne. Tout ce que vous faites, mes enfants, faites-le dans l'amour. Votre prochain découvrira que vous êtes habités par l'Amour. Je suis votre prochain. Tout ce que vous faites aux plus petits d'entre vous, c'est à moi que vous le faites.

Ma fille que j'aime, écris ces mots d'amour. Mes enfants de l'Amour, l'Amour est vivant en chacun de vous. Vous êtes des fleurs de mon amour que j'ai fait fleurir en vous. Mes enfants d'amour, que grandisse chaque fleur d'amour en vous afin que moi, j'aille cueillir un bouquet d'amour pour vous donner l'amour en fleurs. Chaque fleur sera un gage d'amour qui tapissera mon Être divin qui a tout pouvoir sur l'univers. Tout sera sans égal. Tout est en moi.

Je suis la puissance de l'Amour. L'Amour est vie en chacun de vous. Toute vie est de moi, moi l'Amour. Je suis amour pour vous, vous pour moi. Mes enfants, mon amour est si fort qu'il ne peut plus se retenir. Je viens vers vous pour vous dire : « *Je vous aime : toi, toi et toi, chacun de vous.* »

Amen, je vous le dis, tous verront l'Amour en leur coeur. Je viens en vous tous, moi, Jésus, vivant en chacun de vous. Amen.

100 – 17 mai 2001   **Jésus**

Un Dieu libre qui aime ses brebis.

Ma bien-aimée fille, toi que j'aime, tout, dans ce monde, est pour moi. Je suis le Créateur de ce monde. Vous, mes enfants, vous appartenez à votre Créateur. Je ne puis vous forcer à m'appartenir, je suis un Dieu libre qui aime ses brebis. Je vous veux libres d'aller brouter dans les pâturages où l'herbe est bonne, verte, chatoyante.

Je suis si amoureux de mes brebis. Celles qui s'éloignent du pâturage pour aller brouter plus loin, je ne les empêche pas, car elles savent que le bon Pasteur est là qui les surveille et les protège du danger. Elles ont confiance en leur protecteur. Elles reviennent toujours vers la main qui les nourrit. Je suis la Nourriture de mes brebis. Je suis leur Amour, elles le savent. Elles se retournent pour mieux me voir. Certaines vont plus loin sans se soucier du danger. Moi, quand je vois le danger alentour, je me précipite pour les sauver.

Mais, mes enfants, certaines d'entre elles ne se retournent pas pour voir si je suis là, à leur vue. Elles profitent de ce que je me retourne pour s'éloigner, pour aller vers d'autres herbes plus attirantes que celles qui leur sont désignées. Sachant que je ne puis les forcer à rester près de moi, ces brebis s'éloignent sans se soucier du danger.

Les obstacles, c'est elles seules qui veulent les franchir, mais leur fragilité fait qu'elles se blessent. Elles ne m'appellent pas : elles ont honte de leur escapade. Elles pensent aux herbes qui étaient toutes vertes et sans danger, car celles qui sont autour d'elles leur paraissent moins belles et moins bonnes au goût, maintenant qu'elles y sont. Ces herbes les avaient séduites parce qu'elles ne leur étaient pas accessibles.

Quand elles se rendent compte de leur erreur, certaines s'enfoncent encore plus loin, loin de moi, loin leur bon Pasteur. Elles se sentent seules, désespérées, ne pouvant plus faire marche arrière. Elles pleurent, se lamentent. Le vent qui souffle vers moi me fait entendre leurs lamentations. Je laisse toutes mes brebis qui sont en sécurité, et je pars à leur recherche.

Je les trouve troublées, anéanties. Je les soigne, panse leurs plaies et les porte dans mes bras, sans aucun reproche de ma part. J'ai entendu leurs plaintes. Leurs plaintes, c'est le regret de leurs fautes. Je suis si amoureux d'elles que je leur pardonne avant même qu'elles ne s'en rendent compte. Je suis un Dieu amoureux d'elles.

Mes brebis sont pour moi un trésor inestimable, un bien si précieux. Je les aime toutes, mes petites brebis. Je m'en retourne vers mes pâturages avec mon précieux chargement. Mon coeur pense à celles qui n'ont pas crié au secours. Où sont-elles? Moi, le bon Pasteur, je les veux aussi.

Mes amours, êtes-vous de celles qui n'ont pas crié? Moi, j'attends vos cris à l'Amour. Je suis toujours là à attendre vos cris à l'Amour. Je suis celui qui vous veut autour de moi, pour vous donner à manger. Ma Nourriture soigne, panse et fait grandir votre amour pour votre bon Pasteur.

Aimez-moi, moi qui vous aime, mes petites brebis. Je me languis de vous, mes enfants de l'Amour. Jésus qui vous aime. Va, ma fille, je t'aime. Amen.

101 – 17 mai 2001   **Jésus**

Toute semence vient de moi.

Mon enfant, mes enfants sont à moi. Moi, Jésus, je les aime. Vous, mes chers enfants que j'aime, voyez l'Amour en chacun de mes enfants.

Ils viennent dans ce lieu d'amour[37] pour comprendre ce qu'il y a à l'intérieur d'eux. C'est si difficile quand on est seul dans la vie. Ma Vie à moi est si simple. C'est l'amour. Je vous aiderai, mes enfants, à parler d'amour. L'amour, c'est le bonheur sur la terre.

N'attendez pas, mes enfants; vous êtes nés pour être aimés. Le bonheur a été semé en vous. Vous seuls pouvez arroser ce germe qui a été semé en votre coeur. Moi, je suis le Semeur, vous, vous êtes la terre. L'amour, c'est la semence. Ne laissez pas étouffer la semence que j'ai déposée en vous.

Êtes-vous prêts, mes enfants, à laisser parler l'Amour? Je suis tout amour, rien qu'amour. Cette semence déposée en vous, je l'arroserai avec mon amour qui ne se tarit pas. J'arroserai vos semences par ma puissance d'amour. C'est moi, le Crucifié mort pour vous. Amen.

102 – 18 mai 2001   **Jésus**

J'agis en vous en l'Amour.

Oh! ma bien-aimée ainsi que vous, mes enfants, je suis en vous. Je vous aime, mes enfants. Tout en moi est axé sur vous. Je vous aime, mes enfants. Je suis tout pour vous. Vous, soyez des êtres vrais pour votre Jésus. Je vous aime tant. Oui, en tout temps, je suis là, en vous, attendant un mot de vous à l'Amour. Comme votre amour est bon en moi!

J'agis en vous. En moi, qui suis l'Amour, vous êtes. C'est moi, mes enfants, qui agis en vous. Je ne peux agir en vous que si vous dites *oui*. Avec votre accord, je verserai en vous

---

37. Lieu de ressourcement spirituel (du 17 au 20 mai).

des grâces d'amour qui vous donneront des moments de bonheur. Ainsi, tous mes enfants deviendront bonheur en moi; vous serez joie et bonheur dans votre agir, mon Agir.

Oui, tout peut devenir agissant si l'Agir est en vous. Moi, l'Amour, je suis tout à vous. Laissez venir à moi les enfants de l'Amour. Moi, je vous aime, mes enfants de l'Amour. Amen.

103 – 18 mai 2001   Jésus Amour

Je te veux ici.

Ma fille, c'est par mon bon vouloir à moi, Jésus, ton Amoureux, que tu es ici. Je t'aime et je te veux en moi, ma fille.

Toutes ces personnes sont venues ici chercher une guérison intérieure qui se reflétera extérieurement. Toute personne qui cherche en son intérieur trouve l'amour, mon amour. Combien d'entre elles sont malheureuses de se sentir mal aimées? Elles sont des victimes du Mal. Le Malin est si pervers qu'il se rend maître de leurs sentiments. Ma bien-aimée, toi qui t'es donnée à moi, reste en moi.

Mes enfants, je suis le protecteur de vos émotions. Donnez-moi vos souffrances intérieures et extérieures. Moi seul suis votre Sauveur. Je puis tout pour vous. Moi, Jésus, je suis en amour avec vous, mes enfants.

Bientôt, chacun de vous viendra à moi par l'Esprit Saint. Chacun de vous me verra, moi, Jésus, Sauveur du monde. Je veux attirer à moi tous mes enfants.

C'est à vous de reconnaître ce qui vous a éloignés de moi en vous, afin que vous trouviez ce qui ne va pas, mes enfants. Tout est en moi. Moi seul suis la Lumière. Je suis votre lumière. Vous ne pouvez trouver ce qui ne va pas en vous. La lumière qui n'est pas allumée ne peut vous montrer vos erreurs. Mes enfants, vous êtes si fragiles à cause de vos mauvaises habitudes.

Vous vous heurtez constamment. Vous êtes comme des aveugles qui bougent dans le noir, sans savoir ce qu'il y a devant eux. Vous vous faites du mal, mes chéris. Venez à votre Jésus d'amour. Je suis la Lumière qui vous montrera ce qui ne va pas. Je suis si bon, si miséricordieux. Je vous le montrerai avec tellement d'amour que vous en ressentirez des joies immenses. Tout est en chacun de vous.

Moi, mes enfants, je suis en vous derrière cette porte fermée par votre ignorance face à l'Amour. Mes enfants de l'Amour, laissez entrer l'Amour. N'ayez pas peur. Je ne vous ferai aucun mal. Le mal n'existe pas en moi. Ne vous effarouchez pas, je suis doux et humble de coeur. Mon Coeur s'est ouvert pour vous, mes enfants de l'Amour.

Je suis si amour! Vous, les petits de mon Père céleste, je vous aime. Laissez-moi vous montrer l'Amour qui est là, prêt à entrer chez vous, où est sa place. Mes enfants, ne rejetez pas celui qui est mort par amour pour vous. Venez à moi, les bénis de mon Père et je vous donnerai la vie éternelle, celle qui ne finit pas. Jamais vous ne connaîtrez de douleur; tout est si beau, si parfait! Mes enfants, je suis à vous, vous à moi. Soyons ensemble. Je vous aime.

Ma bien-aimée, toi qui écris pour ton Jésus d'amour, je t'aime. Oui, ton *oui* d'amour est source de joies éternelles. Je vous bénis, vous qui entendez mes paroles en vos coeurs. Amen.

104 – 18 mai 2001   Jésus

Venez à moi quand tout va mal.

Ma fille, oui, l'Amour est libre. Il ne peut forcer personne. Il est libre l'Amour; il aime avec le coeur, non avec les poings. Tout est amour, mes enfants. Je suis si humble, je ne puis accepter l'orgueil en moi. Ce qui est mal, c'est de dire : « Je suis sans toi. »

Mes enfants que j'aime, moi, l'Amour, j'ai besoin de vous, de votre consentement à l'Amour. Je suis si amour!

Quand tout va mal, venez à moi, mes enfants de l'Amour. Moi, je suis là en vous, pour vous. Rien ne peut venir à moi par la force.

Je suis si parfait. C'est moi, la Liberté qui est amour. La liberté ne compte pas, elle est sans retenue. Tout est libre. L'Amour attend, il ne demande pas l'impossible. L'Amour n'oblige personne à venir s'il est retenu par ses obligations intérieures qui, parfois, le gênent. Je suis, moi, Amour. Aimez-moi, mes enfants. Libres, je vous veux tous. Amen.

105 – 19 mai 2001   **Jésus Amour**

À ceux qui veulent venir à moi, je donne tout.

Ma fille que j'aime, je suis Dieu de la miséricorde. Tout en moi est pardon. Je suis un Dieu d'amour. Tout en moi est amour. Ma confiance, je la mets en mon Père du Ciel. Tout est en lui, en moi, en le Saint-Esprit, nous, la Trinité. Je ne suis qu'amour. Nous sommes amour.

Mes enfants, quand vous vous donnez à l'Amour, il fait tout pour vous, il vous comble de ses bienfaits, il vous fait connaître l'amour. L'Amour qui veut habiter chacun de vos coeurs est en nous, en vous. Nous sommes présents en vous, mes enfants, tous les trois en vous; Père, Fils et Esprit Saint, nous habitons en vous.

Ne doutez pas, mes chers enfants, que l'Amour est tout en vous. Même si vous vous retournez, nous sommes en vous; vous ne pouvez vous éloigner de nous. Même si vous vous êtes retirés, nous vivons en vous, nous sommes là en chacun de vous.

Mes enfants, même si la colère bombarde, nous sommes là. N'ai-je pas apaisé la tempête lorsque j'étais avec Pierre et mes autres apôtres, dans la barque? C'est comme cela que je suis avec vous. J'attends que vous, qui vous êtes donnés à l'Amour, me disiez : « *Maître, réveille-toi, nous coulons.* » Moi, je me réveille et je tends les bras, commandant au vent de votre intérieur de s'apaiser.

Mes enfants, votre colère est comme ce vent : elle se calme en ma Présence. Quand votre cri est sincère, je viens pour vous donner ma paix. La paix règne en vous par moi. Je suis en vous, mes enfants d'amour. Moi, Jésus, je vous aime.

La confiance, c'est l'amour de deux êtres qui s'aiment, sans rien attendre ni exiger l'un de l'autre. En amour, cela est si fort, si puissant! L'amour donne, il est libre, il est patient, il est si confiant que rien ne peut l'ébranler. Aucune tempête ne peut le faire s'écrouler. Il est protégé par le mur que j'ai bâti autour de chacun de vous avec vos propres pierres blanchies[38], mes enfants.

Je vous aime. Jésus vous aime. Venez à moi vous qui peinez; je suis en vous, là, si près. Je vous veux à moi, Jésus, Roi d'amour. Ma fille, signe-toi. Amen.

106 – 19 mai 2001   Jésus Amour
La confession vous libère de vos erreurs.

Moi, Jésus, Fils du Dieu vivant, j'aime mes enfants. C'est dans l'amour que je vis. Je ne puis vivre que dans l'amour. Mon Père du Ciel, qui est amour, a donné son Fils unique par amour. C'est si bon l'amour. Tout est amour en moi.

Mes enfants, quand vous vous faites du mal, c'est vous seuls qui souffrez. Le mal est en vous. Moi qui vis en vous, je souffre de voir votre douleur. Cette douleur qui vous assaille vous détruit; elle vous rend si vulnérables, loin de moi. Quelle est donc cette souffrance qui vous assaille, qui vous rend malheureux, qui vous donne l'envie de ne plus connaître l'amour?

Moi, je suis en vous, je veux vous attirer à moi. Venez à moi afin de comprendre que ce qui vous fait mal, c'est d'être éloigné de moi. Moi, mes enfants, je suis l'Amour. Je suis ce

---

38. Tout enfant qui me donne ses péchés, moi je le purifie.

qui vous manque : votre amour intérieur. Elle est pour moi, cette souffrance. Cette souffrance vous rend si vulnérables. Moi qui suis la Toute-Puissance, tout en moi est grâce.

Mes enfants, quand vous venez à moi, déposez en moi vos souffrances. Moi, je déverserai en vous des grâces qui vous aideront à supporter vos douleurs. Je suis l'Amour. Je prends vos souffrances car rien ne peut m'atteindre. Je suis de toute éternité. Vous seuls souffrez, mes enfants. Votre souffrance est le résultat de vos propres erreurs. Moi seul, mes enfants, peux vous soulager de tant de souffrances.

Je suis celui qui est mort par amour pour vous. C'est pour vous, mes amours, que mon Corps a sué. Je vous ai gagnés à la sueur de ma Vie. Je me suis donné à mon Père pour vous qui souffrez. Je suis l'Amour qui a donné à mon Père toutes vos souffrances; elles ont été purifiées par moi, Jésus Sauveur.

Personne ne peut aller à mon Père sans passer par moi. C'est moi qui ai porté vos péchés dans ma Passion. Tout a été fait par moi. J'ai fait pour chacun de vous un acte d'amour. Vous avez été sauvés par moi, votre Libérateur, afin que vous soyez des enfants bénis de mon Père.

Mes enfants, vous avez connu l'esclavage. Vous qui peinez, je vous donne, moi, votre libération qui vous conduit au Père. Oui, vous souffrez, mes enfants, par Adam et Ève qui ont fléchi devant la tentation de Satan. Vous, mes pauvres enfants, qui peinez à cause de cette faute originelle, c'est là la cause de votre perte. Vous portez en vous la trace de ce péché qui vous a fait commettre d'autres péchés qui ont, à leur tour, engendré d'autres péchés. Je suis venu pour vous sauver, pour vous donner la Vie en vous. Vous êtes morts à la Vie. Moi, je suis venu pour vous la redonner par mes sacrements.

Mes enfants, vous pouvez vous soigner ! Vous pouvez, par votre *oui*, donner à votre intérieur le remède nécessaire à l'amour qui a été blessé en vous. Moi, je suis votre médecin. Ne craignez pas, je suis toute puissance, tout amour. Je ne vous condamne pas. Je vous aime.

Venez à mes fils de prédilection calmer vos blessures qui vous font mal en vous, là où moi je suis. Vous seuls pouvez tout pour vos erreurs. À vous seuls de vouloir guérir de vos fautes en me disant : «Oui, je veux.» Moi, le Tout-Puissant, je peux vous guérir. Je vous donnerai l'amour qui vous fera avancer vers la vie qui a commencé dès votre *oui*.

Je suis si amoureux de vous que je me laisse tomber en vous. Vous qui souffrez, moi, je vous donne tout. Je suis tout à vous. La confession est source de bonheur pour vous, non un supplice. Mes enfants, venez voir! La confession est un acte de renonciation au mal. Tout est en moi. Vous recevrez des grâces de sanctification qui guérissent et des grâces de joie qui vous donnent des ailes d'amour.

Moi, qui suis derrière la grille, je suis dans la bouche du prêtre. C'est moi votre bâtisseur de murs de pierres, avec vos propres pierres que j'ai blanchies de toute tache par votre repentir. Oui, mes enfants, je vous aime. Je vous veux tous à moi. Je vous aime. Bénissez en mon nom, mes enfants, ce sacrement qui enlève votre peine et l'efface pour l'éternité. Je vous aime, mes enfants. Je vous veux tout à moi, moi, l'Amour qui est Vie en chacun de vous.

Vous êtes mes enfants de lumière. Vous êtes, en chacun de vous, ma lumière qui brille, qui éclaire. Oui, mes enfants, tout s'éclaire en vous. Vous, vous êtes ma lumière, moi vous, vous moi. Amen, je vous le dis, qui vit en moi a la vie éternelle.

107 – 19 mai 2001   Jésus

Quand, en vous, sonne le cliquettement, vous êtes en nous.

Père, que ta parole soit faite. Toute parole de vie est lumière. Je suis la Lumière du monde, moi qui suis en chacun de vous. Père, tu m'as donné la Vie en moi. Moi, je ne suis Vie que si tu vis en moi.

Voilà, mes enfants : tout enfant qui refuse la Vie en lui ne peut vivre avec moi, en mon Père. Il est libre de dire *oui* à la vie éternelle. Le Père, dans sa bonté et sa miséricorde, ne peut forcer ses enfants à rester en moi, la Vie. Il donne toute liberté de choisir.

La Vie en vous n'est source de vie qu'en ceux qui disent *oui*. Miséricorde est mon saint Père. Il est doux, patient, miséricordieux, bon, sage, lumière. Merveilleux est son amour. Tout doit venir de votre *oui* pour habiter en nous. Où est mon Père, je suis. La vie est en vous si vous dites *oui* à la Vie. Rien n'est plus beau que votre *oui* à l'Amour.

Le pardon est joie; grand est le bonheur de la réconciliation. La Vie est toute joie en chacun de vous. Mes enfants, je vous aime et je vous veux tous en moi.

Le Père du Ciel, mon Père, votre Père, est si bon! Par mon *oui*, quand un de nos enfants dit *oui*, il se retrouve en nous. Qui que vous soyez, vous êtes tous en moi, vous en moi, moi en lui, lui en moi, nous en chacun de vous. Parce que je suis en vous, vous êtes en moi. Si vous êtes en moi, moi qui suis en chacun de vous, c'est que vous êtes, vous aussi, en chacun de mes enfants.

Mes enfants, je vous aime; en vous, je suis tout. Venez les enfants de mon Père. Je vous aime, moi, le Fils unique de mon Père du Ciel, le Ressuscité, votre Sauveur qui vous a donné la vie, la vie éternelle. Je vous aime. Amen.

108 – 19 mai 2001   Jésus

Soyez en moi des ronces d'amour.

Ma bien-aimée de mes douceurs, tu es une ronce qui ennoblit mon Coeur. Oui, mon enfant, une épine était en train de percer mon Coeur tout ensanglanté. Toi, ma douceur, tu as dit *oui*. Par ton *oui*, tu as conquis tout mon Être. Moi, je t'ai prise et je t'ai transformée en être d'amour. Tout toi est ma consolation. Je t'aime ma douceur, tu es devenue une épine d'amour pour ma consolation. Tu as fait de ma couronne un instrument d'amour car tu as, par ton *oui*, changé ton épine en douceur pour moi.

J'ai donné à ma douleur une nouvelle arme. Cette arme d'amour, c'est toi, toi qui souffres pour moi; toi, épine d'amour, qui te donnes sans retenue à l'Amour. Tu es si remplie de ton Dieu! Je t'aime, ma douceur d'épine[39] qui soigne ma plaie par ton abandon à mon Amour.

Que ne donnerais-je pas pour que vous tous qui êtes des ronces, vous vous changiez en douceur pour votre Sauveur! Mes amours, comme votre Jésus vous aime! Je suis amant en vous, vous qui êtes en moi, mes enfants de l'Amour. Amen.

109 – 19 mai 2001   **Votre amoureux Jésus**

Soyez greffés à l'arbre de vie.

Ma fille que j'aime d'un amour si ardent, je t'aime, toi qui t'es donnée à ton Jésus par amour.

Tout n'est que ma Volonté. Toi, tu es instrument d'amour, de notre amour. Tu n'es pas sans importance pour nous, la Trinité. Tu es notre enfant chérie que nous aimons plus que notre Vie. En toi, nous avons mis nos paroles. L'Esprit Saint te fait entendre la voix de ton Jésus d'amour. Le Père est si présent en toi que tu entends parfois sa voix d'amour. Il vit en moi, moi en lui.

Ma Mère déverse en toi des grâces qui te font réaliser que tout est pour tes frères et soeurs. Dans ton intérieur, tout se transforme par elle. Tu es à l'école de l'amour. Chaque enfant en toi, par moi, reçoit des grâces qui lui feront comprendre mes enseignements. Toi, reste à mon écoute. Ma Mère est pour toi un professeur d'amour.

Tes abandons sont mes grâces. Tes offrandes, ma fille, sont uniquement de toi; c'est toi seule qui donnes tes *oui*.

---

39. Par notre abandon, nous qui l'avons fait souffrir, nous devenons par lui douceur. Il nous aime tel que nous sommes, avec nos manquements qui sont épines pour lui.

Nous, la Sainte Trinité, nous t'avons choisie pour ton humble présence auprès de tes frères et soeurs. Nous t'aimons pour ce que tu es, ma fille.

C'est nous, le Père, le Fils et l'Esprit Saint, qui te dictons quoi écrire. Bénis-toi, ma fille. Écris ceci: «*Mes frères et soeurs, en nous, nous sommes en Jésus. Tous, en lui, nous formons son Église mystique.*» Père, vois ta fille que j'ai voulue à ton écoute.

Je vous aime, moi, votre Jésus Amour. Pendant tout ce temps passé ici, dans ce lieu de guérison intérieure, mes enfants, il s'est produit la plus merveilleuse des merveilles: vos retrouvailles intérieures.

Mes enfants, quand vous cherchez comment être bien dans votre peau, il faut avant tout être bien en vous. C'est en vous sachant habités de moi, Jésus, que vous découvrirez en vous l'Amour. L'Amour produit le bonheur en vous.

Mes enfants, vous qui vivez avec vos manies influencées par votre caractère, vous avez appris à tout gérer vous-mêmes. Vous vous êtes remplis de votre propre moi. Moi qui suis en vous, j'ai été ignoré de vous. Je suis l'Amour. Je suis la Présence. Abandonnez-vous à moi, Jésus. Venez me parler, je suis présent en vous.

Venez à moi dans des moments où tout autour de vous est repos. Les moments d'arrêt dans votre vie sont si importants. Combien d'entre vous, mes enfants, prennent le temps de s'arrêter. Ils sont rares vos moments d'arrêt. Pour certains d'entre vous, ils n'existent même pas. C'est vers moi que vous devez venir, moi, votre Jésus Amour.

Je suis en vous et vous me laissez paître tout seul dans votre jardin qu'est votre intérieur. Je suis l'Agneau de Dieu, je regarde vos fleurs qui se meurent de soif; elles se fanent par manque d'eau; il n'y a personne pour les arroser. Venez parler avec moi, je déverserai en vous des grâces qui se changeront en pluie d'amour. Moi, l'Agneau béni, je suis seul, sans compagnon[40] pour venir chez vous. Je suis si seul dans votre jardin d'amour. Des ronces ont étouffé vos fleurs. Des roches ont pris leur place. Je me heurte à d'énormes cailloux sur lesquels je me blesse. Vos péchés sont si lourds en vous; ils vous font mal.

Mes enfants que j'aime, moi, votre Jésus, j'ai mal de solitude en vous. Vous, que faites-vous? Vous vous blessez si souvent par vos manquements à l'Amour, lesquels se changent en pierres qui rongent toutes vos émotions d'amour. Votre coeur est si gonflé d'amertume et de manques de pardon qu'il est dur comme pierre. Moi, votre Jésus, je veux vous démontrer qu'un seul *oui* à l'Amour peut tout changer.

Alors, mes enfants, votre croix sera moins difficile à planter dans votre jardin. Cette croix, mes enfants, c'est votre ciel. À vous de savoir si cette croix sera douloureuse ou glorieuse! Moi, mes enfants, j'ai porté la croix jusqu'à ma mort. Ce sont vos manquements qui ont fait ma croix. C'est avec tellement d'amour que je l'ai portée. Je suis mort par amour. Allez-vous faire de ma mort un acte vide de sens?

Mes enfants, c'est moi votre Sauveur. Je vous supplie de déposer vos manquements sur mes épaules. C'est moi qui monte au Calvaire avec vos péchés. Ne laissez pas passer Jésus sans rien faire. Cette montée au Calvaire, ce geste d'amour, est pour vous et pour tous les temps. À mon Agonie, j'ai vu vos manquements. J'ai transpiré le sang, mon Sang qui a coulé par amour, ce Sang que mon Père m'a donné et que j'ai versé pour vous.

C'est si simple, mes enfants. Depuis 2000 ans que je meurs sur vos autels. Tous les jours, toutes les minutes, un fils de prédilection me fait descendre avec mon Corps et mon Sang sur vos autels pour que je transforme vos manquements en grâces qui font de vous des enfants de lumière, des enfants d'amour.

Je ne puis renoncer à vous, vous m'avez coûté trop cher! Ce n'est pas avec de l'argent qu'on peut obtenir mes grâces. Mes enfants, l'amour n'a pas de prix, il est gratuit. C'est avec

---

40. Sans vous.

tout mon amour que je me donne pour vous. Mon Père offre son Fils par amour pour vous. Chaque fois qu'un de mes fils de prédilection offre le pain et le vin par l'Esprit Saint qui le couvre de son ombre, mon Père vous donne son Fils. Le miracle se produit : le pain se change en mon Corps et le vin se change en mon Sang.

Mes enfants, offrez vos manquements à mon Père, il vous donnera des grâces sanctifiantes. Comprenez bien, mes enfants : c'est comme une branche qui tombe d'un arbre; l'arboriculteur la greffe à l'arbre et la branche revit. C'est l'arboriculteur qui a pris la décision de greffer la branche, non l'arbre. C'est à vous de savoir si vous voulez être greffés à l'arbre de vie. La vie dont je vous parle dure toute l'éternité. C'est si long l'éternité! Vous sur la terre, vous pourriez bien essayer d'en calculer la durée, vous n'y arriveriez pas. Compter l'éternité est impossible. Le temps n'existe pas au ciel : il est. Je suis l'Alpha et l'Oméga.

Tout est en moi. Je suis le Contenu. Moi, Jésus Amour, je vous dis : « *Amours de ma Vie, je vous veux tous en moi.* » À vous seuls, mes enfants, de savoir. Avant de répondre, regardez derrière vous. Vous y verrez d'autres personnes n'ayant pas encore répondu. Ils attendent vos réponses ou, plutôt, votre réponse. Ne voyez-vous donc pas de qui je parle, mes enfants? C'est des vôtres, de vos enfants. C'est vous leur exemple, vous, les parents, les amis, les responsables qui avez été choisis pour leur donner une éducation.

Moi, mes enfants que j'aime, je suis derrière la porte de votre jardin, j'attends votre réponse, celle qui dure. Si, parfois, il est difficile d'ouvrir et d'ouvrir, pensez que j'ai trébuché en route, car ma croix portait de nouvelles roches[41] qui ont chargé ma croix. Je me suis relevé et j'ai avancé avec difficulté. J'ai toujours avancé, pas à pas, jusqu'à ma victoire : le passage de la mort à la vie. C'est cette vie que je vous donne, moi, Jésus Amour. Je vous aime, moi, l'Amour, qui me suis

---

41. Vos péchés.

donné pour chacun de vous. Amour est votre nom d'amour.
Amen.

110 – 20 mai 2001   **Jésus Amour**

Je ne vous juge pas.

Toute votre vie est mienne, mes enfants. Quand vous êtes
venus en ce monde, j'ai pris ma place en chacun de vous. Je
connais tout de vous, rien ne m'échappe. Je suis si près de
votre coeur. Je vous connais mieux que vous ne vous connaissez vous-mêmes.

Je sais quand votre coeur a mal; dans sa souffrance, il
vous fait faire des actes contre vous-mêmes. Vous vous aimez
un jour et, les jours suivants, vous ne savez plus qui vous
êtes. Vous vous dites : qui suis-je? Hier, je m'aimais et,
aujourd'hui, je me déteste? Était-ce bien moi qui, hier, se
regardait dans la glace en souriant alors que, maintenant, mes
yeux se détournent de moi?

Oui, mes enfants, vous qui avez honte de vous regarder,
moi, Jésus, je suis en vous. Je vous connais si bien! Quand
vous vous faites du mal, je sais que vos regards se détournent
de vous-mêmes, afin de ne pas avoir à vous juger. Moi, mes
enfants, je vous regarde. Je ne vous juge pas. Je vous aime
trop pour cela. Je veux vous aider à vous connaître tels que
vous êtes réellement : une petite brebis blessée par elle-même.

Le mal s'est introduit en vous sans que vous vous en rendiez compte. Il vous fait devenir différents de ce que vous êtes
en réalité. Ce mal est en vous comme un intrus qui viole votre
intérieur. Il est le voleur de votre bien qu'est l'amour. Vous
qui êtes amour, vous n'êtes pas sans savoir ce que vous ressentez et vous souffrez d'être ainsi.

Ce mal vous gruge, mes enfants. Vous ne vous aimez
pas, vous avez de l'aversion contre vous-mêmes; vous
n'acceptez pas d'avoir des sentiments qui sont en désaccord
avec votre intérieur qui, lui, est amour. Vous, mes enfants, qui

prenez conscience que vous n'êtes pas ce que vous projetez à l'extérieur, vous êtes malheureux.

Vous, mes enfants, vous ne vous pardonnez pas vos manquements. Moi, Jésus, je vous aide en vous aimant tels que vous êtes. Mes enfants, vous êtes si fragiles. Je prends soin de vous sans vous reprendre, tels un papa et une maman qui consolent leur enfant après une gaffe; ils l'aiment tellement qu'ils ont peur qu'il se mette à crier : « Non, je n'en peux plus ! »

Moi, je suis Jésus et je vous aime. Je suis un être bon. Je vous aime. Je veux être en vous comme je suis en mon Père. Je veux me retrouver dans l'amour en vous. Mon Père vous a donné son amour qui est mon amour. Mes enfants, quand vous refusez de vous aimer, c'est moi que vous refusez. Je suis vous, mes enfants; vous êtes moi. Je vais vous aider. Je vais vous donner ce qui vous manque, des grâces d'amour. Venez à moi, mes bien-aimés; j'ai ce qu'il vous faut. J'ai en moi tant d'amour. Cet amour, il est en vous.

Mes chéris, je vous aime. Venez dans mes bras, je vous y donne une place. Mes bras sont là pour vous consoler. Oui, je ne puis vous reprocher d'être ce que vous êtes. Vous êtes malheureux. À moi de vous consoler.

Mes enfants, je vous donnerai ce qui vous manque, afin que vous soyez bien en vous-mêmes. La violence en vous, mes enfants, vous a empêchés de vous reconnaître enfants de douceur. Moi, je suis l'Amour. Je porte en moi la douceur. Je suis le remède contre la violence. Toute cette impatience que vous ressentez quand quelqu'un ou quelque chose n'est pas en accord avec vous, cela vous détruit et vous rend malheureux. Venez en moi. J'ai un baume de patience qui adoucira votre caractère.

Vous qui n'êtes pas d'humeur à la tolérance alors, qu'en vous, la tension monte et la colère explose, demandez-moi de l'aide et je vous donnerai le pardon pour vous et pour ceux qui ont été la cause de cette montée de colère en vous. Mes enfants, j'ai en moi une pharmacie pour soigner chacun de vos maux. Je suis amoureux de chacun de vous. Je vous aime.

Oui, mes enfants, votre Jésus attend votre *oui* à l'Amour. L'Amour est là, en vous. À vous seuls, mes bien-aimés, de me dire : « Oui, viens, je t'attends. » Je suis là, je viens. Jésus est là, mon petit trésor. En toi, je viens. Garde-toi de te montrer autre que toi-même. Je te connais et je t'aime tel que tu es. Moi, je suis en toi. Je t'aime.

Ma fille, toi, ma douceur de mes douleurs, donne, donne, donne ton coeur, ouvre, verse. Ton coeur est tout à nous. Je t'aime. Amen.

111 – 20 mai 2001 L'Esprit Saint

Quand tout se meurt en vous, moi j'agis.

Tout est en nous. Nous sommes Père, Fils et Esprit Saint. Tout est puissance en chacun de nous. Nous seuls sommes Dieu. Je suis la Puissance du monde. Qui vient à moi ne peut être seul. Nous sommes ensemble en vous. L'Esprit Saint qui vous habite est source de vie. Je suis en chacun de vous, mes enfants. Tout est en nous.

Mes enfants d'amour, moi, je suis la troisième Personne de la Sainte Trinité. Je suis en chacun de vous. J'habite en chacun de vous. Tout vient de moi. Tout ce qui est vivant passe par moi. Je suis le Souffle de Dieu. Je suis le doigt de Dieu. Je suis l'Être d'amour : l'Esprit Saint. Tout vient de moi. Je suis en Dieu. En moi, je suis.

Le Père et le Fils, qui sont Amour, sont moi. Moi, je suis l'Amour. Tout ce qui est bon en vous est de moi. Tout souffle d'amour est moi, mes enfants. Gardez-vous en moi. Je vous aime. Le Père, le Fils et moi, le Saint-Esprit, nous sommes en chacun de vous. Aucun de nous ne peut être sans l'autre. Nous sommes la Trinité, nous formons un tout.

Moi, l'Esprit Saint, je viens en vous, vous qui êtes en moi. Je suis vie, je connaît tout, je suis tout. Laissez agir Dieu, Dieu en vous. Vous avez toute puissance en vous. Tout en moi est puissance. Grande est ma force. Je vous aime. Venez à moi. Amen.

112 – 21 mai 2001   Jésus, votre bonheur

Viens mon ami, amène-moi chez toi.
Jésus s'invite chez Zachée.

Moi, Jésus, je suis passé devant le pécheur de jadis. Il s'est repenti. Il a voulu me témoigner son amour en escaladant les hauteurs. Je suis passé et j'ai levé le regard vers lui. Il était si petit devant son Dieu! Moi, l'Amour, j'ai aimé sa petitesse. Je me suis invité chez lui. En lui, je suis entré avec tous mes biens. En lui, j'ai tout présenté. Il a dit *oui* à l'Amour. Moi, je suis son trésor qui remplace ses manquements à l'Amour. Heureux celui qui me donne tout. Moi, je lui donne un trésor inestimable en échange de son *oui* à l'Amour.

Moi, Jésus, je vous aime, vous, mes bien-aimés qui me donnez votre confiance. Moi, l'Amour, je vous aime. Zachée s'est converti avec tout son amour. Il est devenu l'amour. Toute personne qui se donne à l'Amour devient l'amour. Je donne tout. Vous qui peinez, donnez-moi ce qui vous blesse et je vous donnerai de l'amour comme baume pour panser vos blessures. Plus de mal pour ceux qui viennent à moi; je les garde en moi. Toute caresse vient de moi. Laissez-moi venir chez vous, j'ai pour vous les bras remplis de ce que j'ai donné à Zachée, l'amour. Amen.

113 – 21 mai 2001   Jésus

Quand l'âme s'appuie sur nous,
nous la prenons.

Tout est confiance en ceux qui me donnent tout. Tout est en moi, Jésus Amour. Donnez-moi tout. Tout est à moi; moi seul suis tout. Je peux tout. Je suis puissance. À moi seul de savoir ce qui vous convient : je vous conviens; je vous aime. Aimez votre Jésus Amour.

Toi qui te sais si petit, je m'adresse à toi, toi qui lis ces mots. Tu es moi, moi toi. Je t'aime. Dresse-toi en moi, tout est droit en moi. En moi, tout est vrai. C'est moi ton Maître de vie, de ta vie éternelle.

Je vous aime. À vous de tout donner. Laisse-moi t'aimer, toi qui lis : toi, toi, toi, ... Amen.

114 – 21 mai 2001   **Jésus**

Nous sommes trois fois saints.
Venez habiter l'Amour.

Ma fille que j'aime, je suis si heureux que tu me demandes si tu dois écrire pour moi. Oui, ma bien-aimée que j'aime, mes enfants chéris ont besoin de l'Amour. Je suis celui qui leur manque : l'Amour.

Je vous aime, mes enfants. Vous êtes mes propres enfants, pas biologiques, mais des enfants du vrai Être. Vous êtes de moi, mes enfants. Vous êtes créés par Dieu. Le Père céleste vous a insufflé sa propre Vie, l'Amour. Vous êtes des êtres d'amour par moi, Jésus. Vous êtes nés par ma grâce sanctifiante qui vous procure tout bien, tout ce qui vient de nous, la Trinité.

Nous sommes des personnes faites d'essence d'amour. Personne d'autre ne peut être nous. Nous, nous SOMMES. Le Père, le Fils, le Saint-Esprit sont trois personnes dans une. Notre tout est trinitaire, ce qui fait de nous la Sainte Trinité. Tout est en chacun de nous.

Le Père est celui qui est. Il est le Tout-Puissant qui est nous, en nous, par nous. Le Fils est lui; moi, lui en moi; moi, lui en lui. Il est le Dieu de son Être. Il EST. Il n'est pas engendré. Il EST. Tout en lui est son tout. Il est le tout de son Être. La Trinité est nous. Nous sommes en chacun de nous, Père, Fils et Esprit Saint. L'Esprit Saint est nous. Nous sommes en l'Esprit. Tout tourne autour de nous. La Trinité est nous en lui; lui, nous en lui. Rien n'est plus grand que nous. Nous sommes nous. Le Père, le Fils, le Saint-Esprit sont TROIS en UN, Dieu unique.

Ce qui est compliqué pour vous ne l'est pas pour nous. Nous sommes la perfection. Tout en nous est perfection. Voyez-vous, quand deux atomes ne sont pas complets, ils sont à la recherche de ce qu'ils doivent devenir, en formation de ce qu'ils doivent être. Nous, nous sommes dans tout, ce que vous, vous n'êtes pas encore : « Amour ».

Oui, mes enfants, nous sommes trois personnes qui s'aiment d'un amour incommensurable. Nous nous aimons d'un amour personnifié. Nous sommes le tout d'un tout. Voilà le tout de mon Père : Père, Fils et Esprit Saint. L'un ne peut être séparé de l'autre. L'autre est l'autre. Le Tout est UN en TROIS. Vous êtes en chacun de nous. Nous sommes en vous.

Mon enfant, que tout soit écrit comme je te le dicte, non à ta manière de comprendre, même si tu es troublée par cet écrit. Ne sois pas inquiète. Je t'aime, ma douceur de mes plaies. Je suis en toi, je reste avec toi. Je t'aime. Amen.

115 – 22 mai 2001   Jésus Amour

Ne laissez pas le mal entrer en vous.

Ma fille que j'aime, je suis en ceux qui veulent de moi, tout comme je les veux en moi. Je suis en chacun de mes enfants, mais ceux qui ne veulent pas de moi, Jésus, je ne peux agir en eux. Je suis celui qui est en chacun de mes enfants qui dit *oui* à l'Amour. L'Amour ne peut agir qu'en ceux qui veulent de moi.

Moi, votre Jésus, je ne puis agir en ceux qui se prennent pour des *"je sais tout"*. Ils ne se laissent guider que par leur savoir trompeur. Ils ne réalisent pas que le Malin nourrit leur savoir et qu'ils sont ainsi à sa merci. À travers votre *"je sais tout"*, le Malin se fraie un passage pour entrer en vous. Il vous suggère des pensées d'orgueil telles que : « *je n'ai besoin de personne* », « *moi, je me débrouille tout seul* », ou encore, « *moi, je suis le maître de ma vie* ».

Mes enfants que j'aime, comprenez bien que le Malin profite du fait que vous êtes seuls, sans l'Amour; ainsi, il peut vous faire faire ce qui lui plaît sans que vous vous en rendiez compte.

Mes enfants, il est si rusé, si puissant, beaucoup plus que vous ne pouvez l'imaginer. Il est un ange déchu à qui mon Père avait donné un rang supérieur à celui des autres anges. Son orgueil a causé sa perte. Il a été chassé et envoyé dans un monde de ténèbres où tout est noir, sale, impur, où le vice est roi. Là, il est le maître. C'est lui qui domine sur le mal. Il veut vous attirer à lui par tous les moyens. Toutes les ruses servent ses projets contre vous. Il est si pervers! Il est puissant dans l'art de vous manoeuvrer, vous ne pouvez vous en faire une idée.

Mes enfants que j'aime, je vous écris ainsi pour vous prévenir. Quand vous restez sans protection, il s'en réjouit; il peut à son aise tout machiner pour votre perte. Même si cela lui prend un certain temps, il aime jouer avec vous, mes enfants. Il vous hait tellement! La haine est sa nourriture.

À chacun de ses succès contre vous, il se réjouit comme un fou dans un monde perturbé, où tout tourne pour lui, sans que cela puisse le ramener à son état normal, car il aime contrôler le mal et le dominer. Il est comme un acteur qui joue le rôle d'un fou dans le mal. Il manigance tout pour que tout soit dans le mal, comme lui, il est le mal. L'acteur, lui, quand il a terminé de jouer son rôle, revient à son état normal, car il est le bien. Satan, lui, ne peut revenir, car il est le mal. Il demeure dans ce qu'il est: le mal. Il se nourrit du mal et se donne du mal afin que tout autour de lui ne soit que mal. Sa nourriture est le mal. Il respire le mal. Il aime se voir dans le mal qu'il produit.

Mes enfants, moi, votre Jésus d'amour, je ne peux le laisser vous dominer ainsi! Vous êtes mes enfants! Quand un enfant n'écoute pas ses parents, ceux-ci font tout pour le ramener à de meilleurs sentiments envers eux. Par des douceurs, ils l'amènent à se tourner vers eux tout joyeux.

Combien mon amour pour vous est plus grand, moi qui vous aime à en mourir sur une croix! Je vous veux auprès de moi pour vous avoir avec moi au Ciel où tout sera beau et merveilleux pour chacun de vous! Je vous aime, mes enfants.

Savez-vous pourquoi vous êtes si différents entre vous, alors qu'il y a parmi vous des enfants qui sont si bons envers leur prochain et d'autres si indifférents! Ceux qui sont indifférents sont si loin de moi! Ils ne veulent pas vivre en moi. Je ne puis les nourrir de mon amour qui rend si aimable, si charitable, si pardonnable. S'ils étaient en moi, ils ne pourraient être que bons envers leur prochain.

Voyez ceux qui m'aiment! Ils se donnent par amour à leur prochain avec tellement d'égards qu'ils n'ont qu'une idée: donner de l'amour gratuitement. Les enfants de l'Amour sont en moi; je suis en eux. Ceux qui refusent ne peuvent être en moi. Ils sont si loin. Moi qui les aime, je veux les protéger du Malin, mais ils me ferment leur porte qui ne peut s'ouvrir qu'avec la clé de l'amour.

Mes enfants chéris, je vous aime. Aimez l'Amour qui ne veut que votre bien. Le bien, c'est moi, Jésus. Que voulez-vous choisir? Le bien ou votre «moi» qui refuse l'Amour et se suffit à lui-même? Mes enfants, si vous choisissez votre «moi», il est impossible que le bien soit en vous, car il n'existe qu'en moi. Je suis l'Amour, le vrai amour, celui qui donne. Quand vous vous trouvez seuls avec votre «moi», le Malin, qui le sait, profite de votre état. Il prend soin de se faire ignorer pour mieux vous prendre dans ses filets.

Moi, votre Jésus Amour, je ne vous cache pas ma Présence en vous et autour de vous. Je suis celui qui vous aime. Mes enfants, venez à moi, Jésus, qui suis l'Amour. L'Amour vous veut en lui. Ma fille, ma bien-aimée, je t'aime. Amen.

116 – 23 mai 2001   **Jésus Amour**

Pourquoi avoir peur de moi?
Dites-moi *oui*.

Ma fille bien-aimée que j'aime, moi, Jésus Amour, je te fais reprendre ton écriture pour que les mots soient clairs en toi.

Tu es à mon écoute. Je t'aime et je te veux entièrement en moi. Ma fille, je t'aime. Tout vient de moi, tout est en moi, Jésus, ton Dieu tout-puissant. Je t'aime tellement. Écris tout ce qui est de moi. Moi, je suis bon, clair, non compliqué. Je suis simple et humble de coeur. Tu es à moi, moi à toi. Tout n'est que Volonté Divine.

Les enfants que mon Père du Ciel m'a donnés, je les veux tous en moi, comme je suis avec cette enfant tout entière à moi.

Mes enfants, je respecte votre caractère, vos manies de trop ou de pas assez. Je n'exige rien que vous ne pouvez me donner. Je suis si bon, si pur! Pourquoi avoir peur de moi? Votre *oui* est nécessaire à votre abandon en moi. J'ai les mains liées quand votre *oui* d'abandon n'est pas prononcé. Votre agir est le vôtre, pas le mien, mes enfants.

Combien d'entre vous voguez seuls, sans moi, votre Jésus Amour! Vous allez sur des chemins trop difficiles pour vous; il s'y trouve tellement de dangers. Voyez par vous-mêmes combien de malheurs il y a autour de vous. La violence et les meurtres vous font frissonner. Vous avez peur. Le soir, vous verrouillez vos portes, vous avez peur des voleurs qui s'attaquent à vos biens et surtout à votre corps.

Oui, mes enfants, vous n'êtes pas en sécurité sur cette terre. Savez-vous pourquoi? C'est que vous êtes seuls. Savez-vous, mes enfants, que lorsqu'on est seul, on risque de se trouver dans une impasse où tout est noir, où rien ne va; on est malheureux, sans abri d'amour.

Mes enfants, vos appuis et votre amour sont si fragiles. Tout peut s'écrouler au moment où vous ne vous y attendez pas. Moi, Jésus votre Sauveur, votre Libérateur, je veux vous prendre dans mes bras pour vous faire avancer sur votre chemin, sur le vôtre, pas celui d'un autre. C'est avec moi, Jésus Amour, que vous devez avancer.

Je suis le Chemin où tout est facile, clair, sans embûche. Je suis la Lumière qui éclaire vos pas. Je suis la Vérité qui vous aide à ne pas commettre trop d'erreurs. Mes enfants, plus votre *oui* est sincère, pur et beau, plus vous marchez dans le bonheur. Tout devient pour vous si simple : plus de peur, plus d'erreur. Vos angoisses, vos phobies, vos défauts, il n'y en a plus; vous aimez! Oui, mes enfants, vous devenez ce que vous êtes depuis si longtemps, l'amour.

C'est le péché qui vous a enlevé l'amour. L'amour ne peut cohabiter avec le péché, il le combat. Le péché est faux, menteur, violent, égoïste, si vilain, si pervers. Tout en lui est si noir, si froid, si seul; tout en lui est le mal. Je vous parle du Malin. Il prend ses aises en vous sans que vous vous en rendiez compte, mes enfants. Il entoure vos corps de chaînes qui vous font si mal.

Combien se reconnaissent dans la maladie, dans le suicide, dans la violence, dans la domination par l'argent, afin de combler leurs manques d'amour? Vous êtes prêts à forcer votre prochain à vous donner ce bonheur qui vous manque à l'intérieur de vous. L'amour ne s'achète pas, mes enfants. Il ne peut être forcé, ni malmené. Il est si bon, si doux!

Mes enfants, quand vous vous sentez agressés par une autre personne, le Malin en profite et cherche à vous faire réagir violemment contre votre prochain. C'est lui qui vous fait réagir par la colère; vous ne pouvez contrôler votre peur, votre peine ou votre désespoir.

L'amour n'est pas comme ça. Il est gratuit, libre, pur, vrai, doux; il donne, il aide, il est si bon. L'amour pardonne. Quand vous donnez votre *oui* à l'Amour, vous vous donnez la chance d'être heureux. C'est si bon de savoir que vous n'êtes pas seuls, que vous avez un ami, Jésus.

C'est moi, l'Amour, qui marche avec vous, en vous, dans votre vie. Par ma puissance, vous êtes en sécurité. Dites-moi que vous m'aimez et que vous me donnez vos soucis, vos espoirs d'amour. Je vous comblerai, je vous donnerai ce qui vous manque, de l'amour. Cet amour vous procurera le bonheur en vous-mêmes et avec votre prochain.

Mes enfants, je suis en chacun de vous. Je suis en vous, en chacun de vous tous. Qui que vous soyez, je vous aime, mes enfants, peu importe que vous soyez le pire du troupeau. Je suis venu sur la terre pour le pire du troupeau, pour le plus malheureux. Je suis en vous. Ne doutez pas, mes enfants, que je vous aime. Jésus, le Roi d'amour, vous veut tous avec lui. Vous êtes mes sujets, plutôt mes amis du Royaume.

Venez, mes amis, votre place est là qui vous attend en moi. Je suis la vie éternelle. Personne ne meurt en moi. Je suis la Vie qui ne finit pas. Amen, je vous le dis, qui meurt en moi a la vie éternelle. Amen.

117 – 24 mai 2001   Jésus Amour

L'amour : votre héritage.

Ma fille que j'aime, moi, l'Amour, je te fais savoir, par mon Coeur qui est en toi, que je t'aime. Tu es à moi. Partout où mon Coeur va, tu vas; bénis-le en mon nom. Ce Coeur est le Coeur de l'Amour. Je suis Amour. Je porte en mon Coeur tous mes enfants.

Vous, mes enfants bénis, je vous amène vers la lumière qui guide vos pas. Vous êtes en moi, Jésus, le Roi d'amour. Vous êtes amour, tout en vous est amour. Je suis l'Être qui est, était et sera pendant toute l'éternité. Comme je vous aime, vous qui doutez! Je vis en vous, mes enfants d'amour. Vous m'appartenez, vous êtes mes enfants que le Père du Ciel m'a donnés.

Nul n'est loin de moi quand votre amour pour le prochain est sincère. Tout ce que vous faites aux plus petits d'entre les miens, c'est à moi que vous le faites. Comme est beau le ciel de votre coeur, mes enfants, quand vous êtes bons envers votre prochain! C'est une partie du Ciel qui est en vous. Laissez parler l'Amour qui est en vous; laissez-le agir: vous ressentirez que le Ciel est déjà avec vous. Vous ne pourrez rester indifférents à l'Amour qui est là, moi, Jésus, qui suis avec vous.

Comme j'aime vous voir si petits en moi, mes enfants! Je vous serre très fort sur mon Coeur. Vous êtes dans un océan d'amour. Mes enfants, rien ne meurt en moi. Toute joie, toute allégresse sont en vous quand vous vous laissez bercer par les vagues d'amour qui montent en vous.

Mes enfants, sachez reconnaître que lorsque vous aimez votre prochain — j'appelle prochain ceux qui sont le plus près de vous —, vous êtes en amour avec l'Amour. Vous ne pouvez nier ce qui vous habite; cette sensation de bonheur et de paix, c'est l'Amour. C'est moi qui vous envahis par mon Esprit Saint. Oui, combien se cachent de ce sentiment par peur d'imagination ou d'un « *je ne sais ce qui m'arrive* », mais ils ont le goût de crier leur joie.

Je vous aime. Oui, mes enfants, l'Amour a déposé en vous l'amour. Laissez sortir l'amour pour que votre prochain puisse savoir que vous êtes amoureux. Lui aussi ressentira le besoin de venir à l'Amour. C'est contagieux l'amour! On en veut de l'amour! On est bien en l'Amour!

Comme vous êtes bien en moi, vous qui êtes amoureux! Vous dites *oui* à l'Amour, vous renoncez à vous-mêmes pour laisser l'Amour agir en vous. L'Amour est libre. Laissez l'Amour en liberté: il vous nourrira d'amour, il vous remplira d'amour. Vous deviendrez amour agissant.

Oui, mes enfants, l'amour donne. Recevez l'amour. L'amour, c'est votre héritage. Il est à vous. Vous êtes des êtres d'amour. Combien ne savent pas encore que l'amour est pour eux. Ils cherchent. Ils cherchent quoi? Un moyen de combler un vide en eux. Ce vide est le manque d'amour, de l'Amour qui est en eux depuis leur création: « *Toi qui cherches, viens en moi, Jésus, Roi d'amour. Ce qui te manque, c'est moi. Je t'aime, moi, l'Amour».*

Vous qui ne comprenez pas, faut-il que je me répète encore? Je ne puis rien vous refuser, mes enfants. Moi, je connais vos intérieurs. Je vois vos coeurs assoiffés d'amour. Vous êtes sourds à mes appels. Ne soyez pas aveugles. Regardez en vous, vous me verrez. Demandez et vous recevrez, mes enfants. Je suis si bon pour vous. Je serai patient. Moi, je vous aime.

Ma douce fille, je t'aime, bénis-toi. Le Fils de Dieu te bénit : *le Père, le Fils et l'Esprit Saint sont en toi. Mère, voici ta fille; fille, voici ta Mère.* Amen.

118 – 24 mai 2001   Jésus Amour
Tout savoir est voulu par moi.

Ma fille, toi qui est docile à ma voix, je t'aime. Moi, Jésus d'amour, je suis amoureux de toi, ma douceur de mes plaies. Quand tout en toi est abandon, c'est que moi, je suis tout en toi. Tu me donnes tout de toi. C'est moi, la Divine Volonté qui est tout pour toi. Tout ton être s'abandonne dans ma Volonté. Je suis tout ce que tu es. Tout en toi est moi. Moi, je suis la Vie de ta vie. Toi, ma bien-aimée, tu es moi par moi. Tout de toi est moi, ton Jésus Amour.

Votre Jésus Amour est en vous. Mes enfants de l'Amour, que tout soit clair et pur en vous. Que l'Amour soit en vous. Je vous veux tous en moi, Jésus Amour.

Je bénis ce voyage.[42] Ce temps dans les airs vous amène à réfléchir sur ma puissance. Tout doit être en moi. Voyez, mes enfants, ce vol est puissance par ma force. Ce qui vous semble simple dans cet envol est ma puissance.

Nul ne peut être savant que si, moi, je le veux. Je permets que mes enfants soient instruits par ma puissance qui provient de moi. Par la force de l'Esprit Saint, je nourris la terre de mon

---

42. En avion, lors d'un pèlerinage en Europe, du 24 mai au 7 juin.

savoir. Tout vient de moi. Tout est en moi. Mes enfants, que vous soyez un ou plusieurs à apprendre, vous êtes en moi. C'est moi, qui suis en vous, qui vous instruis. C'est de moi que tout vient et revient. Mes enfants, tout ce qui vous vient est de moi, pour moi. C'est la Puissance qui agit.

Quand un enfant conçoit des plans pour la construction d'un projet, avant que cela soit dans la pensée de l'enfant, mon Esprit Saint, qui l'habite, le nourrit de ses dons. C'est lui, par sa puissance, qui donne l'intelligence à cet enfant. Sa pensée conçoit des plans. Ces plans font naître le projet. Du projet viendra l'oeuvre. Mes enfants, tout vient de la puissance du Saint-Esprit qui a habité cet enfant et qui a donné à la pensée sa puissance. La pensée, le plan; le plan, le projet; le projet, l'oeuvre. L'oeuvre est donc l'agir de mon Agir.

Je vous aime. Ce vol vers d'autres cieux vous amène vers votre prochain que j'aime. C'est mon Vouloir à moi de vous faire arriver où vous voulez aller! C'est que tout est en moi, tout vient de moi. La moindre petite chose est de moi, tout de moi. Combien pensent que le vouloir est d'eux? Seul leur *oui* ou leur *non* est à eux. C'est vous qui devez dire *oui* ou *non*. Moi seul suis le Vouloir de vos *oui*. Le *non* à la Divine Volonté est un *non* qui est neutre, il n'agit pas en l'Amour. L'Amour ne peut donner son Agir à vos *non*.

Mes enfants que j'aime, je suis si près de vous. Quand vous dites *oui* à l'Amour, l'Amour prend soin de vous. Moi, l'Amour, je vous aime. Aimez l'Amour qui est en vous. Moi, Jésus, je suis si bon pour vous, mes enfants. Je suis comme un papa et une maman qui aiment avoir leurs enfants autour d'eux. Que tout soit *oui* en vous, mes enfants. L'Amour vous comble de ses présents amoureux. Va, maintenant. Je t'aime. Amen.

119 – 25 mai 2001   Jésus Amour – Esprit Saint

Tout vient de moi, je suis la connaissance.

Jésus : Ma bien-aimée fille, toi qui te donnes totalement à ton Jésus Amour, toi qui es en moi, tu es au service de tes frères et soeurs. En toi, ma fille, j'ai mis ma voix. Tu es remplie de mon Esprit Saint. Sainte est ma Volonté. Ma Volonté est que tu sois écoute et donation. Ce que tu reçois, donne-le; il est pour mes enfants, tous mes enfants, sans exception.

L'Esprit Saint : Par ma connaissance, mes enfants ont la connaissance. Tout vient de moi. Je suis l'Esprit Saint. Lisez ces écrits. Toute connaissance vient en vous par moi. Je suis Vérité. Pure est ma connaissance. Je suis Lumière. Grande est ma lumière qui se fait voir en vous par moi. Je suis Chemin. Grande est ma sagesse. Toute personne qui prend mon chemin ne peut se perdre. Mes enfants, soyez ma lumière qui fait jaillir autour de vous ma connaissance. Qui me connaît, connaît le Père. Je suis toute vie en vous, vous êtes vie en moi. Je suis l'Esprit Saint. Que tous ceux qui connaissent ma sainte Présence en eux soient fidèles à mon amour.

Jésus : Mes enfants que j'aime, l'Esprit Saint vient en vos coeurs par ma force. Ma force, je la tiens de mon saint Père. Mon Père, mes enfants, est tout-puissant. Rien ne peut venir que par mon Père. Moi, je suis son Fils bien-aimé en qui il a mis toute joie. Que toute joie soit pour moi en vous. Mes enfants que j'aime tant, vous qui me chérissez, je suis là, présent en chacun de vous. Vous êtes en moi, moi en vous.

L'Esprit Saint vient en vous. Mes enfants, laissez l'Esprit Saint venir en vous. Vous qui dites m'aimer, vous ne pouvez m'aimer vraiment qu'en lui. Il est ma lumière, ma Vie. Je suis l'Amour. L'Esprit Saint est l'Amour du Père et du Fils; il est la troisième Personne de Dieu. Qui vit en moi ne peut vivre sans lui.

Nous sommes TROIS en UN : Dieu Père, Dieu Fils, Dieu Esprit Saint. Tout est en nous. Nous sommes en chacun de nous par l'Amour, en l'Amour, avec l'Amour. L'Amour est tout. Tout est amour, amour sans fin.

Je suis l'amour du monde. Venez, mes enfants, je vous appelle à l'amour. Venez en moi, moi, je viens par l'Esprit Saint en vous. L'Eucharistie, la Vie en Corps et en Sang, se fait en l'Esprit Saint couvrant le Saint des saints par amour. La présence eucharistique se fait en l'Amour, par l'Amour. L'Amour est Esprit. Venez dire votre *amen* à l'Amour.

Vous ne pouvez atteindre l'amour que par votre *oui* à l'Amour. L'Esprit Saint prend votre *oui* et le couvre de son ombre comme il le fit pour Marie qui reçut le germe de la vie. L'Esprit Saint vous fait connaître l'amour. Tout amour vient de l'Esprit Saint. Tout est en moi.

Ma fille que j'aime, sois dans l'Esprit d'amour qui te couvre de vie en moi. J'ai mis en toi ma parole. Cette parole est vivante, elle ne peut demeurer en toi seule, elle t'étoufferait. Sors ce que tu entends, donne-le à mes enfants. Ces écrits sont pressants. Cela est ma Volonté.

Va, ma fille. Aujourd'hui, tu dois faire connaître ce que je suis en toi. Tout est en l'Esprit Saint pour mes enfants que j'aime. Ce jour est jour de grâces pour chacun de vous. Mes enfants, la grâce passe en vous qui croyez.

Mes amours, je vous aime, aimez-vous. J'aime ce qui est droit, bon, vie en l'Amour. Bénis-toi, ma fille *: le Père en moi, le Fils en moi, l'Esprit Saint en moi sont autour de toi, en toi. Amen.* Je t'aime.

Mes enfants, j'aime toutes vos prières adressées à ma sainte Mère qui me les donne. Elle fait pleuvoir sur chacun de vous des grâces d'amour. Beaucoup d'âmes saintes sont près de vous, elles prient avec vous. Soyez dans la prière. La prière est voix qui monte en moi et qui porte à mon Père des éclats de joie.

Vous qui priez, apportez vos prières à ma Mère. Vous êtes ici dans ce lieu de prières afin de partager les grâces que je vous accorde. Tous ceux qui sont ici n'y sont que par ma

Volonté. Vous, mes enfants, vous êtes en moi. Tout de vous devient moi par ma sainte Présence en vous. Qui que vous soyez, vivez en ma Présence qui fait de vous des enfants d'amour. Je vous aime. Aimez les pauvres de coeur, aimez ceux qui sont malades.

Mes enfants, que le Dieu d'amour vous bénisse : *Père, Fils, Esprit d'Amour. Amen.* Je vous aime, moi, Jésus en amour avec vous, mes enfants. Vous qui agissez en moi, je veux votre soumission. Je vous aime. Amen.

120 – 26 mai 2001   Ton Jésus Amour
J'ai glorifié ma sainte Mère.

Ma fille que j'aime, tous mes enfants, qu'ils soient ici dans ce lieu d'amour ou ailleurs partout dans le monde, ils sont mes enfants d'amour. Même s'ils ne sont pas favorisés par les apparitions de ma sainte Mère, elle est présente partout où est le Fils. Je suis en vous, mes enfants, en chacun de vous. Bien que vous ne puissiez me voir ou la voir, nous sommes en vous.

Vous qui êtes à l'affût des apparitions de ma Mère, vous êtes si heureux de ressentir ses grâces. Ses bénédictions descendent sur vous pour vous faire grandir en moi. Tout est pour moi, non pour sa gloire. C'est moi qui glorifie ma Mère. Ma Mère me glorifie. Elle est la Dame de ma sainte Gloire.

C'est d'un amour sans retenue, sans effusion de sa gloire, qu'elle se fait connaître, afin que vous reconnaissiez qu'elle est la Mère de ma sainte Présence en chacun de vous. C'est par ma Mère que vous me connaissez. C'est par ma Mère que vous apprenez à m'aimer. C'est par ma Mère que vous êtes en action d'amour. C'est elle qui intercède auprès de l'Esprit Saint, afin que vous receviez des grâces d'amour qui vous font grandir en amour.

Moi, Jésus, je vous demande d'aimer celle qui a donné sa vie pour vous faire connaître l'Amour. L'Amour est venu en ce monde par son *oui*. Ce *oui* est glorieux par moi. Je suis celui qui est en son sein virginal. La vie de ma Mère est ma Vie; par ma Présence, sa vie est devenue ma Vie. Je suis la Lumière du monde. Je suis venu en ce monde par le *oui* de ma sainte Mère.

Ma Mère est source de vie par moi, la Puissance de vie; elle est ce que moi, son Fils, je suis. L'Esprit Saint est Toute-Puissance. Il est là qui vient la couvrir de son ombre pour que la Vie prenne vie en elle. Douce et humble de coeur, ma Mère est celle qui illumine ma Présence en elle. Je suis tout bien en elle.

Quand les anges chantent la gloire de ma Mère, ils sont si éblouis par sa présence en moi, qu'ils la louangent continuellement. Grande est sa gloire. Elle est et sera de toute éternité la plus grande et la plus glorieuse des saintes et des saints. Personne de ce monde n'aura sa gloire. Tout est par moi, son Fils glorieux.

Mes enfants que j'aime, sachez que ma Mère, votre Mère, est la plus grande Dame de tout l'univers. Pas même le plus grand, le plus majestueux de mes saints anges n'est plus grand qu'elle. Elle est si pure, si blanche que la blancheur d'une nappe de neige est blanchâtre à côté de sa blancheur!

L'âme de ma Mère est au-dessus de tout. Rien n'a son égal. Grande et sainte est son âme. Rien n'a pu salir l'âme de ma Mère sainte et pure. Toute la création, toute créature, tout ange, rien n'est beau comparé à ma Mère. Sa beauté est si parfaite que vous ne pourriez la regarder qu'avec la blancheur de votre âme. Combien ont vu ma sainte Mère du Ciel et n'ont pu décrire sa beauté! Il est impossible à l'âme qui n'est pas pure de décrire la beauté de ma Mère!

La beauté de ma Mère est si grande que l'âme ne trouve pas de mots, d'expressions pour en parler. Il faut que l'âme vive cette beauté, s'en imprègne. Je suis, moi, son Fils, si émerveillé par la beauté de ma Mère que cela réjouit tout mon Être. Combien, mes enfants, vous serez heureux de voir ma sainte Mère dans toute sa gloire! Nul enfant sur la terre n'a pu voir sa beauté telle qu'elle apparaît au Ciel.

Votre *oui* à l'Amour, mes enfants, est si important. Voyez-vous combien grande sera votre récompense, mes enfants? Je vous aime, moi, Jésus Amour. Je t'aime, moi, ton Jésus Amour. Amen.

121 – 26 mai 2001   **La Trinité – Maman du Ciel**

Maman vous protège du Malin.
N'allez pas vers lui. Tout en moi est amour.

La Trinité : Ma fille, ta Maman du Ciel veut ta soumission totale et entière à nous, la Trinité. Tout, ma fille, est en nous. Nous sommes la sève du monde.

Marie : Venez à moi et je vous conduirai à mon Fils. Venez vers votre Maman du Ciel, de grandes grâces vous seront accordées. Gardez-vous en moi. Moi, votre Maman, je vous protège du Malin, il veut votre perte. Le socialisme et le modernisme sont si vils.

Attention, mes enfants. Gardez-vous en prière; la prière est grâce. Je vous aime, mes enfants. La lumière est en vous. Merci, ma fille, je t'aime. Je vous aime. Votre Maman du Ciel vous bénit. Va, aime mon Jésus.

122 – 26 mai 2001   **Votre Maman du Ciel**

Je suis la Mère qui pleure sur vos étourderies.

Ma tendre enfant, beaucoup de sacrifices te sont demandés. Tu dois souffrir pour tes frères et soeurs. Des âmes se sauvent par ton abandon à Jésus, ton Amour. Ton amour pour tes frères et soeurs est grâce. Des grâces leur sont données par tes souffrances. Ne t'inquiète pas, ma fille, tout est en moi[43]. Tu es souffrance par moi, ta Maman. Tes larmes sont mes larmes, des larmes d'amour pour vous, mes enfants.

---

43. Je suis la Mère de Jésus. Il a souffert pour vous. Je me suis associé à mon Fils pour vous. Ses douleurs sont mes douleurs.

Comme je vous aime, mes enfants! Pourquoi n'écoutez-vous pas? J'ai besoin de tant d'Ève[44]. Je vous aime. Mon Coeur crie vers vous, mes enfants. Aimez-vous, aimez votre prochain. Cela guérit vos âmes.

Mes enfants, que vous êtes lents à comprendre! Tout est dans l'amour, l'amour de mon Fils; là est le bonheur. Que cherchez-vous, vous qui êtes si étourdis? Vous recherchez continuellement votre consolation dans le plaisir. Le matériel est devenu pour vous prière; c'est là l'oeuvre de Satan. N'allez pas vers le Malin, tout est faux en lui. Avec lui, vous ne trouverez pas le bonheur. La haine règne en lui. Tout en lui est si pervers. Le mal qu'il vous fait faire est pour lui une victoire sur vous.

Vous qui priez, continuez de prier, mes enfants. Des enfants sont perdus sans vos prières; vous en serez responsables. J'ai mis en vous des grâces qui vous font voir mes bienfaits autour de vous et vous restez sans réagir. Bientôt, mes apparitions cesseront et vous ne resterez qu'avec mes grâces.

Vous devez prendre position. Allez, faites pénitence. Allez vous confesser. Assistez pieusement à la messe en silence. Mon Fils se livre pour vous. Il s'offre à son Père pour vous. Demandez-moi la grâce d'assister à la messe avec amour.

Mes enfants, soyez amour. Tout doit être amour. Amen. Bénissez-vous. Moi, votre Maman du Ciel, je vous bénis au nom de mon saint Fils Jésus : *le Père, le Fils et l'Esprit Saint vous couvrent de leur amour.*

123 – 26 mai 2001   Maman du Ciel

Je suis unie à mon Fils dans l'amour.

Ma chère enfant que j'aime, je suis heureuse d'être avec toi ici. J'aime, ma fille, quand tu viens ici me parler, non pas

---

44. Ève représente la *Fille du Oui.* Tous ceux qui prononcent leur *oui* sont comme cette enfant.

que j'aie besoin de te parler ici, mais parce que cet endroit est cher à mon coeur (statue de Marie à l'extérieur). Je suis heureuse de voir en toi la joie de l'abandon à la Divine Volonté.

Mes enfants que j'aime tant, en chacun de vous, mon Coeur est lié au Coeur de mon Fils Jésus. Nous sommes soudés; nous formons une unité d'amour. L'amour est bénédiction, louange et grâce. Je suis en vous. Où mon Fils demeure, je demeure en lui et avec lui. Nous formons un tout.

Ne formant qu'un, nos deux Coeurs sont symbole d'union d'amour. Mon amour pour mon saint Fils est grâce par lui. Mes enfants, rien sur la terre n'est ainsi uni. Nous nous fondons l'un dans l'autre. Nos Présences ne font qu'un.

Je suis sa Mère. Mon Fils Jésus est mon Dieu, mon saint Fils. Je suis en lui. Lui, le Saint de mon sein, est plus grand que tout. Tout de lui est saint. Grande est sa sainteté. Je suis ointe en lui par amour. Je suis servante de l'Amour. Je suis Mère par amour. Je suis Vierge par amour.

Mes enfants que j'aime, tout en moi est amour. Je suis amour. Quand l'Esprit Saint s'est uni à mon corps, je suis devenue amour de corps et d'esprit. Je suis devenue entièrement amour par un acte d'amour. J'ai prononcé le *oui* à l'Amour. L'Esprit Saint m'enveloppa d'un si grand amour que tout mon être fut saisi d'amour. Amour, je suis devenue. Je suis en lui, mon Enfant divin. Il est, pour l'humanité, amour pour chacun de vous, mes enfants.

Je vous aime, moi, la Mère de l'Amour. Tout enfant qui est soumis à l'Amour se couvre le coeur de beaucoup de grâces. Ces grâces, mes chers petits enfants, vous aideront à être ce que vous êtes : des êtres d'amour. Mon amour pour chacun de vous, est libre de circuler en vous dans l'abandon à l'Amour.

Je ne puis rien en vous si vous refusez de prononcer votre *oui* à l'Amour dans un abandon total. Les grâces se déversent en vous par le *oui* que vous avez prononcé de votre propre choix. Je vous aime, mes saints enfants, vous qui avez dit un *oui* d'amour. Votre *oui* à l'Amour est un rythme d'amour à l'Amour. Tout en vous devient amour quand votre *oui* est dit dans un total consentement.

Je suis la Mère de l'abandon qui s'est donné à l'Amour. Sur la croix, l'Amour s'est offert par amour pour vous, mes enfants que j'aime. Aimez les *oui*; vos *oui* vous apporteront l'amour, l'amour qui ne finira jamais. Enfants, dites *oui* à l'Amour qui se meurt d'amour pour vous. Je suis toute grande; grande est ma protection pour vous.

Mes enfants, faites des progrès rapides dans votre abandon, c'est si important! La prière, mes enfants, est importante. La pénitence faite dans l'abandon à l'Amour est source de bonheur.

Je suis près de vous, vous qui me priez. Je couvre de mon amour votre être d'amour. En vous, je suis, vous qui êtes en mon saint Fils. En moi, mes enfants, vous êtes. Je suis la Mère du Dieu puissant. Toute vie ne vit que par l'Amour. Je suis votre Mère d'amour en l'Amour. Votre Maman au Paradis est en chacun de vous, vous qui priez. Moi, votre Maman du Ciel, je vous aime. Bénissez-vous : *le Père, le Fils et l'Esprit Saint sont en vous.*

124 – 28 mai 2001   Jésus

Mes fils, je suis le Semeur.

Ma fille, tu écris pour faire connaître à mes fils de prédilection mes directives divines, non les leurs. Je suis l'Alpha et l'Oméga. Tout réside en moi, Dieu tout-puissant. Le Ciel et la terre sont en union d'amour pour vous faire comprendre que moi, le Tout du Tout[45], je suis en ma fille. Elle est en moi : la Divine Volonté. Tout est moi. Je suis le Tout dans chacun de vous.

Mes fils que j'ai moi-même choisis afin que s'accomplisse mon saint Vouloir, je suis bien conscient que votre volonté doit être dans ma Volonté. Je suis la seule Volonté en mon

---

45. Jésus est le Tout du Père.

Père. Priez l'Esprit Saint de vous donner ma lumière qui vous aidera à comprendre ce que vous êtes en moi.

Vous êtes, mes fils, les semeurs. Votre volonté est semence quand vous faites ma Volonté, non la vôtre. Je suis en tout responsable de ma récolte. Vous êtes mes semeurs. Tout prêtre doit s'accomplir dans ma Volonté. Prenez bien soin de couvrir ce que vous semez par ma Volonté, non la vôtre. Tout est en moi, le Dieu semeur.

Mes fils, je veux que vous soyez à l'écoute de ma Volonté. Ce message est pour le temps présent. Le temps de la récolte est fixé; il y aura récolte très bientôt. Moi qui suis, je connais la date choisie par mon saint Père du Ciel. Mes fils que j'aime, mes enfants que vous aimez cueilleront ce que vous leur donnerez à manger. Je suis la Nourriture. Je suis en chacun de vous, vous qui êtes de moi. JE SUIS. Tout vient de moi. Je vous aime, moi, Dieu amoureux.

N'écoutez pas vos dires, cela retarderait la récolte qui pourrait être perdue pour le temps prévu par mon Père. Malgré que le temps de la récolte se fasse attendre, voilà que, pour bientôt, des jours de grâces seront en vous, pour vous. Vous êtes tous des moissonneurs de ma parole. Il suffit que vous soyez en moi pour que tout brille dans ma lumière. Sachez que le temps est là. Croyez que tout est en moi.

Vous que voici, je suis celui qui est, qui était et qui vient. Oui, je viens pour ce temps, pressé de voir mes fils ensemencer ma Vie en mes enfants qui ont besoin de semailles. Je suis contre tous ceux qui ralentiraient le mouvement d'amour dans le coeur de mes enfants. Je suis présent en chacun de vous, mes fils. Tout est pour bientôt. Mes fils que je veux à mon écoute, je suis en vous, n'est-ce pas? Je suis en chacun de mes fils. Qui fait sa volonté ne peut faire ma Volonté. Que cela soit clair! C'est la Volonté de mon Père, non la vôtre. Tout vient de mon Père, moi en lui, lui en moi, l'Esprit en vous.

Je suis en vous, vous en moi, l'Esprit en vous. Tout est par moi, JE SUIS. Sachez reconnaître ma soif de prendre mon dû. Je viens chercher ce qui me revient. La foi de mes prêtres est puissance; je suis leur puissance. Tout me revient.

Mes fils que j'aime, je suis en chacun de vous. Tout est dit. Amen, je vous le dis. Quand le temps viendra, le Semeur viendra pour sa récolte. Il trouvera et brûlera ce qui ne va pas. JE SUIS est là, présent en vous. Sachez lire et comprendre en l'Esprit Saint.

Amen, amen, tout fils qui accomplit ma Volonté accomplit la Volonté de mon Père. Je suis Jésus qui est tout amour en chacun de vous. Tous ceux qui seront dans ma Volonté se découvriront êtres de mon Être, moi, l'Être de mon Père. Tout en moi est en lui, mon Père. Amen.

125 – 29 mai 2001   Maman Marie

Je suis Reine et servante.

Ma fille, tu es si docile à mon écoute. Je suis la voix douce et suave du Coeur de Jésus, mon saint Fils, Roi de l'univers. Tout en moi est lui; je vis en lui, moi lui, lui moi. Tout est puissance. Grande est mon unique et sainte voix par mon saint Fils qui nourrit la semence de ma voix en vous qui m'écoutez.

Je suis Reine et servante. Tout en moi est puissance et donation. Telle fut ma vie sur terre. Je me suis offerte par devoir à l'Amour et en l'Amour. Comme je devais être Mère par devoir, j'ai dit *oui* à l'Amour, renonçant à ma vocation du silence en l'Amour pour être transformée en lui, mon saint Fils. Tout en moi devait subir une transformation, moi, une enfant de la terre appelée à devenir un être céleste.

Oui, mes enfants, mon corps devait porter un Dieu. Je devais donc me donner entièrement pour laisser toute la place à Dieu, mon Sauveur. Je n'étais plus moi. J'ai renoncé à tout ce qui, en moi, venait de la terre. Tout mon corps fut transformé par Dieu. L'Amour venait me transformer par ses grâces. Dieu le Père, Dieu le Fils et Dieu le Saint-Esprit me donnèrent tant de grâces.

Les anges me donnèrent des enseignements pour que je sois à l'écoute de l'Amour. Si je n'avais pas eu le soutien du Ciel, j'aurais vécu cette transformation sans en savourer les instants, en demeurant avec moi-même. Les anges m'accompagnaient sans cesse, nous parlions ensemble des merveilles accomplies en mon être. Tout en moi était merveilleux.

Mon Père, Dieu, se manifesta à moi en m'emmenant auprès de lui dans l'empyrée. Je me laissais transformer tout entière par lui, par l'Esprit Saint. Mon Fils se manifestait continuellement à moi. Tout en moi était en lui. Combien de grâces j'ai reçues pour ne pas mourir en savourant sa Présence; sans ces grâces, mon corps n'aurait pu supporter tant de joie. Sois loué, toi qui es Tout en tout.

Ma vie fut offrande d'amour à l'Amour. Je fus en lui dès le premier instant de ma vie. J'étais formée par l'Esprit Saint. Tout est en l'Esprit d'amour. Je suis restée en lui, par lui, avec lui, tous les jours de ma maternité. Les anges du Ciel me manifestaient tant de reconnaissance qu'ils se réjouissaient de me voir si reconnaissante devant les grandeurs que me faisait la Divine Volonté. Dans la Divine Volonté, je louangeais sans cesse Dieu. Sa Présence me remplissait de grâces.

Mes enfants, ces leçons d'amour sont, pour chacun de vous, des leçons d'abandon à l'Amour. Tout en moi était si aimant; l'Amour m'offrait sans cesse ses instants d'amour. L'Amour me nourrissait d'amour. Tout autour de moi me donnait de l'amour. Rien ne fut plus joyeux que mes élans de joie, d'amour et de reconnaissance pour toutes les grâces que je recevais par l'Esprit d'amour, en l'Amour.

Étant la Mère très bienheureuse de l'Enfant-Dieu, je portais en mon sein le Verbe. Il devait racheter tous les manquements d'amour de l'humanité qu'il portait en lui. Je devenais, par ce rachat, la Mère des élus du Père. Le Père fit en moi des merveilles d'abandon à l'Amour. L'Amour fut pour moi source d'eau vive. Je devenais Mère corédemptrice avec mon Fils, Rédempteur du monde.

Je suis si heureuse de voir en vous la Présence du Rédempteur! Je vous aime, mes enfants de l'Amour. Par mes grâces d'amour, devenez amour. Je suis la Maman de l'Amour qui, sans l'Amour, ne pourrait exister. Toute existence sort de l'Amour. Qui vit dans l'amour devient existant en l'Amour.

Je vous prie, mes enfants, de vous aimer les uns les autres, de prier les uns pour les autres. Si vous découvrez en eux des défauts, faites des actes d'amour. Moi, votre douce Maman, je vais vous soutenir, vu votre faiblesse. Je suis votre soutien tel un bâton qui sert de tuteur. Appuyez-vous sur mon Coeur, mes enfants. Je suis l'Immaculée, la Mère du Rédempteur qui s'est offerte pour vous sauver.

Non, mes enfants, ne vous retirez pas en vous sans moi. Priez avec moi, mes enfants. Mes chers petits, restez avec votre Maman du Ciel, tout blottis sur mon Coeur de Maman. Mes enfants, je vous demande de prier, de dire et de faire des actes d'amour pour vos frères et soeurs qui sont blottis sur mon Coeur. Venez vous y appuyer; vous verrez que toute paix sera en vous.

Je suis la Reine de la Paix. Que l'amour de mon Fils Jésus soit loué. Donnez, mes enfants, donnez. L'Esprit Saint mettra en vos coeurs ma sainte volonté divinisée en Dieu. Maman du Ciel vous bénit tous : *Père en vous, Fils en vous, Esprit Saint en vous*. Je suis la Mère de Jésus, je suis votre Maman du Ciel, je suis en chacun de vous. Loué soit mon Fils Jésus.

126 – 31 mai 2001   Jésus Amour

Mon Église est moi avant tout.

Chère enfant, je t'aime. Tu es si flexible dans ton obéissance. Tant de fois je répète et je répète. J'attends que l'on vienne à moi. Je suis seul, si seul, là où les hommes m'ont placé dans vos églises et où tout est disposé pour l'adoration.

Oui, mes enfants, c'est si triste de constater tous les recoins où on me met. Mes enfants me cherchent et sont obligés de s'étirer le cou pour m'apercevoir. Tout est en place pour que je sois maître et roi dans mon église, mais on a peur que je paraisse trop. Tout a été conçu pour les gens, non pour moi. Si concerts ou folklore il y a, il ne faut pas que je gêne!

Mes enfants chéris, parlez à vos prêtres que la place de votre Dieu est au centre, à la vue, non dans un coin. À certains endroits, je suis en retrait, tout comme on mettait les enfants dans un coin à réfléchir. Mes enfants, est-ce moi qui dois réfléchir ou vous qui avez perdu le sens de la piété? Mon église est avant tout pour ma sainte Présence où on doit venir m'adorer.

Mes chers petits, je vous prie d'aller avec persévérance donner votre opinion sur ce qui vous paraît injuste. Vous constatez et vous ne me défendez pas. C'est ainsi qu'on me battait avec des fouets.

Moi, l'Agneau béni, voilà près de 2000 ans que je suis las de me défendre contre les idées des hommes orgueilleux. Ils se défendent, eux. Moi qui suis votre Dieu, ne puis-je pas compter sur mes soldats d'amour pour venir à bout de tant de froideur envers le Roi d'amour?

Je suis avec vous, on ne peut rien faire contre vous. Pourquoi tant de craintes? Vous êtes mes enfants. Je suis tout-puissant. Je ne puis rien si vous ne faites rien. Tout est en vous. Je ne puis rien forcer. Le mal oblige. Le bien attend votre *oui* à l'Amour. Je suis amour. Je vous aime.

Demandez-moi des forces qui seront vos boucliers de protection. Vous ne pouvez avancer sans moi. Venez, suivez-moi, je vous précède. Je suis votre bouclier de front. Mes enfants de l'Amour, quand vous vous appuyez sur moi, vaincre le mal est si assuré que toute flèche se brise. Moi, Jésus de Jérusalem, je suis en chacun de vous.

Vous, ma sainte Église, prenez les armes de l'amour et avancez, je suis avec vous. Amen, je vous le dis, toute génération, toute force viennent de moi, en moi. Je suis en vous, vous êtes en moi. Nous sommes un. Tout est en mon Amour. Jésus vous aime. Aimez-moi, mes enfants. Amen.

127 – 31 mai 2001　　　　　　　　　　　　　　　**Fils de Dieu**

Donnez-moi vos larmes.

À la croix, moi, Jésus Amour, je me suis donné pour chacun de vous. Mes enfants, je vous aime. Vous, mes disciples, qui offrez votre vie en sacrifice, vous êtes en moi. Moi, je suis en chacun de vous.

Je ne suis pas un Dieu lointain. Je suis ici, près de vous, très près de vous, même dans les moments les plus obscurs de votre vie. Je ne m'éloigne pas de vous ou si peu. Je suis là à attendre que vous vouliez de moi. Dans vos manquements à l'Amour, l'Amour est là à pardonner, à continuer à vous soutenir en lui.

Mes chers petits enfants, vous êtes en moi. Faites tout par moi, mes enfants. Tout est en moi. Même si cela vous semble difficile, venez à moi. Je vous vois pleurer seuls sans moi. Pourquoi tant de froideur envers celui qui a versé vos larmes? C'est moi, mes enfants, qui ai lavé vos pleurs la nuit de l'Agonie. Je les ai changés en grâces de purification.

Mes chers enfants que j'aime, aimez vos larmes, elles sont purificatrices, elles sont grâces pour ceux qui me les donnent. Je suis la voix qui vous parle d'amour. Je suis amoureux de chacun de vous. Je vous aime. Aimez l'Amour. Moi, l'Amour je vous veux en moi. Oui, JE SUIS est en vous. Je suis le Fils de Dieu, votre Frère. Mes enfants, je suis le Oint de Dieu votre Père. Venez à moi les bénis de mon Père et je vous conduirai à votre demeure, là où tout est joie et paix.

Mère, voici tes fils, tes filles. Ils sont à toi. Moi, ton Fils, je suis tout. Bénissez-vous, mes enfants. Moi, le Fils de Dieu, j'impose sur vous les mains de la paix : *Père, Fils et Esprit Saint en moi. Amen.*

* * * * * * *

Je vous ai parlé par mon Être qui est en chacun de vous. Ces lignes sont en vous, mes enfants. Donnez-vous à l'Amour. L'Amour vous parle. Écoutez l'Amour. L'Amour vous dit : à bientôt. Amen.

TABLE DES MATIÈRES